DIDEROT STUDIES XIII

Edited by
OTIS FELLOWS
and
DIANA GUIRAGOSSIAN

DIDEROT STUDIES XIII

Edited by

OTIS FELLOWS

and

DIANA GUIRAGOSSIAN

Diderot critique d'art
et le problème de l'expression
par
MICHAEL T. CARTWRIGHT

LIBRAIRIE DROZ S.A. GENÈVE
1969

TABLE DES MATIÈRES

Les *Pensées détachées*, complément des *Essais sur la peinture*,
— Le voyage de Diderot en Russie : l'expérience de la peinture ; Diderot courtier et négociant. — Manque d'originalité
des *Pensées* : les emprunts faits aux *Réflexions sur la peinture*
de Hagedorn. — Petit nombre de passages qui montrent la
spontanéité stylistique de Diderot. — Manque de continuité
dans la structure des *Pensées*.

D. *Les Derniers Salons: 1769; 1771; 1775; 1781:*

Décadence rapide de la critique d'art de Diderot. — Des
listes de tableaux prennent la place du compte-rendu. —
Préoccupations familiales et professionnelles de Diderot.
— Forme des derniers *Salons* dictée par la lassitude. —
Manque d'intérêt manifesté par Diderot à l'égard de peintres
loués jadis. — Introduction du dialogue pour désennuyer le
lecteur. — Dernière mention de Greuze. — Diderot fait une
réception tiède à David, représentant du nouvel esprit néoclassique.

Evolution du problème de l'expression. — Importance de la
durée et des éléments matériels. — L'expression et le genre
romanesque : continuation possible de l'enquête. — Aperçu
sur l'expressionnisme et sur le baroque dans la peinture du
dix-huitième siècle.

APPENDICES

PRÉFACE

On a beaucoup écrit sur la critique d'art et les idées esthétiques de Diderot depuis le début du siècle, et plusieurs diderotistes éminents jugent qu'il serait peut-être souhaitable de souffler un peu: ne faut-il pas évaluer à leur juste valeur les travaux déjà réalisés, établir un programme de recherches à entreprendre ? L'importance même du parti des temporisateurs témoigne de l'ampleur et des complexités d'un sujet qui est loin d'avoir été épuisé.

Les éditeurs des Diderot Studies *ne mésestiment pas les mérites de cette opinion. Ils pensent cependant que l'ouvrage de M. Michael Cartwright qu'on va lire apporte des lumières particulièrement neuves et pénétrantes sur un aspect du problème, et qu'il mérite hautement l'attention de ceux qui s'intéressent à la philosophie et à l'histoire de l'art.*

Aussi bien, nombreux ont été ceux qui ont encouragé M. Cartwright. L'auteur tient à leur exprimer ici sa profonde reconnaissance. Et nous nous joignons à M. Cartwright pour remercier:

M. le professeur Robert Niklaus, doyen de la section française à l'Université d'Exeter. Après avoir guidé les études de littérature française de M. Cartwright, M. Niklaus n'a pas cessé par la suite de lui prodiguer son aide fervente et généreuse et il a bien voulu écrire l'introduction du présent volume;

M. le professeur Bernard Guyon, qui a dirigé la thèse de M. Cartwright à Aix-en-Provence, et qui l'a chaleureusement accueilli à l'époque où il était doyen de la Faculté des Lettres;

MM. les professeurs Henri Coulet dont les conseils ont été particulièrement précieux, et Jean Fabre, qui a approuvé le plan et la mise en œuvre de ce travail avec l'enthousiasme que nous lui connaissons tous;

MM. les professeurs John C. Lapp de l'Université Stanford et Roland Mortier de l'Université Libre de Bruxelles, qui ont bien voulu lire le manuscrit et proposer des suggestions des plus utiles.

L'auteur et les éditeurs tiennent à remercier également le Publications Committee *de l'Université d'Exeter ainsi que l'Université Stanford pour l'aide matérielle fournie à la publication de ce volume.*

M. Cartwright enseigne actuellement à l'Université Stanford en Californie. Il a participé activement au deuxième Congrès sur les Lumières à Saint-Andrews en 1967; ses travaux ont paru dans de nombreuses publications savantes telles que les Studies on Voltaire and the Eighteenth Century, The French Review *et, bien entendu, les* Diderot Studies. *Les éditeurs de cette dernière publication sont heureux de l'accueillir une fois de plus.*

Otis Fellows, *Columbia University*
Diana Guiragossian, *Indiana University*

OBSERVATIONS SUR LE STYLE
EXPRESSIF DE DIDEROT

Par Robert NIKLAUS

Voulant insister sur la part d'invention et de nouveauté dans l'œuvre de Diderot nous avons donné pour titre à la communication que nous avons faite en juillet 1967 au Congrès de l'Association Internationale des Etudes Françaises: « L'esprit créateur de Diderot. » Sans toutefois nier tout ce qui revient à la tradition dans sa formation intellectuelle, morale et littéraire, nous avons cru bon de considérer au premier abord l'imagination créatrice de Diderot, de la situer dans son contexte historique et philosophique avant même d'examiner la nature de son talent et la marche de son esprit, la part d'originalité qui revient à son œuvre. Cette façon d'envisager le sujet se recommande pour qui veut s'occuper du problème de l'expression, aujourd'hui soumis à l'étude critique de M. T. Cartwright.

Celui-ci s'attache en particulier à l'étude de la critique d'art où il trouve une première manifestation de l'expressionnisme et l'ultime formulation de l'esthétique diderotienne. Mais avant même de s'embarquer dans un examen approfondi, M. Cartwright doit s'astreindre lui aussi à l'étude du sensualisme de Diderot qu'il faut distinguer de celui de Locke et de Condillac, de son évolutionnisme déterministe dont il convient de marquer les étapes et qui trouve un parallèle frappant dans l'expression littéraire. Evidemment il y a quelque danger à ne considérer que certaines œuvres-clés, mais un choix s'impose et les textes choisis par M. Cartwright conviennent admirablement à son propos. Les jalons ainsi établis permettent de tenir compte de

1

la chronologie des idées de l'auteur tout en relevant la puissance grandissante de ses valeurs expressives.

La base théorique reste donc fondamentale. Rappelons quelques données, pour mieux situer les problèmes d'ordre esthétique. Pour Diderot, dont le sensualisme se transforme rapidement en matérialisme, une question capitale se pose. Comment concilier création et déterminisme? La création se marque par deux aspects: imagination et mémoire [1]. Il souligne l'importance de la mémoire, déjà mise en relief dans le Système figuré des Connaissances humaines du Discours préliminaire de l'Encyclopédie, qui est à la base de l'imitation de la nature par les Anciens, poètes ou artistes, ainsi que de tout effort vers le réalisme; mais il observe que l'imagination qui dépasse les données sur lesquelles elle se fonde, « ne crée rien, elle imite, compare, combine, exagère, agrandit, rapetisse. Elle s'occupe sans cesse de ressemblances [2]. » Il suit donc que l'on peut parler d'imagination créatrice dans le domaine de l'art. Mais il faut s'entendre; d'une part, chose qu'on a souvent oubliée au XIXe siècle, l'imagination n'est pas la seule faculté en cause. « L'enthousiasme qui naît d'un objet de nature » [3] et dont la forme première a été suggérée à Diderot par Shaftesbury, indique le degré d'intensité de la sensation première qui peut même induire des troubles physiologiques, « les transes » du génie, la vibration première d'une corde harmonique, d'une sensibilité féconde. Il y a d'autre part la réflexion à tête reposée qui permet de trouver l'expression juste d'un transport d'imagination éphémère et de rendre après coup l'instantané de la vie. Cette imagination qui est à la base de la création artistique, transforme la réalité, substitue au vrai de la nature le trompe

---

[1] Cf. « Imagination, mémoire, même qualité sous deux noms différents. » A.-T., XV, 110. Voir encore A.-T., XI, 73. Margaret Gilman dans son étude intitulée « Imagination and creation », *Diderot Studies*, II, 1952, a examiné de près les passages où Diderot parle de l'imagination.

[2] A.-T., XI, 131 (*Salon* de 1767).

[3] A.-T., VII, 102-103.

l'œil de l'art, justifie l'artifice au sein même d'une esthétique réaliste. La création d'un homme quel qu'il soit, fût-ce d'un grand artiste comme Vernet, si bien composées, et peintes que soient ses toiles, si habilement truqués que soient ses ciels, ne peut, cependant, être substituée à celle de Dieu, créateur du monde, car elle n'a d'intérêt que dans la mesure où elle est une interprétation stylisée du monde où la pensée même de l'homme n'est qu'un écho du processus du monde où elle puise sa valeur objective [1]. *Ainsi, en déclarant que Vernet est semblable à Dieu, Diderot raisonne par analogie et ne cherche nullement à identifier l'homme à Dieu. C'est dire que tout en inventant l'homme reste dans le monde déterministe précisé dans le* Rêve de d'Alembert. *Cela posé, il est permis de voir combien le grand génie, qu'il s'appelle artiste, poète, comédien, musicien ou philosophe peut se rapprocher du Dieu de l'art par la conscience parfaite de sa vision d'artiste et de ses moyens d'expression. M. Cartwright souligne par de très nombreux exemples l'élément pictural dans la pensée et l'œuvre de Diderot. Reste que Diderot, qui a longuement médité les conséquences de son système sensationnaliste, a su noter la part qui revient aux autres sens dans l'image composite que se forme notre esprit, et a su relever le vaste champ des correspondances qui justifie à ses yeux l'emploi de l'analogie comme grand moyen d'enquête sur le monde et lui permet de dépasser à la fois le rationalisme cartésien et l'empirisme, tous deux quelque peu étriqués.*

Dans les Pensées philosophiques *Diderot a trouvé d'emblée la formule personnelle expressive d'une apologie des passions qui est à la base de son esthétique* [2] *et dans la* Lettre sur les

---

[1] Cf. Notre article, « Diderot et la peinture », *Europe*, janvier-février 1963, 245-246.

[2] « Les passions amorties dégradent les hommes extraordinaires. La contrainte anéantit la grandeur et l'énergie de la nature. Voyez cet arbre, c'est au luxe de ses branches que vous devez la fraîcheur et l'étendue de ses ombres : vous en jouirez jusqu'à ce que l'hiver vienne le dépouiller de sa chevelure. Plus d'excellence en poésie, en peinture, en musique, lorsque la superstitution aura fait sur le tempérament l'ouvrage de la vieillesse. » A.-T., II, 128 (pensée III).

3

aveugles, *tout en précisant le rôle de la vue dans notre entendement, et en montrant jusqu'à quel point les sens peuvent se substituer l'un à l'autre, il a surtout montré à quel point nos idées dépendent de nos sensations.* Mais c'est dans la Lettre sur les sourds et muets *dont l'édition critique par P. H. Meyer nous permet de mieux juger le sens et la portée* [1], *que pour la première fois le problème de l'expression est posé dans toute son ampleur et que se trouve examiné le rôle transcendant des mots, emblèmes ou hiéroglyphes. On a alors beau jeu de montrer, à grand renfort d'exemples, la nature, la fonction et l'importance des images dans la pensée même de Diderot aussi bien que leur rôle dans sa technique d'écrivain. Sans ignorer l'élément pictural dans le théâtre de Diderot, indiqué par Y. Belaval* [2], *on peut alors insister sur la place prééminente et particulièrement heureuse qu'il prend dans les* Salons. *En effet les* Salons *ont permis à Diderot de saisir toute l'originalité de sa vision de littéraire, interprétation littéraire des toiles soumises à sa vue, qui souvent l'émeuvent et qu'il cherche alors à recréer par les prestiges d'une imagination puissante et avec les yeux de l'artiste caché en lui. Sa critique véritablement créatrice se rattache à son moi profond et s'exprime grâce à ses dons d'artiste, mais elle est subordonnée également à sa conception de ce qui peut convenir au pinceau et à la plume. Il est clair que son travail de critique d'art a libéré l'artiste en lui, bien plus que son travail d'écrivain dramatique qui l'oblige sans grand succès à illustrer une théorie intéressante en soi et utile pour sa propagande philosophique* [3]. *Mieux vaut rattacher son expérience de critique d'art aux idées qu'il exprime dans ses* Entretiens *et son* Paradoxe sur le comédien [4]. *C'est bien le personnage de*

<hr />

[1] *Diderot Studies*, VII (1965).

[2] *L'Esthétique sans paradoxe de Diderot*, Gallimard, 1950, 93-129 et *passim*.

[3] Cf. Notre article, « La propagande philosophique au théâtre au siècle des lumières », *Studies on Voltaire and the Enlightenment*, XX, 1963, 1257-1258.

[4] Cf. Notre article, « Les théories dramatiques de Diderot », *The Romanic Review*, LIV, 1 (Feb. 1963), 16-17.

Dorval dans Dorval et Moi *qui nous fournit le premier exemple de création complexe avec les multiples formes d'expression qui y correspondent. Il y a le Dorval de la pièce qui est sans vie, chose que Diderot semble encore ignorer, mais surtout le Dorval de l'entretien qui est dit être l'auteur de la pièce où il joue un rôle proche de celui qu'il joue dans le monde, qui est souvent le porte-parole de Diderot, parfois celui de Rousseau comme P. Vernière l'a proposé, un Dorval théoricien et un Dorval poète romantique, etc. Bref un être dont les différentes fibres se rattachent souvent assez mal et dont la personnalité se disperse, manifestée par des styles très divers, encore qu'appartenant tous à la gamme de l'auteur: Diderot lui-même. Dans le* Paradoxe sur le comédien *Diderot, dépassant le sujet limité de sa thèse, selon laquelle le comédien dont il voit tout le génie doit jouer froidement pour bien interpréter son rôle, va droit à l'essentiel: le poète créateur, interprète d'un monde où chacun a son rôle à jouer, produit de son hérédité et de son milieu, peut néanmoins lui aussi déterminer pour une part le monde où il a son être.*

C'est encore dans les Contes, dans La Religieuse, le Neveu de Rameau *et surtout* Jacques le fataliste *que se trouve la plus brillante expression du génie artistique de Diderot, parce que dans ces œuvres il a trouvé la seule forme adéquate pour rendre une réalité et une pensée de plus en plus subtile. Il s'agit de donner l'illusion de la vie, d'un présent immédiat que le lecteur d'aujourd'hui comme celui d'autrefois perçoit comme présent, malgré le cadre XVIIIe siècle ou peut-être même un peu grâce à lui. Cette vérité que l'artiste cherche à communiquer est en effet de tous les temps; celle de ses personnages réside dans une grande mesure dans le degré d'intensité et d'efficacité dans l'affirmation et la confrontation de leurs idées, dans l'entre-choquement d'une escrime verbale très soutenue et très savante. Diderot pose ses personnages par leurs gestes, leur pantomime, leurs idées, grâce à un dialogue qui lui a permis de se dédoubler et où il s'est mis tout entier. Il voit alors que l'imprévu de la vie peut se traduire par des digressions même abusives, et que*

5

l'humour et l'esprit, l'ironie et la parodie ont aussi leur rôle à jouer si l'on veut faire vrai. Mais dans cette grande fresque qu'il brosse et dont nous ne faisons ici qu'indiquer très rapidement quelques éléments constitutifs, où tout est subordonné à une vision d'ensemble et à une vision de détail, où tout paraît spontané, car tel il était au moment vital de l'inspiration créatrice, mais aussi où tout est artificiel, combiné, savamment construit, simplifié quoi qu'il paraisse par la mise en valeur de quelques données choisies au dépens d'un réel très touffu, où tout est finalement soumis à l'intelligence, il y a un élément que l'on n'avait à vrai dire jamais perdu au cours de sa longue carrière d'écrivain, cet élément pictural justement qui fascine M. Cartwright. Il y aurait lieu, croyons-nous, de partir à sa suite pour étudier par le menu détail tous les tableaux de Diderot. L'accumulation de pareilles analyses permettrait de serrer de très près l'acte créateur de Diderot. Une étude stylistique des trois grands romans que nous citions s'impose, mais elle aurait entraîné M. Cartwright au delà des bornes de son livre. Reste que certaines manifestations de l'imagination visuelle dans les romans sont particulièrement significatives. D'ores et déjà nous pouvons indiquer le mouvement général de notre propre pensée, quitte à l'approfondir et à fournir les pièces justificatives plus tard. Les innombrables images visuelles et tableaux semblent présentés avec une maîtrise grandissante après les Salons *et quand Diderot semble s'être désintéressé de la critique d'art. Ayant absorbé tout ce qu'il y avait à retenir de son expérience de critique d'art, il semble qu'il se soit préoccupé une fois de plus, de faire une transposition, justifiée par le jeu de ses analogies et des correspondances qu'il entrevoit entre les données fournies par les sens, la sensibilité, la pensée, et l'univers entier. A certains égards,* Jacques le fataliste, *qualifié de* rapsodie *par Diderot, n'est-il pas l'ultime amalgame de toutes sortes de genres, création insolite d'un génie insolite qui trouve enfin sa forme d'expression pure ? C'est ainsi qu'on y trouve dans un contexte burlesque qui semble parodier la vie, plusieurs expression d'une philosophie équivoque, les manifestations d'un grand génie dramatique, d'un conteur savant, d'un critique avisé, d'un psychologue pénétrant et d'un ironiste sûr de ses moyens. A côté de scènes de théâtre inoubliables, lestement enlevées grâce à un dialogue alerte, il y a de petits tableaux charmants de réalisme, composés à la manière du peintre, dont la juxtaposition parfois incongrue nous aguiche, et que nous admettons comme au cinéma devant des séquences qui nous offrent pêle-mêle des gros plans et des arrière-plans. Ces phénomènes curieux, que seule une étude stylistique mettrait en lumière, montrent que le décousu en littérature peut même surpasser les possibilités techniques du cinéma moderne, pourvu que l'artiste ait la touche sûre, sa magie évocatoire qui dans certaines circonstances déterminées permet avec des mots bien choisis, de faire le saut périlleux. Ces tableaux de Diderot sont d'une part des images qui captent pour un moment qu'ils perpétuent un instant fugitif; mais ils n'excluent ni un long regard en arrière ni l'amorce d'une transformation prochaine. D'autre part associés à un mouvement d'ensemble où côtoient hommes et discours, événements et interruptions, ces tableaux sont véritablement vivants. Lourds de sens et fixant un moment furtif ils semblent néanmoins s'animer d'une vie trépidante, esquissant le geste et l'action future, suscitant le discours qui doit jaillir en fusées de paroles. Il suffit de renvoyer le lecteur à la fameuse scène dans l'auberge où l'hôtesse cherche à raconter l'histoire de Mme de La Pommeraye à travers les interruptions nécessitées par son état. Elle ne doit même pas l'entamer avant qu'elle ne soit elle-même située dans le cadre réel de sa vie quotidienne dont la tire l'intérêt qu'elle porte au récit qu'elle rapporte.*

Dans la Religieuse *les tableaux sombres, hallucinants et pourtant vrais, appropriés aux différents stages de la vie de Sœur Suzanne et formant un* crescendo *d'horreur, saisissants de vérité, sont cependant simples à côté des aperçus si déliés de* Jacques le fataliste, *qui en disent long pour un lecteur alerte, et où on ne sent même pas l'effort littéraire. Diderot a ici une* *finesse dont il détient le secret, que Balzac a cru retrouver mais qu'il n'a pas surpassée, parce qu'elle est à la mesure de son génie et qu'elle est l'expression de sa personnalité tout entière. C'est ainsi qu'à l'encontre des critiques du XIXe et même du XXe siècle nous voyons en Diderot un des grands maîtres de l'expression, non seulement le premier expressionniste que révèle M. Cartwright, mais l'artiste-philosophe qui a réalisé son ambition autrement grande de faire en littérature ce qui semblait réservé au peintre, de créer ses arcs-en-ciel à lui, quasi-miraculeux par leur extraordinaire réalisme. Sans renier aucun genre, mais en faisant appel à telle ou telle technique selon les besoins de l'heure et son caprice personnel, Diderot sait brosser, grâce à une palette très riche, le tableau qui convient à la traduction d'une ultime vérité réaliste; et dans sa grande toile finale où tout se tient, il y a images, mouvements, symphonie et musique, harmonies et correspondances, réflexions et sensations, dialogues et couleurs.*

L'on peut évidemment préférer d'autres palettes, d'autres esthétiques, des règles sévères, un beau immuable. L'historien de la littérature, pour sa part, cherche à déceler dans la révolution littéraire qui bat en brèche tous les genres connus, l'amorce de nouveaux genres développés par la suite. Mais si Diderot, sortant des voies rebattues, fait du neuf, ce n'est pas pour établir un nouveau poncif, c'est uniquement pour satisfaire à ses besoins intellectuels, moraux et artistiques. Enfin, pour peu qu'il écarte ses préférences personnelles, le lecteur sans préjugé reconnaîtra de bonne grâce la grande maîtrise d'un écrivain en pleine possession de ses moyens, qui a forgé ses propres outils pour exprimer sa vision particulière du monde. Comme chez peu d'autres tout se tient avec lui, forme et fond, et l'expression peut rendre vraie sa pensée pour peu que l'on croie au relativisme de toute chose. La qualité alors se voit dans cette parfaite harmonie d'une forme et d'une pensée difficiles, prêtant à des discussions dialogiques et s'exprimant souvent par des paradoxes; et toujours une excitation extérieure aussi bien qu'intérieure

8

permet de trouver la note juste. Cet élan caractéristique du style [1], *et de la nature profonde de l'homme, n'est arrêté par aucune opacité sensible à notre regard; c'est là ce qui attire le lecteur et fixe son attention. C'est ce qu'à la lumière du travail de M. Cartwright celui-ci pourra apprécier d'une façon plus consciente, tout en laissant parfois vagabonder son esprit et en faisant tous les rapprochements qui s'offriront à lui.*

University of Exeter

---

[1] Cf. L. SPITZER, « The Style of Diderot », in *Linguistics and Literary History*, Princeton University Press, 1948.

DIDEROT CRITIQUE D'ART
ET LE PROBLÈME DE L'EXPRESSION

Par Michael T. CARTWRIGIIT

Note sur les éditions

Une nouvelle édition des œuvres de Diderot est la tâche qui occupe actuellement un groupe international de dix-huitièmistes. Malheureusement, leur effort collectif n'a point encore vu le jour. Pour un bon nombre de citations données dans notre étude, il a été donc nécessaire d'avoir recours à la vieille édition Assézat-Tourneux.

Cependant, pour ce qui est des *Salons,* il nous a semblé indispensable d'utiliser pleinement l'admirable édition que viennent d'achever MM. Jean Seznec et Jean Adhémar (*Salons* de 1759, 1761, 1763 ; *Salon* de 1765 ; *Salon* de 1767 ; *Salons* de 1769, 1771, 1775, 1781. 4 vols. Oxford, Clarendon Press, 1957 *et seq.*)

Les éditeurs, en illustrant leur ouvrage d'un grand nombre de reproductions, ont fourni un appui inestimable à ceux qui désirent confronter le texte de Diderot avec le tableau, la statue ou la gravure qu'il commente. Nous nous sommes donc permis de renvoyer le lecteur à telle ou telle reproduction qui peut servir à éclairer notre étude. Pour toutes les questions qui touchent aux Salons, nous nous sommes reportés aux notes historiques, au texte du catalogue ou « livret » de l'exposition, et aux notices biographiques sur les exposants qui viennent compléter une édition définitive que l'on consulte avec autant de profit que de plaisir.

Les références à l'édition Assézat-Tourneux sont désignées par l'abréviation A.-T. ; celles à l'édition Seznec-Adhémar par l'abréviation S.A.

INTRODUCTION

> Notre véritable sentiment n'est pas celui dans
> lequel nous n'avons jamais vacillé, mais celui
> auquel nous sommes le plus habituellement
> revenus.
>
> *Entretien avec d'Alembert.*

L'examen de n'importe quel aspect de l'œuvre diderotienne entraîne l'emploi du mot « problème ». Nulle critique ne peut échapper à la complexité d'idées que fit naître l'esprit primesautier du philosophe — complexité qui semble faite pour nous exaspérer, puisque Diderot en avait conscience sans être disposé à la simplifier.

Le fameux « paradoxe » de Diderot, qui, réduit a ses termes les plus simples, met en opposition la sensibilité d'une pensée profondément individuelle et la raison d'une conscience se voulant morale, nous offre un riche terrain de prospection. Malheureusement, celui-ci ne manque pas de broussailles. Avant même d'aborder les difficultés dont nous connaissons déjà l'existence, nous avons à décider si notre but primordial doit être de rechercher dans l'œuvre de Diderot un plan, un échafaudage d'idées suivies qui nous permettra de dire, en fin d'étude, que nous avons dégagé les lignes de « La Philosophie de Diderot », de « L'Esthétique de Diderot », ou bien peut-être de son « Système littéraire ».

A notre sens, de tels efforts de synthèse se justifient mal, car elles ne nous convainquent que selon le degré de cohésion qui existe réellement dans la pensée de l'auteur examiné. Or, chez Diderot, une telle cohésion est rarement apparente. Il avait l'habitude, le besoin même, de changer d'avis, de quitter un problème pour toucher à un autre sans se soucier trop des conclusions qu'il aurait pu en tirer. « Rien n'est plus aisé », dit

13

Jean Thomas, « que d'extraire de ses écrits telle formule qui s'oppose, dans les termes et dans le fond, à d'autres traits semés en d'autres endroits de son œuvre »[1].

Diderot revendiquait le titre « philosophe », mais il faut bien comprendre le sens de ce terme. Dans les premières lignes du *Neveu de Rameau*, son ouvrage qui, tout compte fait, s'est montré de tous le plus « philosophique », nous trouvons les réflexions suivantes : « Je m'entretiens avec moi-même de politique, d'amour, de goût ou de philosophie. J'abandonne mon esprit à tout son libertinage. Je le laisse maître de suivre la première idée sage ou folle qui se présente... Mes pensées ce sont mes catins. »

De telles confessions semblent porter souvent un défi à ceux qui, sensibles à la force du caractère de Diderot, veulent imposer à cette force une symétrie et une construction qui lui sont, en majeure partie, étrangères. D'autres ont mis en évidence la valeur certaine que peut nous apporter la liberté d'expression de Diderot. Daniel Mornet fait partie de ce nombre, bien qu'il ait du mal à cacher une certaine froideur en présence d'un esprit qui, par sa méthode peu scientifique, est quelque peu éloigné du sien :

La confusion qu'entraîne ce mélange de vues sages, de spéculation hasardeuse, de lyrisme prophétique est encore accrue par l'incapacité où est Diderot de composer... Ce goût du discontinu, de la boutade, des digressions, n'est pas nécessairement un défaut ; il peut même être un agrément quand on écrit de morale, de belles lettres et surtout quand on ne veut que divertir... La folie et les digressions n'étaient sans doute pas faites pour séduire ceux qui désiraient voir clair dans les problèmes abordés par le philosophe [2].

Néanmoins, dans le reste de son chapitre, Mornet indique avec justesse *l'orientation* de ces problèmes. Diderot,

[1] Jean THOMAS, *L'Humanisme de Diderot*, Paris, Les Belles Lettres, 1938.
[2] Daniel MORNET, *Diderot, l'homme et l'œuvre*, Paris, Boivin, 1941, p. 49.

14

en commun avec le tempérament de son siècle, se méfie des spéculations métaphysiques et se penche, dès ses premiers pas dans le domaine des lettres, vers une façon de penser et de réagir qui est déterminée foncièrement par l'expérience. Nous voulons bien croire que sa méthode expérimentale n'entraînait pas forcément à des conclusions fermes, que Diderot était toujours plus intéressé par le déroulement de ses réflexions que par un souci de les mener à une fin bien nouée. Sa méthode est partout indicative plutôt que définitive.

Dans le deuxième chapitre de ses *Cinq Leçons sur Diderot*, Herbert Dieckmann trace le rapport entre *système* et *interprétation* dans les écrits de Diderot pour montrer dans quelle mesure le philosophe était tenté par des catégories rigides du savoir — catégories qu'il mit en question assez tôt dans sa carrière et qu'il rejeta finalement par la composition de la *Réfutation d'Helvétius* [1]. Il y aurait donc une orientation consciente de la part de Diderot vers l'enquête hétérogène mais interprétative que nous connaissons.

Par sa fine analyse, M. Dieckmann a donné une belle mesure de cohérence aux grandes lignes d'une méthode dialectique. Il reste pourtant des problèmes de détail, notamment des problèmes d'ordre stylistique dont Diderot était souvent conscient et qui donnent au « paradoxe » non pas un sens péjoratif mais une valeur esthétique et une grande signification littéraire. Dans cette étude nous voulons attacher une importance moindre aux grands *principes* de notre auteur afin d'examiner de près un aspect de son style qu'on peut suivre d'une part dans les textes de son œuvre mais qui devient aussi un problème de théorie esthétique lorsque Diderot en vient à l'analyser pour son propre compte.

Car il nous semble possible de relever tout le long de son œuvre l'existence de deux tonalités. Celles-ci se font entendre, tantôt de concert, tantôt distincte l'une de l'autre. La première

---

[1] Herbert Dieckmann, *Cinq Leçons sur Diderot*, Genève, Droz, 1959, ch. II, « Système et interprétation dans la pensée de Diderot. »

est employée par Diderot pour mettre en valeur cette partie de son caractère qu'il voulait systématique, philosophique dans un sens moral ; la seconde, c'est la voix subjective de sa personnalité multiforme, l'élément révélateur le plus tranchant de son tempérament créateur.

A vrai dire, le « problème » que nous présente Diderot ne prend pas la forme d'un vaste jeu de patience dont nous devons rassembler les morceaux dispersés. Il est plutôt question de se servir des mêmes difficultés que Diderot avait éprouvées, tout en s'accordant à cette tonalité personnelle dont nous avons parlé. Car Diderot est un auteur qu'il faut suivre de bien près. Son besoin d'une intimité quasi physique entre lui et son lecteur exige que nous scrutions sans cesse son visage, que nous ne cessions de poser des questions sans prétendre y trouver des réponses définitives.

Il nous semble fort nécessaire de prêter une oreille attentive à ce propos de M. Roland Mortier, contenu dans son article, « Diderot et le problème de l'expressivité : de la pensée au dialogue heuristique » :

> ... la singularité de son œuvre, ce qu'elle a d'irréductible, réside plutôt dans son cheminement vers la recherche de la vérité que dans le caractère de la vérité atteinte... Etre, pour Diderot, ce n'est pas être telle chose, c'est changer, c'est expérimenter, c'est se refaire, se nier pour se découvrir.

* * *

> La quantité des mots est bornée ; celle des accents est infinie ; c'est ainsi que chacun a sa langue propre, individuelle, et parle comme il veut.
>
> *Salon de 1767.*

Si les bases de la pensée de Diderot se distinguent par leur instabilité, la méthode critique indiquée pour les déchiffrer

---

[1] *Cahiers de l'Association Internationale des Etudes Françaises*, juin 1961, n° 13.

16

sera celle d'un examen minutieux, personnel et chronologique. En ce qui concerne cette étude, elle s'impose d'office, car en tout premier lieu nous avons voulu désigner par le mot « expression » la qualité la plus personnelle, peut-être la plus subtile du procédé littéraire et artistique. Comment, sinon par un regard attentif et rapproché, peut-on deviner ce qui se passe chez un auteur lorsque sa pensée se transforme en mots et en phrases ?

A vrai dire, cette question est au fond de tout dialogue qui se forme entre la critique et son sujet. Posée d'une façon différente, elle pourrait se présenter ainsi : « Quels éléments définissables font qu'une page de Voltaire, par exemple, soit spécifiquement de Voltaire ? » Le problème de l'expression en général est très lié avec celui de l'identification : chez Diderot sa portée est plus grande et il devient, en quelque sorte, un problème d'identité.

Il est nécessaire de faire cette distinction entre identification et identité pour bien mettre en valeur le cas spécial qu'est Diderot. Si nous considérons l'auteur, disons l'artiste, comme élément stable dans sa propre recherche de la vérité, alors son expression particulière l'identifie d'une façon objective. C'est-à-dire qu'il l'emploie comme outil inévitable de sa pensée. Elle est à la fois le témoin par excellence de son évolution artistique et le catalyseur dans la réaction entre sa projection de la réalité et notre capacité de la comprendre.

Nous voyons ceci chez l'artiste qui est arrivé à la pleine réalisation de son rôle, de sa position d'observateur et d'interprète d'un monde qu'il voit d'un point de vue privilégié. En quelque sorte, il est libre de choisir son expression, de s'en servir. Cela ne veut pas dire que l'expression prenne pour autant une position tout à fait subalterne dans le processus artistique. Elle est aussi une force dynamique, capable d'indiquer à son maître des chemins inexplorés que le premier élan de son esprit créateur n'avait pas le temps de lui indiquer.

17

Considérons maintenant le cas de Diderot. Faut-il le considérer surtout en tant qu'artiste ou comme philosophe-moraliseur ? Ici, le problème n'est rien moins que délicat. Nous relevons, à l'heure actuelle, une tendance de la critique qui prête aux contes et aux romans de Diderot une importance plus considérable que celle dont jouissent les ouvrages dits « philosophiques ». Nous croyons cette importance justifiée dans la mesure où elle attire notre attention sur les moments non engagés de l'activité créatrice de Diderot. Il est certain que Diderot romancier et conteur est foncièrement lui-même. Mais est-ce que l'on peut considérer son œuvre romanesque libre de toute astreinte morale et polémique ? Le travail de criblage est visiblement impossible. Sans risquer une rebuffade catégorique, nous sommes contraint de reconnaître que tout ouvrage « philosophique » de Diderot peut bien se défendre comme création artistique, alors qu'il n'y a aucune des catégories non engagées qui ne porte des traces du célèbre tic moralisateur.

En quelque sorte, il faut considérer Diderot comme un auteur pour qui un sens de l'échec était inné, peut-être, même pathologique. Rappelons que dans *Le Neveu de Rameau*, ce n'est ni *Moi*, ni *Lui* qui peut se convaincre de sa raison d'être. *Lui* sait qu'il lui manque la force de caractère pour devenir un vaurien total, libre des contraintes de la société qui le nourrit. (« Il est dur d'être gueux, tandis qu'il y a tant de sots opulents aux dépens desquels on peut vivre. Et puis le mépris de soi ; il est insupportable. ») Et *Moi*, en dépit de son moralisme, est très conscient qu'il sera toujours « monsieur le philosophe, la main sur la conscience... en redingote déchirée et les bas de laine noirs et recousus par derrière avec du fil blanc. » Les derniers mots du dialogue, ne seront-ils pas « Rira bien qui rira le dernier », n'offrant aucune conclusion au débat ?

Somme toute, une distinction nette entre Diderot « philosophe » et Diderot artiste ne peut être établie. Tout ce qu'il nous semble possible de dire, c'est que par son caractère il s'oriente vers la liberté artistique qui entraîne avec elle une liberté d'expression.

De l'impossibilité où nous sommes de classer avec exactitude les différents genres qui constituent sa production littéraire ressort l'importance que nous voulons donner à l'expression chez Diderot. Nous avons vu, par une courte illustration tirée du *Neveu de Rameau*, et qui est loin d'être la seule, que Diderot conçoit mal sa position vis-à-vis de ce qu'il écrit. Pour lui, l'expression n'est donc pas un outil dont il se sert pour arriver à un but artistique ou philosophique : elle est beaucoup plus la manifestation d'une recherche personnelle et psychique. En d'autres termes, l'être Diderot, ce qu'il écrit et la façon dont il s'exprime deviennent trois choses inextricablement liées. Comment tirer Diderot de son œuvre de la même manière que l'on peut, pour citer un cas extrême, dissocier Flaubert de ses romans ? Qu'il nous soit permis d'emprunter un mot au théâtre actuel pour insister sur le fait que Diderot est incapable de l'acte de « distanciation ».

Puisque nous avons frôlé le domaine théâtral, nous prévoyons une objection à notre hypothèse. *Le Paradoxe sur le comédien*, ne montre-t-il pas Diderot tout a fait conscient, sinon partisan militant, de cette distanciation dont nous venons de lui refuser la pratique ? Le fait est incontestable, mais il faut y apporter quelques réserves. *Le Paradoxe sur le comédien*, malgré la signification que l'on a voulu lui prêter pour donner une homogénéité à l'esthétique diderotienne, reste un ouvrage de théorie. N'oublions pas que ses principes concernent l'acteur, qui ne pourra jamais se mettre sur ce même plan créateur où se trouvent l'écrivain et le peintre. Et même si le *Paradoxe* montre un Diderot conscient du « manque d'espace » qu'il mettait entre lui et ses œuvres, cela ne veut pas dire qu'il fût capable de *suivre* ses propres théories pour aboutir à une réussite satisfaisante. Ses expériences éphémères dans le domaine dramatique en sont la preuve par trop éclatante. Même en tenant compte du

19

Paradoxe sur le comédien et du théâtre de Diderot, le problème de la distanciation chez lui reste entier.

Nous croyons toutefois, qu'il est possible de retrouver un chemin à travers cette structure tripartite de l'homme, sa pensée et son œuvre par l'étude de l'expression. Si Diderot lui-même était incapable de l'objectiver, la tâche pour nous, lecteurs et spectateurs, est toute différente. Notre vue de l'œuvre ne peut être celle de l'auteur, et parce que sa recherche d'une identité n'est qu'en partie la nôtre, l'expression qu'il y emploie nous en est d'autant plus accessible. Si nous nous donnons la peine de l'examiner avec attention, l'expression est capable de nous conduire vers cette vérité intérieure dont Diderot était toujours conscient mais qui avait une tendance à se changer, se transformer, se défigurer même, lorsqu'il la libérait sous la forme d'un ouvrage littéraire.

Tout se passe comme si nous regardions obliquement dans ce miroir qu'est l'œuvre de Diderot où sont reflétés avec précision les traits de l'auteur. Il interroge sans cesse sa propre image pour y trouver une raison d'être, pour y donner le mouvement d'une force vivante, pour essayer de se fixer dans la glace qu'il était obligé de tenir devant lui.

Et c'est en scrutant les expressions de ce visage, en essayant de trouver leur juste valeur, que nous arrivons le mieux à comprendre la signification du dialogue auquel nous assistons lorsque nous avons une page de Diderot sous les yeux.

* * *

> Le peintre, n'ayant qu'un moment, n'a pu rassembler autant de symptômes mortels que le poète, mais en revanche ils sont bien plus frappants ; c'est la chose même que le peintre montre.
>
> *Lettre sur les sourds et muets.*

Pour expliquer notre choix de la critique d'art comme terrain d'élection pour une étude de Diderot et le problème de l'expression, il serait tentant de faire appel au mot « crise ». En effet, tout problème implique une sorte de perturbation, mais nous tâcherons d'éviter les usages d'une mode littéraire éculée pour dire tout simplement que la critique d'art a représenté pour Diderot une autre découverte de lui-même.

Il est impensable qu'un homme de sa formation et de sa position dans le monde pensant de son époque n'ait subi l'influence des arts plastiques pendant presque vingt ans de sa vie active. Pourtant, les premiers *Salons* nous semblent bien maigres. Ils ont tout l'air d'un catalogue descriptif où le vif jugement d'un Diderot enthousiaste et sensible est remarquable par son absence. Peut-on prendre au pied de la lettre son témoignage de reconnaissance à Grimm exprimée dans le préambule au *Salon* de 1765 ? : « Si j'ai quelque notions suivies de la peinture et de la sculpture, c'est à vous, mon ami, que je les dois. »

Nous jugeons plus raisonnable de croire que les qualités nécessaires au critique d'art ont été acquises par Diderot tout au long de sa formation littéraire. Sans vouloir pousser notre enquête jusqu'aux sources psychologiques de cette formation, nous nous bornerons à souligner que l'influence de la philosophie sensualiste combinée avec une grande sensibilité de caractère donnait à Diderot un goût prononcé pour l'image. Eric Steel, dans sa thèse, *Diderot's Imagery*, est allé jusqu'à énumérer leurs différentes catégories pour arriver à la conclusion peu surprenante que Diderot avait trouvé son inspiration dans presque tous les domaines des sciences, des lettres et des arts.

La méthode expérimentale, cette recherche d'une vérité et d'une identité dont nous venons de parler, exigeait une vaste gamme de pierres de touche. N'oublions pas que Diderot assimilait tout ce qu'il rencontrait. Il n'y avait ni connaissance ni objet qu'il jugeât indigne de son attention et dont il ne gardât une impression. L'impression, liée à une imagination

21

fertile et constamment agitée, aboutit tout naturellement à
l'image, ou littéraire, ou picturale. Chez Diderot elle est le
produit de sa sensibilité personnelle qui se lie au côté matérialiste de sa pensée. Si l'expression telle que nous venons de
la définir représente le pont qui lie Diderot à son œuvre,
l'image est sans doute l'un des piliers les plus solides de sa
construction.

Revenons maintenant aux *Salons* pour examiner d'un
point de vue chronologique leur position dans l'œuvre de
Diderot. Ce qui est intéressant avant tout, c'est que le premier,
celui de 1759 fut écrit à l'une des périodes les plus doulou-
reuses de la vie du philosophe. Sept volumes de l'*Encyclopédie* sont livrés. L'écrasante envergure d'une tâche entreprise
avec enthousiasme neuf ans auparavant se fait de plus en
plus sentir. En janvier 1758, d'Alembert avait renoncé à la
co-direction de l'ouvrage, laissant le poids d'une immense
responsabilité que, dès lors, Diderot va porter tout seul. En
octobre de la même année, la rupture avec Rousseau devient
publique et un lien d'amitié des plus forts est irrévocablement
brisé. Le 23 janvier 1759, le Parlement de Paris condamne
l'*Encyclopédie* ; le 8 mars, un arrêt du Conseil du Roi révoque
son privilège. Le 4 juin, c'est la mort de Didier, son père, qui
oblige Diderot à se rendre à Langres où il signe l'acte des
biens paternels le 13 août. Il regagne Paris le 17, et en
novembre apparaît son premier *Salon* dans la *Correspondance
Littéraire* de Grimm.

Peut-on s'étonner que ce premier essai dans un genre
nouveau soit décevant ? Les faits qui le précèdent en fournissent l'explication. Oublions le côté négatif de cet « échec »
et cherchons, dans ces mêmes faits des années 1758 et 1759
des renforts à notre thèse que les *Salons* représentent l'une des
périodes les plus importantes dans l'activité littéraire de
Diderot.

Nous avons appuyé, dès le début de cette Introduction,
sur les avantages qu'il y avait à considérer de bien près

l'individualité de Diderot. Or, les événements de 1758 et 1759 ont précisément pour effet d'isoler notre auteur, mais en même temps ils l'obligent à puiser des forces en lui-même pour assurer la continuation de son travail. D'abord, la rupture avec Rousseau et la mort du père de Diderot : deux événements d'un caractère personnel (et dont on trouve un écho sur le plan professionnel avec la démission de d'Alembert). La part que prit l'amitié dans la vie d'un homme de lettres du dix-huitième siècle, et pour qui les relations familiales n'étaient jamais des plus intimes, serait difficile à surestimer. L'amitié qui liait Diderot à Rousseau se fondait sur une base commune de sensibilité extrêmement forte ; sa rupture était d'autant plus pénible qu'elle résultait d'une profonde différence de tempéraments que l'évolution sociale et philosophique de chaque homme rendait inévitable.

Quant au père de Diderot, l'influence qu'il exerçait sur son fils est bien connue. C'est vers l'image de son père que Diderot revient sans cesse lorsqu'il cherche un exemple de cette vertu individuelle, familiale et sociale qu'il souhaitait atteindre dans sa propre conduite. La perte de cette influence ne peut être considérée comme insignifiante, même en vue de l'installation de Diderot à Paris dès son adolescence et par conséquent le contact intermittent qu'il eut avec sa famille pendant presque toute sa vie.

Considérons maintenant la place de l'*Encyclopédie* dans ses rapports avec la critique d'art de Diderot, et plus particulièrement celle de l'année 1759. C'est lors de la rédaction de l'*Encyclopédie* que Diderot éprouva toute la complexité du monde matériel. Les visites qu'il rendait lui-même aux ateliers pour questionner les artisans, souvent réticents, le mettaient en rapport avec la technique, qui a son vocabulaire, ses propres formes d'expression, ses mouvements et ses engrenages. Lorsque Diderot se rendra dans une salle tapissée de peintures, il retrouvera les mêmes problèmes, mais avec l'énorme différence que les traits de pinceau ne sont pas gouvernés par les lois de la nécessité mécanique.

Sur le seul plan de la technique, l'apprentissage de l'*Encyclopédie* fournit à Diderot critique d'art une immense gamme de connaissances qui ont aiguisé à leur tour une grande faculté d'assimilation et de rétention visuelles. Et ceci sans parler des problèmes de l'esthétique pure abordés dans différents articles de l'*Encyclopédie* et qui étaient transmis ainsi directement à la conscience et au jugement critique de l'auteur.

A partir de 1759, ce n'est qu'avec la complicité du lieutenant de police, M. de Sartine, que le grand œuvre a pu continuer. Pour une autre raison encore nous voyons le Diderot expansif, connu surtout par son travail de rédacteur, obligé de se replier sur lui-même, de poursuivre en secret son activité d'éclaircissement. Est-il surprenant qu'il cherchât une échappatoire en se tournant vers un moyen d'expression où ses opinions pouvaient être déclarées en toute liberté? Même si les abonnés à la *Correspondance Littéraire* étaient peu nombreux et résidaient à l'étranger, c'étaient des personnes influentes, avides des idées que Grimm tirait du bouillon philosophique et distillait à leur intention. Une fois que Diderot eut compris ceci, il n'hésita pas à donner à sa nouvelle entreprise tout un enthousiasme spontané qui, malgré sa durée relativement courte, nous a fourni presque mille pages de l'édition Assézat-Tourneux.

Les antécédents qui ont mené Diderot à la critique d'art sont donc assez nombreux ; nous en avons esquissé quelques-uns. Ils sont répartis sur un front large qui comprend non seulement la vie personnelle de l'auteur, mais aussi son activité professionnelle. Pourtant, ils possèdent tous cette marque distinctive d'un Diderot qui cherche son identité vis-à-vis de son œuvre, et son acheminement vers une vocation artistique.

Si l'expression de Diderot est l'indice le plus sûr d'un caractère individualiste et complexe, et si une étude de cette expression peut rendre une certaine unité au problème que nous présente notre auteur, un examen de l'expression dans ses rapports avec la critique d'art sera doublement utile par son éclaircissement d'un Diderot aux prises avec un genre littéraire qui lui était inconnu, mais qui exigeait les qualités mêmes qu'il avait besoin de montrer. Dans son contact avec les arts plastiques, il reconnut l'existence d'un monde enraciné dans le matériel, contrôlé par les subtilités infinies de la technique, mais gouverné par un libre jeu de l'imagination et de l'esprit. Voici un moyen de fixer devant les yeux, d'arrêter dans le temps, un moment de la vérité qui est personnelle mais qui peut, par la force de ses qualités expressives, atteindre l'universel. Il ne pouvait être qu'enthousiasmé par sa découverte.

Seulement, Diderot n'était pas peintre. Palette à la main et devant une toile vierge, il savait qu'il serait perdu. Son instrument de travail est la plume, et ses traits de pinceau ne peuvent être que ces mots et ces phrases dont nous ne reconnaissons pas toujours le sens. L'expression de ses sentiments les plus vifs ne frappera jamais l'œil avec la franchise d'une couche de pigment, car elle est sujette aux exigences de l'esprit, au sens hérité et évolutionnaire du langage.

Néanmoins, la critique d'art lui donne la possibilité d'entrer dans le domaine pictural et de se mesurer contre ses moyens expressifs. A force d'y vivre en intimité, Diderot y puise nombre de ses habitudes. Il tâche de devenir peintre à travers un véhicule littéraire en faisant dans sa critique une combinaison unique faite de sa propre expression et de celle des œuvres qu'il commente.

Il est donc clair que dans notre enquête nous serons tenu à mener de front des aspects variés du terme « expression ». Nous examinerons d'abord des qualités stylistiques qui, à notre avis, nous rapprochent le plus du *moi* diderotien. Nous les avons relevés dans certains textes où l'enthousiasme de Diderot est particulièrement évident, où la manière dont il se livre à la composition littéraire touche à une espèce de paroxysme.

Ces passages de style expressif revêtent bien avant les *Salons* une qualité imagée, ce qui conduit nos recherches vers l'expression artistique, l'expression du peintre. Cette forme-là de l'expression sera examinée dans le contexte des *Salons* où expression littéraire et expression artistique se fusionnent. La majeure partie de notre étude sera consacrée à un examen de cette rencontre et de l'amalgame qui en est le produit.

Pour mieux définir nos termes, disons que dans la mesure où elle peut être séparée de la critique d'art, l'expression artistique se révèle dans ces genres de peinture que Diderot affectionnait et dans certaines techniques que les peintres de son temps employaient pour frapper l'œil et l'imagination du public.

Il y a pourtant un autre aspect du mot « expression » qui relie les deux catégories déjà citées : celui de l'expression en tant que théorie esthétique. Le dix-huitième siècle n'a certes pas inventé l'étude du Beau, mais il a fait des efforts sérieux pour transformer l'étude en science, et parmi ses premiers théoriciens il faut bien compter Diderot. Dans la première moitié du siècle, le mot « expression » avait un sens précis, rigoureux même pour ce qui était des arts plastiques. Dans le chapitre qui suivra cette Introduction il sera nécessaire d'examiner le terme dans sa perspective historique, mais nous tenons à souligner dorénavant que lorsque Diderot se sert du mot « expression » dans sa critique d'art, il y a une partie de sa conscience qui s'en réfère instinctivement aux théories de Le Brun, à l'idée que pour chaque émotion il existe une configuration-type du visage et du corps humains. Mais dans la *Lettre sur les sourds et muets* qui date de 1751, cette idée même est soumise à un examen minutieux. Par la méthode heuristique dont nous avons déjà parlé, Diderot tourne et retourne la notion de l'expression pour l'approfondir de façon à ce qu'elle soit non seulement un système que le peintre

26

doit suivre s'il va réussir son tableau, mais un problème de tous les arts, une question d'esthétique générale.

Pour Diderot critique d'art le problème de l'expression est *à la fois* théorique et pratique. Lorsqu'il en vient à noter les expériences qu'il a éprouvées devant un tableau, il songe à la méthode académique formulée par le premier peintre de Louis XIV, mais en même temps il est conscient que cette méthode impose un règlement à l'artiste. Car la théorie de l'expression picturale touche de bien près l'homme de lettres, Diderot lui-même, qui cherche à traduire avec précision l'inspiration et les pensées qui sont si claires dans son esprit, mais qu'il doit assujettir aux règles de la grammaire, aux mots et aux phrases qui sont tout aussi difficiles à manier que le pinceau.

Donc, nous aurons à examiner d'une part une série de textes qui, par certaines qualités stylistiques qu'elles renferment, nous guident vers la *Lettre sur les sourds et muets* où l'on voit exposée une théorie multiforme de l'expression, théorie dont le principal ressort est l'expérience littéraire de Diderot. D'autre part, il nous faut examiner le sens de l'expression dans les *Salons*. C'est ici que les définitions formelles seront mises à l'épreuve et que nous devons les élargir en y ajoutant les qualités expressives que Diderot trouve dans les tableaux commentés. Ensuite, par un recensement des tendances de son goût, nous espérons indiquer la façon dont l'expression agit sur sa critique d'art. Peut-on considérer Diderot comme avocat de l'expressionnisme en peinture, par exemple? Si cela est bien le cas, dans quelle mesure ses prédilections sont-elles en accord avec le goût de son temps?

Bien que l'on soit tenté de développer d'une façon très générale l'idée de l'expression, l'histoire de l'art n'est pas notre domaine principal et nous reviendrons à une évaluation de l'expression littéraire dans les *Salons*. La curieuse transposition d'œuvres plastiques en œuvre littéraire mérite une analyse détaillée afin que, en dernier lieu, sa juste portée vis-à-vis de l'œuvre complet de Diderot puisse être estimée.

Nous examinerons donc chaque *Salon* successivement pour y voir le développement de l'idée de l'expression. Il va sans dire que, des jugements critiques portant sur un seul peintre se trouvant dans plusieurs *Salons*, nous serons obligés de sortir de temps en temps de notre règle afin de faire des comparaisons entre un jugement et un autre. C'est ainsi qu'une vue d'ensemble de l'expression dans les *Salons* sera clairement mise en relief.

Nous ne prétendons pas à une vue totale et complète du problème de l'expression chez Diderot; notre but est d'examiner l'expression dans ses rapports avec les arts plastiques. Mais même ces rapports ont des antécédents qu'il nous serait difficile de passer sous silence. Nous voulons donc consacrer la première partie de notre étude à l'établissement d'un arrière-plan, à un résumé des notions qu'avait Diderot sur l'expression avant de débuter dans la critique d'art.

Ce fond analytique fournira les bases de notre enquête sur les *Salons*. Il donnera une certaine perspective à nos recherches tout en nous aidant à justifier la place considérable que nous réclamons pour le problème de l'expression et de la critique d'art dans l'œuvre de Diderot.

I

LA PLACE DE L'EXPRESSION DANS LES ARTS PLASTIQUES AU DIX-HUITIÈME SIÈCLE

Exprimer ! Ce facteur est le plus difficile à cerner et à saisir, celui qui se prête le moins à la formule d'un dogme, à l'énoncé d'une théorie. Nature et Plastique ne présentent que des éléments visibles, donc contrôlables : le réalisme se ramène toujours à la comparaison avec un modèle ; la beauté souvent à un canon, à une proportion et à une mesure ; on n'a que trop usé de cette facilité, au cours de l'histoire. L'expression, elle, traduit l'humain qui est invisible ; elle n'est que la présence impondérable de ce monde intérieur qui ne se soumet ni au jaugeage étalonné, ni à l'appréhension des sens. Avec elle nous sortons de ce domaine de l'espace où réalisme et plastique nous avaient cantonné. Il y faut une faculté nouvelle, l'imagination, au sens où la définissait Joubert : « J'appelle imagination la faculté de rendre sensible ce qui est intellectuel, d'incorporer ce qui est esprit ; en un mot de mettre au jour, sans le dénaturer, ce qui est de soi même invisible » [1].

Cette définition lyrique n'est certes pas des plus exactes, mais nous la citons volontiers. Car M. Huyghe dont les connaissances en matière d'esthétique lui permettent de faire valoir le fil créateur qui relie l'écriture chinoise à un dessin de Matisse, appuye d'une manière frappante la qualité personnelle de l'expression. De plus, ses propos sont destinés à éclaircir l'inspiration et les techniques du peintre, mais ils sont tout aussi bien des théories qu'on pourrait appliquer à d'autres

---

[1] René HUYGHE, *Dialogue avec le visible*, Paris, Flammarion, 1955, pp. 89-90.

arts. Ils entrent donc avec facilité dans la trame de notre enquête.

Pourtant, il nous semble bien nécessaire d'insister sur le fait que l'opinion de M. Huyghe est inévitablement celle d'un critique qui s'est vu obligé de confronter *toutes* les bouleversantes manifestations picturales de notre temps. Or, depuis l'impressionnisme de la fin du dix-neuvième siècle et l'abandon général de la représentation figurative, l'importance accordée à l'acte expressif de l'artiste n'a cessé de croître.

Certes, l'homme et son œuvre sont foncièrement liés l'un à l'autre depuis que la communication humaine a pris des formes durables. Mais lorsque la soif de l'imitation purement visuelle s'est étanchée, le geste même de l'artiste s'est vu accorder une importance autonome et souveraine. Il n'est plus question de notre temps de relier sérieusement l'expression artistique à un idéal objectif, à un modèle défini et transcendant auquel l'artiste pourrait arriver avec plus ou moins de succès en découvrant une clé, un système. L'art non-figuratif impose une critique qui ne peut opérer qu'en considérant seulement les forces motrices de l'artiste comme base de ses valeurs. Dans ces conditions, le geste expressif et matériel, le trait de peinture jeté sur une toile, devient le point de mire de toute notre attention esthétique.

Nous sommes contraints et libres à la fois de fouiller dans les recoins les plus profonds de notre structure psychique et personnelle pour retrouver une note qui vibre en accord ou en contrepoint avec ce phénomène pigmentaire qu'est la traduction de l'âme de l'artiste en termes matériels.

La définition, ou plutôt, la conception très vaste qu'a M. Huyghe de l'expression, est à contraster avec la notion qu'en avait la conscience artistique du dix-huitième siècle. En faisant ce pas en arrière, nous verrons tout de suite que le terrain s'est rétréci. L'expression n'a plus cette immense profondeur qu'indique M. Huyghe : plutôt elle sera un instrument qu'emploie l'artiste pour arriver à son but d'imitation.

Il nous est fort difficile de comprendre avec quel poids cette règle de l'imitation pèse sur l'art de l'époque que nous étudions. Plus exactement, il nous est difficile d'envisager une esthétique visuelle où le choix entre une représentation figurative et non-figurative ne se pose pas. Pour l'artiste du dix-huitième siècle, il n'y avait qu'une voie à suivre ; il se soumettait inévitablement à l'imitation rigoureuse d'une réalité objective. De plus, cette réalité, pour qu'elle ait droit d'entrée au canon artistique, devait affronter le tri et le choix du Beau idéal.

Nous n'avons point la prétention d'entreprendre ici un examen approfondi des théories esthétiques du dix-huitième siècle. Les ouvrages de W. Folkierski et d'André Fontaine traitent largement ce sujet [1]. Nous nous devons simplement d'indiquer la place qu'occupait l'expression dans la conscience artistique et critique de notre auteur. Et afin d'atteindre ce but, nous croyons bon d'esquisser la situation de l'expression dans les arts plastiques de son époque.

Il semble indiqué de consulter tout d'abord l'article « Expression » dans l'*Encyclopédie* :

Ce terme, dans le langage des arts se rapporte au mouvement de l'âme, à ses passions excitées ou représentées par des signes extérieurs. On donne ce nom tantôt au signe, comme à la cause du mouvement de l'âme, tantôt à l'effet que ce signe produit. Les mots, les termes d'une langue excitent certaines idées ; ces idées sont des *expressions* de l'état de l'âme, et les mots eux-mêmes sont encore des *expressions* en tant qu'ils sont le moyen qui les excite.

Le but commun et général des beaux arts, sans exceptions, c'est d'exciter certaines idées dans l'âme, certaines sensations dans le cœur ; ainsi tout le travail de l'artiste se réduit à inventer des idées heureuses, et à les bien exprimer... En vain aurait-il les inventions le plus admirables, s'il n'avait pas le don de les bien rendre.

[1] W. FOLKIERSKI, *Entre le Classicisme et le romantisme: étude sur l'esthétique du 18e siècle.* Paris, Champion, 1925. André FONTAINE, *Les Doctrines d'art en France; peintres, amateurs, critiques, de Poussin à Diderot.* Paris, Laurens, 1909.

Comme les manières de s'exprimer diffèrent d'un art à l'autre, il faudra traiter séparément de l'*expression* dans chaque genre. Tout ce qu'on pourrait dire sur l'*expression* dans les arts de la parole, ne serait d'aucun secours au peintre (*Encyclopédie*, supp. t. II, p. 918).

Sans vouloir attacher trop d'importance pour le moment à la portée de la dernière phrase (que nous aborderons plus opportunément dans notre examen de la *Lettre sur les sourds et muets*), il est désormais possible d'apprécier que l'on accorde à l'expression un rôle important mais subalterne. Elle est non pas un simple accessoire de l'artiste, mais un don qu'il peut aiguiser et maîtriser afin de mieux servir les « idées heureuses » de l'inspiration artistique.

Ce que nous devons noter avant tout, c'est que l'idée de l'expression est rattachée fondamentalement à celle des passions. Puisons encore dans l'article « Expression » sous la rubrique « Expression et Peinture ». C'est Claude-Henri Watelet qui fit la contribution suivante :

Représenter avec des traits les formes des corps, imiter leurs couleurs avec des teintes nuancées et combinées entre elles, c'est une adresse dont l'effet soumis à nos sens paraît vraisemblable à l'esprit : mais exprimer dans une image matérielle et immobile le mouvement, cette qualité abstraite des corps ; faire naître par des figures muettes et inanimées l'idée des passions de l'âme, ces agitations internes et cachées, c'est ce qui en paraissant au-dessus des moyens de l'art, doit sembler incompréhensible.

. . . .

Pour parvenir à sentir la possibilité de cet effet de la peinture, il faut se représenter cette union si intime de l'âme et du corps, qui les fait continuellement participer à ce qui est propre à chacun d'eux en particulier (*Encyclopédie*, t. VI, p. 319).

Deux principes se dégagent immédiatement. L'expression en peinture est une force motrice à l'intérieur de la composition : elle doit donner l'effet du *mouvement* au moment figé que choisit l'artiste pour son thème pictural. En outre, ce mouvement même trouve ses origines dans la liaison du corps avec les passions humaines.

Notons bien avec quelle force la notion de l'expression en peinture s'attache à la représentation de l'être vivant. Dans un grand nombre de tableaux du dix-huitième siècle, il est possible de voir que l'expression touche à la représentation des objets inanimés : certains théoriciens et critiques de l'époque l'admettent ; Diderot lui-même l'aperçoit d'une façon originale. Mais dans l'ensemble, lorsque l'on parle de l'expression, on pense à l'expression humaine telle que l'artiste l'observe et la transmet à la toile.

Cette orientation de la pensée critique vient en premier lieu et tout naturellement du fait que la figure humaine prend une très grande place dans l'art du dix-huitième siècle. Dans un siècle primordialement social, où l'on voit dans la peinture à sujet historique l'inspiration la plus noble de l'artiste, où la scène de genre est appréciée pour son intimité quasi-personnelle et son pouvoir anecdotique, la peinture représente le genre humain sous toutes ses formes et dans toutes ses attitudes. Nous avons très souvent l'impression que l'artiste se fait un devoir de « meubler » sa composition. Les effets les plus surprenants de la Nature, tels que les observe un Vernet ou un Loutherbourg par exemple, ne sauraient être représentés sans le commentaire d'un groupe de personnages qui s'animent au bord d'une mer baignée dans un clair de lune éclatant, qui bavardent et qui gesticulent dans un paysage menacé par l'approche d'un orage majestueux.

Jusque dans ces pressentiments de la solitude inhérente au Romantisme, la présence humaine ne peut être effacée : le public du dix-huitième siècle ne pouvait se passer d'être « en compagnie », même dans les peintures qu'il achetait.

Maintenant, si nous nous replaçons sur le plan théorique et critique, nous trouvons sans difficulté une influence très importante qui explique cette liaison de l'expression et des passions dans la conscience du dix-huitième siècle. Nous songeons à l'influence de Charles LeBrun et des conférences que celui-ci a données à l'Académie des Beaux-Arts à partir de 1671. Nous avons vu comment l'article de Watelet dans l'*Encyclopédie* prend vite une tournure qui engage l'auteur à étudier les passions. Il suffit de profiter du système de renvois pour trouver, sous la rubrique « Passions (Peinture) », un article du Chevalier de Jaucourt qui lui-même ne tarde pas à s'incliner devant l'autorité de Watelet.

Ce qu'il écrit n'est en somme qu'une reprise, avec quelques additions, de la *Méthode pour apprendre à dessiner les passions* que LeBrun avait fait paraître en 1702. Après avoir distingué les passions passives (ne touchant que le visage et la tête, et manifestées spontanément) des passions actives (engageant tout le corps et dirigées par la volonté consciente), Watelet divise les passions en six catégories qui correspondent aux sources de la plupart de nos émotions : la force de l'âme ; l'aversion ; le bien-être du corps ; le mal corporel ; les passions affligeantes ; la paresse et la faiblesse, etc.

L'ouvrage de LeBrun ne donne pas une liste si approfondie des passions, mais il a l'avantage d'être accompagné d'une série de gravures qui servent d'illustrations au texte. Nous croyons bien que celles-ci pourraient bien expliquer le succès de l'ouvrage, mais quoiqu'il en soit, l'influence dont jouit la *Méthode* est incontestable. André Fontaine nous fait savoir que l'inspiration de LeBrun n'était pas originale : elle doit sa différenciation des passions simples et composées à *L'Art de connaître les hommes et le caractère des passions* du médecin Marin Cureau de la Chambre. En outre, il suffit de mettre le texte de LeBrun en regard de celui du *Traité des passions* de Descartes pour constater des analogies déconcertantes de plagiat.

Dans son analyse des théories d'art en France aux dix-septième et dix-huitième siècles, Fontaine présente LeBrun comme le grand « coupable ». Ce serait LeBrun qui aurait mal interprêté la raison mesurée de Poussin, qui se serait adonné à ce pédantisme dogmatique né en Italie à la suite de la Renaissance et sous l'égide des grands théoriciens Alberti, Armenini et Lomazzo.

Il est certain que, pour ce qui est de l'expression, la sévère pédagogie de LeBrun tendrait à figer le mouvement, à donner à la représentation de chaque sentiment humain un modèle stéréotypé. Ce danger ne passa point inaperçu lors des conférences du Président, et Fontaine consacre la majeure partie de son livre à nous guider à travers la vague réactionnaire qui déferla à l'assaut de l'académisme et qui se retira pour laisser la place à l'art largement « affranchi » du dix-huitième siècle.

Ayant noté l'esprit libéral qui se manifesta peu à peu à l'Académie et qui trouva son écho dans le goût catholique des amateurs et collectionneurs, nous pensons arriver à une appréciation de ce que fut le climat artistique lorsque Diderot aborda son premier *Salon*. Il ne conviendrait pas de mettre en question l'érudition minutieuse de Fontaine ; il suffit de regarder les tableaux du début du dix-huitième siècle pour s'apercevoir que ses conclusions sont probantes.

Pourtant, notre examen de l'expression chez Diderot nous entraîne à formuler quelques réserves. Même si des ouvrages comme le *Dialogue sur le coloris* de Roger de Piles ont su donner forme à un sentiment universellement reconnu, et si l'appétit croissant d'un public connaisseur et acquéreur à mené à la liberté quasi-totale de l'artiste dans le choix du genre à adopter et de la façon de le traiter, il reste non moins vrai que les théories et les formules continuèrent à exercer une certaine influence.

Fontaine voit une manifestation du « plus large esprit du goût moderne » dans les articles que rédigèrent le Chevalier de Jaucourt, Watelet et d'Alembert pour l'*Encyclopédie*. Il est donc frappant de trouver que Watelet, collectionneur et amateur autant que théoricien, reprend les notions de LeBrun concernant l'expression, tout en y ajoutant des « catégories » supplémentaires.

Il serait dangereux, bien entendu, d'imputer à Diderot des opinions qui lui étaient soumises en tant que rédacteur en chef. Néanmoins, il est intéressant de constater que le 25 janvier 1748, Diderot emprunta à la Bibliothèque du Roi les *Entretiens sur les vies et sur les ouvrages des plus excellents peintres* de Jean-François Félibien, l'*Art de dessiner* de Jean Cousin, et la *Méthode pour apprendre à dessiner les passions* de LeBrun [1]. Serait-il donc audacieux de dire que, malgré la forte opposition à LeBrun et en dépit du courant nouveau, libéral et anti-académique, il exista dans la première moitié du dix-huitième siècle des traces, et nous verrons qu'elles ne sont pas tellement maigres, d'un esprit de systèmes qui, dans le domaine de l'expression picturale, eut du mal à se défaire d'une auréole du Grand-Siècle?

Longtemps après son «initiation» artistique et avec l'expérience de trois *Salons* à son honneur, Diderot fut capable d'écrire un chapitre de ses *Essais sur la Peinture* où il est certainement question de formuler l'expression et de trouver les règles qui la gouvernent. Evidemment, il ne parle pas sur le ton dogmatique de LeBrun, mais lorsque nous examinerons les *Salons* en détail, nous y décelerons un recours constant aux «types expressifs» de la *Méthode:* les yeux tournés vers le ciel pour l'attendrissement; la bouche ouverte et les bras suppliants pour l'effroi, etc. [2].

Dans cette esquisse de la place qu'occupa l'expression dans la conscience artistique au début du dix-huitième siècle, nous avons essayé de nous tenir à l'évidence théorique que nous fournit les divers écrivains de l'époque. Il nous semble important à cet égard de nous reporter aux propos de M. Huyghe consignés au début de ce chapitre. Il est

---

[1] Pour une étude des livres sur les beaux-arts et l'esthétique empruntés par Diderot pendant les années de sa formation artistique, voir l'article de Jacques PROUST, «L'initiation artistique de Diderot», *Gazette des Beaux-Arts,* avril, 1960.

[2] Voir A.-T., X 123 ; 208-210 ; 243 ; 248 ; 276-277 ; 281 ; 410. A.-T., XI 164 ff. ; 314 ; 323-324, etc.

clair que l'expression en peinture ne peut obéir qu'à des règles bien sommaires et que celles-là se rapportent à une représentation figurative dont les formes sont déjà en grande partie pressenties. Nul ne saurait contester que les gravures qui illustrent la *Méthode* de LeBrun apportent plus qu'un appui agréable et utile au texte. Elles font corps *avec* le texte, sans lequel nous ne pouvons que deviner l'émotion rapportée.

Mais derrière cette approximation grossière qu'est l'œuvre de LeBrun, se cache une notion qui exerce une attraction irrésistible à l'esprit de théorie. Si nous admettons que l'âme est liée aux mouvements du corps, pour chaque modification de la condition psychique il doit exister un témoignage sensible, que l'on doit pouvoir soumettre à la vérification. Nous sommes intimement conscients de la complexité de nos émotions, et si nous possédions l'esprit de recherche au point que les hommes du dix-huitième siècle l'ont connu devant le phénomène de la connaissance, rien ne semblerait plus tentant qu'un effort de *classification* de cette complexité.

La persistance au dix-huitième siècle du problème de l'expression tel que LeBrun l'avait présenté, vient donc non pas de ses valeurs intrinsèques mais du fait qu'il met en marche l'inépuisable examen de soi-même, et ceci sous une forme qui se prête à l'analyse expérimentale, à la vérification scientifique.

Dans notre Introduction, nous avons attaché une certaine importance aux méthodes heuristiques qui caractérisent la pensée de Diderot. Dans sa critique d'art, ces méthodes ne sont point ignorées. Au contraire, elles deviennent indispensables à un auteur qui fait ses premières explorations dans un terrain inconnu. Par conséquent, il n'est guère étonnant de voir Diderot chercher parfois un point d'appui, une opinion qui fait autorité. Lorsqu'il parle de l'expression en peinture, il est tout naturel qu'il se réfère aux « systèmes » de LeBrun, car ceux-ci étaient les seuls qui offraient, à l'époque, une explication définitive du problème. Il les modifie, certes, mais leur allure quasi-scientifique, liée au fait qu'ils répondaient à un certain besoin didactique de la peinture du dix-huitième siècle, ne lui permet pas de les ignorer tout à fait.

La situation se présente bien autrement si nous nous dégageons du courant de pensée théorique de Diderot pour aborder l'expressivité propre à son œuvre. Par moments, les personnages qu'il peint en mots prennent une attitude qui semble être tirée de la *Méthode* de LeBrun : leur physionomie se lie simplement et visiblement à l'émotion que l'auteur cherche à susciter chez son lecteur [1]. Mais même à ces moments les plus mécaniques, Diderot sait infuser à son récit un *mouvement* expressif qui est bien opposé aux attitudes figées et conventionnelles du siècle précédent.

En outre, l'expression pour Diderot ne se limite aucunement au domaine humain et animal. Si nous considérons, même brièvement, la nature de sa pensée matérialiste, nous voyons comme nécessaires les qualités expressives de l'objet inanimé. Cherchant à tout englober dans un univers qui ne dépend d'aucune intervention divine, Diderot voit en chaque particule de la matière le témoignage d'une force créatrice et évolutive. Si chaque grain de sable participe à un mouvement universel, alors chaque grain possède également des qualités individuelles et émotives [2]. Puisant à la source du Beau du Bon et du Vrai, l'artiste ne saura jamais se défaire entièrement de ce matérialisme sensible dont il fait partie. Le peintre, lui, se meut dans un monde à prédominance

---

[1] Pour l'influence sur Diderot des têtes d'expression de LeBrun v. l'article de Jacques PROUST : « Diderot et la physiognomonie », *C.A.I.E.F.*, op. cit.

[2] Tous les êtres circulent les uns dans les autres, par conséquent toutes les espèces... tout est un flux perpétuel... tout animal est plus au moins un homme ; tout minéral est plus au moins plante ; toute plante est plus au moins animal. *Rêve de d'Alembert*, A.-T., XI, 138-139.

visuelle où l'objet, animé et inanimé, surgit avec une puissance impérative. La traduction de ce monde en termes picturaux engage à une connaissance intime de la nature matérielle à laquelle s'attache une expressivité interne.

Diderot lui-même ne semble être arrivé à cette conclusion qu'indirectement, car il hésite ici comme ailleurs à pousser à leurs limites les conséquences de sa pensée matérialiste. Mais nous retrouvons dans sa critique d'art la conscience profonde de cette continuation de l'expression en dehors de la représentation strictement humaine. L'exemple le plus éclatant est certainement le goût que portait Diderot aux toiles de Chardin. Nous disons goût, mais il s'agit plus précisément de compréhension intime. C'est Diderot qui le premier a mis en évidence les contextures presque minéralogiques de ce peintre, qui a compris instinctivement ces « nature morte » prises sur le vif dans des milieux bourgeois et rendus avec une observation à la fois analytique et familière.

En examinant les *Salons* de plus près, nous saurons mieux apprécier l'envergure que prend pour Diderot l'expression dans l'exploration picturale des *choses*. Car c'est dans ses romans que Diderot concrétise et ses propres observations et celles qu'il a faites à travers l'œuvre du peintre. Les personnages qu'il crée ainsi ne font pas uniquement les grimaces et les gestes stéréotypés d'un LeBrun et ils ne se meuvent pas dans un décor de carton-pâte. Leurs émotions les font agir avec vraisemblance et le monde qu'ils habitent a l'étoffe du réel.

Nous voulons passer maintenant à l'examen de l'expression telle qu'elle se manifeste dans les œuvres antérieures aux *Salons*. Les théories explicites qui portent sur la question telle que nous l'avons posée n'y sont pas abondantes et nous serons obligé de tirer nos conclusions en nous référant à des sources bien disparates. Notre tâche consistera à retrouver les traits de style qui forment l'expressivité propre à Diderot, et en même temps à mettre en relief les éléments de sa pensée qui aboutissent — dans les *Essais sur la peinture*, par exemple, — à un énoncé définitif et formel.

Pour ce que nous appellons « La Formation de l'Expression chez Diderot », nous ferons appel à un nombre d'ouvrages-clés qui font étape sur la route qui mène aux *Salons* et qu'il serait impossible de passer sous silence.

Puisque nous attachons une importance particulière à la méthode chronologique pour un sujet qui touche si intimement le caractère de notre auteur, nous aborderons en premier lieu et au risque de paraître banal, les *Pensées philosophiques*. Ensuite, nous examinerons la *Lettre sur les aveugles* qui nous semble annoncer par certains côtés, la *Lettre sur les sourds et muets*. Ce dernier ouvrage est d'une importance capitale pour notre enquête et on lui doit un examen approfondi.

A côté de 1759, date dont nous avons déjà préconisé la portée, il faut bien mettre celle de 1751 qui vit paraître l'article « Beau » dans le premier tome de l'*Encyclopédie* et cette extraordinaire *Lettre sur les sourds et muets* où nous voyons pour la première fois Diderot aux prises avec un problème d'esthétique, mais dans un contexte qui est en même temps « philosophique » et, par son style, hautement expressif. Avec cette préparation du terrain, nous espérons que les sources expressives des *Salons* seront bien mises à jour dans la double lumière du courant général de leur siècle et de la formation de l'auteur qui les fit naître.

II

LA FORMATION DE L'EXPRESSION CHEZ DIDEROT :
EXAMEN DE TROIS ŒUVRES-CLÉS

Les Pensées philosophiques

La première œuvre d'un écrivain ne manque jamais d'exercer sur le critique et le chercheur une grande fascination. Elle est le produit concret et durable de diverses forces psychiques qui se manifestent chez l'artiste et qui exigent une échappatoire. Ces forces ne se livrent que difficilement à l'examen : pour la plupart, il nous faut deviner leurs qualités par l'intermédiaire de faits biographiques souvent peu nombreux.

Car aussitôt sa première œuvre composée et mise sous le regard public, l'auteur s'oriente, prend une « identité littéraire ». Cette identité se modifie par la suite, mais elle porte en elle des éléments qui restent constants.

Au fur et à mesure que l'artiste s'engage dans son travail, sa faculté d'exprimer s'affirme et revêt un caractère définitif. Nous avons attiré l'attention dans notre Introduction sur l'expression qui relie l'artiste à son œuvre, mais ce lien se forme et se perfectionne. Avant la composition du premier manuscrit ou de la première toile, c'est un amas de possibles, comme un sel qui se tient en solution jusqu'à ce que quelque phénomène catalytique vienne en faire un précipité.

Sans vouloir insister trop sur la portée d'une métaphore qui met côte à côte la chimie et la création artistique, qu'il nous soit permis de comparer cette première œuvre à un dépôt de cristaux. Chacun d'entre eux possède une régularité

41

caractéristique, nous permettant de déterminer sa genèse ; mais leur nombre est variable, à travers leurs facettes nous apercevons des pailles et des taches.

Nous voudrions comparer la forme régulière de chaque cristal aux qualités expressives qui font l'identité de l'artiste ; et les défauts, les irrégularités représentent ces « accidents » de la composition qui la rendent vivante, humaine et vraie. C'est au chercheur que revient la tâche fastidieuse de scruter les produits de cette première « réaction », d'y déceler les formes expressives qui reparaissent sans défaut dans les œuvres qui suivent et dans celles, plus nombreuses et plus variées que l'artiste dirige lui-même par la puissance de son imagination.

Telles sont quelques-unes des voies qui nous sont ouvertes, mais il est préférable dans l'envergure restreinte de ce chapitre d'isoler les *Pensées philosophiques* de leur contexte et de se demander en quoi consiste leur valeur intrinsèque.

Nul n'a voulu prétendre qu'elles s'inscrivent dans l'Histoire des Idées avec l'enluminure d'une originalité éclatante. Sur le plan philosophique, elles font partie d'un vaste mouvement antichrétien qui, bien avant 1740, était sorti en fait de la clandestinité par la seule envergure de sa polémique. En 1746, une attaque contre le fanatisme et l'anthropomorphisme divin n'avait rien d'extraordinaire : « C'est par douzaines », dit Mornet, « qu'il faudrait énumérer les ouvrages où les audaces de Diderot sont largement dépassées [1]. »

Dans l'Introduction succincte de son édition critique des *Pensées philosophiques* [2], Robert Niklaus dégage ainsi la signification réelle de l'œuvre :

Le succès des *Pensées* vient donc d'une rencontre heureuse entre un état d'esprit très général et un tempérament d'auteur... elles ont la chaleur d'une improvisation, l'effervescence qui est

---

[1] *Diderot, l'homme et l'œuvre*, pp. 30-31.
[2] (Ed.) *Pensées philosophiques*, Droz, 1950.

42

signe de vie profonde... Diderot est un penseur original dans la mesure où il a suivi son inspiration, qui a sa source dans son être intime. Il pense ce qu'il sent être vrai ; sa dialectique est au service de son tempérament ; c'est ce qui fait de lui un des plus grands philosophes français de son temps. (pp. XIII-XV)

L'importance de ce jugement pour notre étude de l'expression chez Diderot n'est pas difficile à discerner. Les *Pensées philosophiques* retiennent l'attention par leur *forme* autant que par leur *contenu* : dès le début de son œuvre, les dons expressifs de Diderot sont bien évidents.

Mais avant de les examiner, il nous serait difficile de passer sous silence la genèse des *Pensées*, le rôle important que prend le philosophe anglais Shaftesbury dans l'inspiration de Diderot [1]. Robert Niklaus a mis en valeur la portée du facteur moral chez Shaftesbury, facteur qui se résume par l'aphorisme « Point de vertu sans religion ; point de bonheur sans vertu » dans la version française que fit Diderot de l'*Essai sur le mérite et la vertu*. Sans vouloir sousestimer l'attrait qu'avaient pour notre auteur les idées de Shaftesbury, nous croyons bon de souligner le fait que Diderot est entré dans l'activité littéraire par la voie de la traduction. En 1739, il traduit en français la *Grecian History* de Temple Stanyan et à l'époque de son mariage, en 1743, il avait en main les six tomes arides et volumineux du *Dictionnaire universel de médecine, de chirurgie*, etc. de Robert James. Or, il est certain qu'en grande partie ce travail fut celui d'un écrivain à gages. La jeunesse de Diderot, malgré les travaux minutieux de MM. Franco Venturi, Jean Pommier et Arthur Wilson, ne peut être reconstituée sans l'aide d'un bon nombre d'hypothèses dont une, que Diderot se trouvait fort souvent à court d'argent, ne risque pas d'être démentie [2].

---

[1] Cf. Paolo CASINI, *Diderot « Philosophe »*, Laterza, Bari, 1962 p. 42 sqq.

[2] A part le récit, souvent tendancieux, de Mme VANDEUL (Cf. *Œuvres* A.-T. I), trois ouvrages font autorité sur la jeunesse et la

Mais la besogne de la traduction ne provoqua-t-elle pas au moins un sentiment de réaction lorsque Diderot en vint à ses propres compositions? Au contraire, sa maîtrise de l'anglais indique un enthousiasme qui va bien au delà du devoir. Lorsqu'il « trouva » Shaftesbury et poussa son admiration jusqu'à la traduction, en 1745, de l'*Essai sur le mérite et la vertu*, il ne suivait pas aveuglément cet engouement pour les idées anglaises qui était profondément enraciné dans le mouvement des Lumières. Son attachement à Shaftesbury est un attachement personnel, dicté par une intimité intellectuelle et une affinité de cœur dont l'inspiration de Diderot avait besoin avant qu'elle ne pût agir : « Pour Diderot, Shaftesbury, son initiateur à la vie philosophique, est une âme sœur », dit M. Niklaus (*Pensées, op. cit.*, p. ix).

Pour comprendre cette âme sœur, il fallait faire un acte d'aliénation, penser dans une ambiance autre que celle d'une langue maternelle. D'une façon qui semble contredire la vigueur de son esprit, Diderot cherche un appui, un point de départ pour sa pensée, tout en s'exaltant des possibilités expressives que cet appui lui fournit. En effet, la « traduction » de l'*Essai sur le mérite et la vertu* est transformée à maintes reprises en paraphrase éclairée, tout comme les idées de Shaftesbury sont commentées et annotées sous l'impulsion d'un enthousiasme débordant. Avec les *Pensées philosophiques* ces commentaires et leur développement deviennent la propriété de Diderot, le cachet de son génie fait oublier leur parenté et l'œuvre prend une forme et une signification autonomes.

Cette curieuse éclosion de l'inspiration chez Diderot indique d'une part toute sa réserve devant un sujet nouveau, et d'autre part son désir profond de libérer les forces créatrices

---

formation littéraire de Diderot : F. VENTURI, *Jeunesse de Diderot*, Paris, Skira, 1939. J. POMMIER, *Diderot avant Vincennes*, Paris, Boivin, 1939. A. WILSON, *Diderot: The Testing Years, 1713-1759*, New York, Oxford University Press, 1957.

de son tempérament. En se mettant sous l'égide de Shaftesbury, il se procura un soutien solide et sympathique mais
qui, par sa langue et par la formation de ses opinions, était
étranger au cadre rigoureux de la pensée cartésienne. Diderot
jouit ainsi de toute sa liberté pour la mise en marche de sa
méthode expérimentale : les matériaux de base étaient trouvés
et ils se prêtaient admirablement à la construction d'un
édifice qui porte l'empreinte toute personnelle de son créateur.

Lorsqu'il avance sur le terrain inconnu de la critique d'art,
nous voyons reparaître chez Diderot ce même mélange de
réticence initiale qui cède la place rapidement à un élan
fougueux au fur et à mesure que les possibilités de la nouvelle
découverte se font sentir. Nous dirions même que le procédé
qui fait naître les *Pensées philosophiques* se répète chaque
fois que Diderot est aux prises avec un nouveau problème :
il s'en remet à ses connaissances multiples ; il tâtonne,
hésite, puis, ne pouvant rien résoudre en silence, il jette ses
idées, ses questions et leurs réponses probables sur la feuille.
Là elles prennent forme organiquement, se bousculent et
s'entrecroisent, germent et poussent des problèmes annexes
en forme de digressions... tout cela jusqu'au moment où leur
croissance est jugée suffisante et une sorte d'homogénéité se
réalise. Nous assistons à la conjugaison d'une méthode
d'enquête expérimentale avec une forte impulsion expressive ;
c'est l'exploration d'un grand complexe d'idées générales avec
des instruments et des termes très personnels. Tâchons donc
de distinguer les engrenages de cette mécanique afin de
mieux comprendre son fonctionnement.

On déclame sans fin contre les passions ; on leur impute toutes
les peines de l'homme, et l'on oublie qu'elles sont aussi la source
de tous les plaisirs... (*Pensées*, I)

Dès les premières lignes des *Pensées philosophiques* notre
attention est retenue, car dans notre chapitre précédent, nous
avons signalé la liaison qui existait au dix-huitième siècle

entre la notion des passions et leur représentation sous la forme de ce qu'on appella l'expression. On ne saurait prétendre que les *Pensées* soient primordialement une œuvre d'esthétique, mais Diderot y introduit, tout au début, une référence aux beaux-arts qui indique une très nette tendance de sa pensée : « Sans elles (les passions), plus de sublime, « soit dans les mœurs, soit dans les ouvrages ; les beaux-arts retournent « en enfance, et la vertu devient minutieuse » (*Pensée*, I).

Ce rapprochement des arts et de la morale ne peut être fortuit, car il est réitéré très peu de temps après et, cette fois-ci, renforcé par une image :

Les passions amorties dégradent les hommes extraordinaires. La contrainte anéantit la grandeur et l'énergie de la nature. Voyez cet arbre ; c'est au luxe de ses branches que vous devez la fraîcheur et l'étendue de ses ombres : que vous en jouirez jusqu'à ce que l'hiver vienne le dépouiller de sa chevelure. Plus d'excellence en poésie, en peinture, en musique, lorsque la superstition aura fait sur le tempérament l'ouvrage de la vieillesse (*Pensées*, III)

Dans la *pensée* suivante, la question prend une envergure plus grande par un appel à l'équilibre des passions :

Ce serait donc un bonheur, me dira-t-on d'avoir les passions fortes. Oui, sans doute, si toutes sont à l'unisson. Etablissez entre elles une juste harmonie, et n'en appréhendez point de désordres (*Pensées*, IV).

Comme on sait que Diderot connaissait les *Nouveaux dialogues* (1711) de Rémond de Saint-Mard et le *Dialogue de la volupté* (1736) de son frère, Rémond le Grec, on n'a pas manqué de signaler que la défense des passions chez Diderot n'est qu'une continuation de ce courant épicurien du début du dix-huitième siècle. En effet, le *Traité des passions* de Descartes provoque de nombreux échos tout le long du siècle qui suivit sa composition. Si nous prenons au pied de la lettre

46

les propos de Diderot, nous nous apercevons que, comme Descartes, il emploie le mot « passions » pour désigner le total de nos états affectifs et non pas uniquement leurs manifestations les plus violentes.

Néanmoins, le *ton* qu'emploie Diderot, toute l'ardeur, l'agressivité même qui sont apparentes dans les *Pensées* et qui ne manquèrent pas d'attirer l'attention des autorités — tous ces facteurs nous amènent à conclure que notre auteur va plus loin que ses confrères, et qu'il est même porté au-delà de l'enthousiasme de son parrain, Shaftesbury. Lorsque Diderot parle des «passions fortes», les mots revêtent leur signification actuelle, et la plaidoirie en faveur de la « juste harmonie » n'est en somme qu'un idéal, un genre d'abstraction. Il est certain qu'au cœur de ces quatre premières *pensées*, le problème essentiel du naturalisme diderotien est déjà posé : comment accorder la liberté absolue du sentiment individuel avec une morale collective ? comment mettre à l'unisson les passions fortes quand celles-ci tirent leur identité et toute leur valeur d'un désaccord avec le commun ?

Si nous mettons le problème sur le seul plan esthétique, et si nous le considérons du point de vue d'un homme de notre siècle, il devient beaucoup moins difficile à comprendre. Car nous admettons volontiers que l'œuvre d'art ne peut éclore que sous l'impulsion d'une inspiration rehaussée qui crée sa *propre* morale. En 1746 Diderot ne faisait que soupçonner cette liberté. C'est en partie son caractère qui l'oblige à trouver un but pour les passions, à leur donner une « juste harmonie »; par ailleurs ce sont les exigences du climat social politique qui rendaient un engagement nécessaire, qui imposaient un but à toute manifestation de l'esprit.

Remarquons à cet égard comment le raisonnement de Diderot s'enchaîne. Ayant fait l'éloge des passions fortes, il passe sans hésitation à une critique intempestive de l'enthousiasme religieux et de son complément, l'ascétisme (*Pensées*, VI-XII). Ses arguments ont une signification primordiale en ce qu'ils visent les manifestations extérieures de la foi religieuse. Le mystère qui refuse de se soumettre à l'analyse, qui ne passe en aucune façon par le crible de l'examen expérimental, est naturellement antipathique à Diderot aussi bien qu'à tout le Siècle des Lumières :

> Le vrai, indépendant de mes caprices, doit être la règle de mes jugements ; et je ne ferai point un crime à celui-ci de ce que j'admirerai dans celui-là comme une vertu. Croirai-je qu'il était réservé à quelques-uns de pratiquer des actes de perfection, que la nature et la religion doivent ordonner indifféremment à tous? (*Pensées*, VI).

Non, évidemment pas, mais c'est parce que « le vrai » n'est pas un absolu qui s'insinue avec facilité dans l'activité humaine. Notons bien l'emploi du verbe « devoir » : la nature et la religion *doivent* ordonner indifféremment à tous la pratique des actes de perfection, mais elles ne le font pas. Derrière l'opposition que manifeste Diderot aux privilégiés de la religion établie, nous soupçonnons qu'il est conscient et du paradoxe qui oppose « le vrai » personnel à la réalité collective, et des problèmes moraux que ce paradoxe impose.

Comme s'il prévoyait la transposition de ce problème sur un plan esthétique, Diderot insère à la *Pensée* VII une note dramatique. Les privilégiés religieux sont arrachés à l'abstrait : Diderot les transplante dans notre esprit par un passage plein d'actualité et de mouvement :

> Quelles voix ! quels cris ! quels gémissements ! Qui a renfermé dans ces cachots tous ces cadavres plaintifs ? Quels crimes ont commis tous ces malheureux ? Les uns se frappent la poitrine avec des cailloux ; d'autres se déchirent le corps avec des ongles de fer ; tous ont les regrets, la douleur et la mort dans les yeux. Qui les condamne à ces tourments ?... (*Pensées*, VII).

Les sources de cet éclat de protestation sont faciles à retrouver. A l'époque de la composition des *Pensées philosophiques*, Diderot vivait rue Saint-Victor. Il n'aurait

48

certainement pas pu manquer les actions grotesques des convulsionnaires de Saint-Médard [1]. Or, nous savons que le fanatisme religieux est un thème qui revient constamment dans la vie personnelle de Diderot. Nous rappelons au lecteur que Diderot a été formé chez les Jésuites ; il haïssait son frère, le chanoine Didier-Pierre Diderot ; sa réaction devant la mort au couvent de sa sœur Catherine a été des plus vives [2]. Cette antipathie trouve sa pleine expression dans l'œuvre la plus finie de notre auteur — c'est-à-dire dans *La Religieuse*.

Ce qu'il importe de noter ici, ce n'est pas que Diderot a tiré de son souvenir personnel un simple exemple pour soutenir sa thèse, mais que cet exemple est véritablement animé. Il est la conclusion en microcosme de la méthode expressive que nous étudions.

En fait, nous avons accordé une grande place à l'analyse des sept premières *Pensées* dans le désir de faire ressortir d'une façon détaillée la mécanique d'un processus qui se répète à maintes reprises lorsque les idées abstraites de Diderot passent à l'expression. De même qu'il aborde la notion de la composition littéraire par la traduction, par la recherche d'un point d'appui à la fois solide et maniable, de même la méthode expressive de Diderot se caractérise par un temps de couvée durant lequel un nombre d'arguments, souvent divergents et séparés, sont mis en évidence. D'un seul coup ils éclosent, prennent une dynamique individuelle : avant tout ils ont une tendance à se résoudre en images dotées d'une forte puissance expressive.

Dans la seule Pensée VII, nous sentons la présence du *mouvement* — en quelque sorte c'est comme si Diderot n'arrive plus à s'expliquer par des mots et des phrases conventionnels.

---

[1] Cf. J. A. DULAURE : *Histoire de Paris*, éd. de 1846, pp. 509-512.

[2] Georges MAY voit dans la *Pensée* VII une évocation de la folie, peut-être de la mort de Catherine Diderot (*Diderot et « La Religieuse »*, P.U.F., 1954, p. 150).

Son impatience le pousse à prendre le pinceau de la description directe pour faire une esquisse rapide mais colorée. C'est ainsi que ses convictions les plus profondes trouvent leur aboutissement, leur *expression* à proprement parler, sous une forme éloignée de l'argument logique et bien noué.

Que ce phénomène se manifeste si clairement aux premières pages des *Pensées philosophiques* ne peut être considéré comme une heureuse coïncidence. Et nous nous sentons obligés de lui accorder une importance supplémentaire en vue de cette conscience qu'a Diderot, même en 1746, des questions morales et esthético-morales engendrées par l'individualité humaine, par la présence dans le corps de la société de certains éléments qui ne réagissent pas comme les autres et qui sont capables d'apercevoir une réalité qui dépasse, à tort ou à raison, la réalité commune.

Nous voudrions suggérer qu'il existe un rapport entre la réaction de Diderot devant les convulsionnaires de Saint-Médard et sa conception du génie. Nous croyons en outre que cette conception du génie, mêlée inextricablement à une conscience de ses propres dons créateurs, a influé sur la forme expressive que Diderot a donné à ses idées. De même, lorsqu'il affronte sa tâche de critique d'art et se voit obligé de parler de l'*expression*, la signification qu'il donne à ce mot est déterminée par la certitude croissante que l'artiste, lui-même une anormalité minoritaire, s'impose et se justifie en visant par l'expressivité de son œuvre, à une définition de l'homme et de sa place dans le monde. Cette définition se fait par l'expérience, par la recherche assidue des formes, par une compréhension du *mouvement* humain sur le plan moral aussi bien que physique.

En tenant compte de ce mouvement, nous passons, pour terminer notre examen de l'expression dans les *Pensées philosophiques*, à la forme de l'œuvre vue dans son ensemble. On a souvent remarqué qu'en écrivant les *Pensées*, Diderot trouva un genre stylistique très adapté à son tempérament

— c'est-à-dire, le dialogue. M. Niklaus a montré que l'œuvre laisse entrevoir une conversation, un dialogue à trois interlocuteurs : un athée qui ne trouve pas son compte, un « religionnaire » superstitieux dont les arguments se retournent contre lui, et un déiste qui, s'appuyant sur la nature et la passion, l'emporte sur les deux autres (*Pensées*, édit. *op. cit.*, p. xix). Le même commentateur a pris le soin de mettre en évidence la structure de l'œuvre, sa division en treize parties plus ou moins distinctes (*Pensées*, édit. *op. cit.*, p. xi). Ces divisions existent, certes, mais nous croyons qu'elles sont un résultat du « dialogue naissant » et non pas le signe d'un plan intentionnel de la part de l'auteur.

Quoiqu'il en soit, il nous importe ici d'insister sur la grande importance du dialogue comme moyen expressif de Diderot. Le dialogue, même dans sa forme la plus rudimentaire, implique une dynamique à laquelle le récit ne peut aspirer. Sa raison d'être est l'exploration d'un thème ou même de plusieurs thèmes, dans des perspectives dont la variété n'est limitée que par le nombre d'interlocuteurs que l'auteur met en jeu.

Avant tout, le dialogue est fait d'un mouvement de l'esprit qui veut à la fois interroger et définir. Entre les mains de Diderot, jamais un homme à monologue, il devient un outil universel. Et en face de la peinture, comme devant tout autre phénomène nouveau, il s'en sert sans gêne, avec une spontanéité et une vigueur qui nous convainquent de la vérité de ses propos.

Dans les *Pensées philosophiques* le dialogue diderotien, comme d'autres questions qui touchent à notre étude, est à l'état d'embryon. Pour mesurer le développement des multiples thèmes que nous avons soulevés au long de ce chapitre, nous devons passer sans retard à un examen de la *Lettre sur les aveugles*. Car c'est là que Diderot prend pleinement conscience du sens visuel qui, il va sans dire, détermine toute critique d'art. C'est là aussi que les questions morales,

51

déjà posées dans les *Pensées philosophiques* et liées indirectement à toute création artistique, sont examinées avec une acuité mais en même temps avec une vivacité qui nous donnent la pleine mesure de cette faculté expressive que nous réclamons pour notre auteur.

* * *

La *Lettre sur les aveugles.*

> De tous les hommes que nous avons vus, celui que nous nous rappellerions le moins, c'est nous-même. Nous n'étudions les visages que pour reconnaître les personnes ; et si nous ne retenons pas la nôtre, c'est que nous ne serons jamais exposés à nous prendre pour un autre, ni un autre pour nous (A.-T., I, 284-285).

Entre les *Pensées philosophiques* et la *Lettre sur les aveugles*, Diderot publia, en 1747, la *Promenade du sceptique* ou *Les Allées*. De prime abord, l'on pourrait croire que ce dernier ouvrage serait d'une importance considérable pour notre étude. Notre attention est surtout attirée par l'image des allées qui signifient les différentes voies de l'existence humaine ; quant au style, il est aisé, fluide. Qu'est-ce qui nous empêche alors, de compter la *Promenade du sceptique* parmi les œuvres-clés dans la formation de l'expression chez Diderot ?

D'abord le *ton* de l'œuvre sonne faux ; la présence de Diderot en est absente, et ceci à cause de l'allégorie dans laquelle il crut bon de coucher son récit. Il est à noter que l'allégorie, forme synthétique qui permet une grande liberté dans la communication entre verbe et image, devait vite perdre la faveur de Diderot. La *Promenade du sceptique* est le seul ouvrage où il s'en serve d'une façon suivie. Plus tard, et particulièrement dans le *Salon* de 1767 (S.A. III, 91-92) et dans les *Pensées détachées sur la peinture* (A.-T., XII, 84), l'allégorie est traitée sommairement de forme « rarement sublime... presque toujours froide et obscure. »

La Promenade du sceptique nous intéresse par la réaction qu'elle occasionna. Quoi de plus facile pour Diderot que de rédiger ses critiques de la religion établie sous une forme déjà connue, où la recherche d'une clé divertit autant qu'elle instruit ? Il n'avait même pas à faire d'effort, et il tomba facilement dans un genre déjà vicié par des siècles d'usage. L'allée des épines, celle des fleurs et l'allée des marronniers reflètent une époque qui, en 1747, touchait à sa fin, et l'inspiration de Diderot s'est mal accommodée d'un genre littéraire désuet. Certes, l'allégorie donne à l'auteur la possibilité de meubler son récit d'un foisonnement de détails qui trouveront chacun une signification relative par rapport à l'idée centrale. Mais cette homogénéité est acquise au prix d'une dépersonnalisation quasi-totale, car l'auteur se voit obligé de suivre un plan prédéterminé qui s'érige en pont mais aussi en barrière entre lui et son lecteur. Le principe de la double-entente, ressort principal de l'allégorie, est susceptible d'une extension presque illimitée sur le plan de la conscience collective : comme véhicule d'expression personnelle elle est fort difficile à manier [1].

C'est sous ce jour que l'originalité de la *Lettre sur les aveugles* devient manifeste. Dans les *Pensées philosophiques* nous assistons à la naissance d'un style individuel où l'image et le mouvement occupent une place dominante. Dans la *Promenade du sceptique* Diderot attelle ce style à un genre qui, par définition, exprime l'idée par l'image, mais qui fait défaut par sa forme rigide et anticipée. Dans la *Lettre sur les aveugles* toute notion de genre fixe est écartée (la forme épistolaire n'est qu'un prétexte), et Diderot va droit aux

---

[1] Pour une critique qui relève les points faibles de la *Promenade du sceptique*, voir : H. DIECKMANN, *Cinq leçons sur Diderot*, Droz, Genève, 1959, pp. 73-76.

sources non seulement de la question de l'idée et de son expression, mais de celle qui la précède. « C'est donc une théorie de la connaissance », dit Lefèbvre, « que Diderot tire de son entretien avec l'aveugle, ou plutôt que son entretien confirme et vérifie [1] ».

Mais la philosophie toute entière est une théorie de la connaissance, et les écrits de Locke, de Molyneux, de Cheselden, de Voltaire, de Condillac et de La Mettrie sur les facultés perceptives des aveugles nous font savoir que Diderot travaillait sur un terrain déjà connu des esprits les plus avertis de son temps [2]. L'originalité de la *Lettre* est plus apparente lorsque nous tenons compte de la *forme* de l'œuvre qui rehausse toute la valeur de sa matière.

La *Lettre sur les aveugles* est à la fois un examen des conséquences éthiques de la cécité, un traité de la doctrine sensualiste avec quelques modifications importantes, une attaque contre la religion établie. Mais avant tout elle présente, sous un angle humanitaire, l'expérience vécue d'un aveugle.

Sa première phrase nous situe dans une ambiance rendue familière par la mention d'un nom connu (celui de Réaumur), et tout le long du récit rien ne vient troubler le ton de conversation intime. En 1749, Diderot est un homme lancé, sur un pied d'égalité avec le milieu intellectuel de Paris, déjà en plein travail préparatoire de l'*Encyclopédie*. Le style haché des *Pensées philosophiques* a cédé la place à un style fluide où le dialogue tient toujours sa place, mais où les digressions, les changements de direction sont intégrés dans le récit avec une souplesse qui nous étonne par son audace mais qui

---

[1] Henri Lefebvre, *Diderot*, Les Editeurs Réunis, Paris, 1949, p. 105.

[2] Cf. Locke, *Essai sur l'entendement humain*, IIe partie, IX, 8. (1690). Cheselden, *Philosophical transactions* (1728). Voltaire, *Eléments de la philosophie de Newton* (1738). La Mettrie, *Traité de l'âme* (1745). Aussi Buffon, *Histoire naturelle de l'homme* (1747). 2e partie, *Des sens, du sens de la vue*.

nous tient toujours en éveil. Diderot s'affirme, prend conscience de la flexibilité du langage, outil professionnel qu'il s'était engagé à manier.

Pourtant, tous ces éléments stylistiques font partie intégrante d'une méthode particulière que nous ne saurions omettre de cette étude de l'expression. Dans son *Essai sur l'entendement humain*, Locke avait établi les principes de la doctrine sensualiste par une méthode qui paraît imprégnée d'amateurisme britannique et qui est en effet une méthode où l'exemple et l'illustration ne viennent pas appuyer rigoureusement l'exposition d'une idée générale. De même Condillac, bien qu'il s'oppose à Locke sur la question du jugement au niveau de la perception, rédige son *Essai sur l'origine des connaissances humaines* sans attacher une grande importance à l'exemple concret.

Or, la méthode de Diderot dans la *Lettre sur les aveugles* est d'aborder les problèmes du sensualisme par l'intermédiaire d'un exemple non seulement concret mais vivant, humain, ayant son identité propre et donc capable d'*exprimer* directement ses impressions. L'exemple devient ainsi agent, mais au lieu de « faire jouer » un agent doué de toutes les facultés humaines et d'en tirer des réponses universellement reconnaissables, Diderot fait pivoter ses arguments autour d'un aveugle-né, d'une *anormalité* qui prend part à l'existence commune mais qui est obligée de l'interpréter selon la perspective extraordinaire qu'impose son infirmité.

Cette méthode en elle-même est fort expressive. La recherche d'une vérité générale à travers une sensibilité aiguisée dans une direction particulière provoque un mouvement inattendu dans l'esprit du lecteur. On pourrait la comparer à la fusion de deux tons simples qui fournissent un accord, plus riche et plus suggestif que la somme de ses éléments composants. En termes plus abstraits, le procédé ressemble à la production algébrique d'une quantité positive par la multiplication de deux quantités négatives.

Cette conception de base de la *Lettre sur les aveugles* nous étonne, fait générer en nous un sens du nouveau et de l'inattendu qui existe dans l'étoffe de la réalité commune. Elle est, en somme, une sorte d'expression, ou plutôt d'expressionnisme qui se dédouble.

Dans l'abstrait elle n'a pas de précédent et ses symptômes ne sont que le sentiment de nouveauté qu'elle fait naître : dans le concret, elle comporte tous les éléments proprement expressifs de l'œuvre que l'on peut citer, examiner et critiquer.

Il y a, cependant, un détail qui s'attache à l'idée fondamentale de la *Lettre sur les aveugles* et que nous nous devons de mentionner ici avant de continuer notre analyse. En choisissant l'aveugle comme pierre de touche, Diderot se montre préoccupé du sens de la vue. Il est de première évidence que les arts plastiques, et la peinture en particulier, perdent toute leur signification, et par extension, leur existence, si le sens de la vue est anéanti. Nous ne saurions prétendre que la *Lettre* fut conçue dans l'intention de faire valoir cette vérité banale, mais la pensée de Diderot n'est jamais très loin du chemin qui mène droit aux problèmes de l'esthétique. La *Lettre* n'en est qu'à son quatrième paragraphe lorsque nous lisons :

> A force d'étudier par le tact la disposition que nous exigeons entre les parties qui composent un tout, pour l'appeler beau, un aveugle parvient à faire une juste application de ce terme... La beauté, pour un aveugle, n'est qu'un mot, quand elle est séparée de l'utilité ; et avec un organe de moins, combien de choses dont l'utilité lui échappe !

Une étude des rapports que fait Diderot entre la conception du beau et celle de l'utilité serait déplacée ici. Il suffit de noter que la notion du beau s'introduit rapidement dans le récit [1] et que Diderot est conscient du rôle que joue le tact dans notre expérience des arts plastiques. Afin de souligner

---

[1] La structure parallèle des *Pensées philosophiques* est à noter. Cf. *Pensées*, I, III.

l'importance de ce rôle, nous nous rapportons à l'autorité de feu Bernard Berenson. Dans son étude, *The Italian Painters of the Renaissance*, ses remarques sur l'Ecole florentine ont une introduction où ce qu'il appelle les « valeurs tactiles » de nos facultés critiques trouvent une place éminente :

> La psychologie affirme que la vue seule ne nous donne pas une idée exacte de la troisième dimension, notre preuve de la réalité. Dans notre enfance, même avant d'être conscient du procédé, le sens du toucher aidé par les sensations musculaires du mouvement, nous initie à la profondeur, la troisième dimension des objets et de l'espace.
>
> Lors de ces mêmes années formatrices, nous apprenons à faire du toucher, de la troisième dimension une preuve de la réalité. L'enfant est vaguement conscient du rapport entre le toucher et la troisième dimension. Il ne sait se persuader de la non-réalité du Monde Derrière le Miroir jusqu'à ce qu'il ait touché le dos de la glace. Plus tard, nous oublions entièrement ce rapport, bien qu'il persiste, et chaque fois que nous apercevons la réalité, nous accordons en fait des valeurs tactiles à une impression rétinienne.
>
> Or la peinture est un art qui a pour but de donner, à l'aide de deux dimensions seulement, l'impression permanente d'une réalité artistique. Par conséquent le peintre se doit de faire sciemment ce que nous faisons tous ; c'est-à-dire de construire une troisième dimension... Sa première tâche est donc d'éveiller le sens du toucher, car il me faut l'illusion de pouvoir toucher une figure ; je dois éprouver l'illusion d'une variété de sensations musculaires au creux de la main et au bout des doigts qui correspondent aux surfaces diverses de telle ou telle figure avant que je ne sois à même de l'accepter comme réelle et de me rendre susceptible d'une manière durable, à ses qualités affectives [1].
>
> (*Italian Painters of the Renaissance*, Londres, Phaidon Press, 1952, p. 40.)

---

[1] Psychology has ascertained that sight alone gives us no accurate sense of the third dimension. In our infancy, long before we are conscious of the process, the sense of touch, helped on by muscular sensations of movement, teaches us to appreciate depth, the third dimension, both in objects and in space.

In the same unconscious years we learn to make of touch, of the third dimension, the test of reality. The child is still dimly aware of the intimate connection between touch and the third dimension. He

Ce passage nous démontre avec force que la philosophie sensualiste de Diderot, et surtout telle qu'elle se présente dans la *Lettre sur les aveugles*, renferme l'un des grands principes de la critique d'art. A chaque endroit où Diderot parle de la réalité que nous percevons par les sens, il pose des questions d'esthétique. Parfois il les élargit et tâche de leur répondre ; souvent il les suggère et laisse travailler l'esprit de son lecteur.

Les ' valeurs tactiles ' dont parle Berenson et qui semblent faire écho fidèle à celles de la *Lettre sur les aveugles*, ne se prêtent pas facilement à l'analyse, même à celle, largement personnelle et individuelle, qui s'engage lors du dialogue entre l'œuvre picturale et le spectateur. Elles sont néanmoins indispensables et à la fois activement utiles, car elles nous relient à la représentation plastique en nous convaincant de sa réalité. Elles sont donc douées de ces qualités que nous réclamons pour l'expression : nous n'aurions su les passer sous silence dans le contexte présent.

Nous avons touché brièvement à la forme de la *Lettre* pour montrer sa fluidité, son ton aisé. il convient d'ajouter que l'œuvre possède un dessein régulier sous une apparence hétérogène :

Dans la *Lettre*, comme dans les *Pensées philosophiques*, un ordre secret se révèle à l'analyse. Le début facile, au style alerte,

---

cannot persuade himself of the unreality of Looking-Glass Land until he has touched the back of the mirror. Later, we entirely forget the connection, although it remains true, that every time our eyes recognise reality, we are, as a matter of fact, giving tactile values to retinal impressions.

Now, painting is an art which aims at giving an abiding impression of artistic reality with only two dimensions. The painter must, therefore, do consciously what we all do unconsciously—construct the third dimension. And he can accomplish his task only as we accomplish ours, by giving tactile values to retinal impressions. His first business, therefore, is to rouse the tactile sense, for I must have the illusion of being able to touch a figure, I must have the illusion of varying muscular sensations inside my palm and fingers corresponding to the various projections of this figure, before I shall take it for granted as real, and let it affect me lastingly.

abonde en données positives, en détails sur la psychologie des aveugles auxquels, par humanité, nous ne pouvons manquer de nous intéresser. De cette partie, où tout est réel, l'auteur passe, par des gradations savantes et sans jamais manquer de piquer la curiosité du lecteur, à ce qui est peut-être l'essentiel : la philosophie de Saunderson, si neuve par la substance, et le ton, si dangereuse à l'orthodoxie, si utile à la polémique (*Lettre sur les aveugles*, éd. Niklaus, p. xxx).

Nous hésiterons pour notre part, à y voir un ordre véritable.

Il est certainement possible de diviser la *Lettre*, d'une façon générale, en trois parties : l'examen de la cécité en termes généraux, la tirade de Saunderson, et finalement la discussion formelle sur la question de la reconnaissance du monde extérieur chez l'aveugle-né qui regagne sa vue. Mais ce schéma se crée par accident, ou plus exactement il prend forme grâce à cette méthode heuristique qui caractérise l'expression de Diderot. Il est à remarquer avec quelle difficulté il s'en tient à la voie de son argument. A tout moment des digressions se présentent à son esprit et il les poursuit, lançant un regard d'excuse et de complicité vers le lecteur :

Nous voilà bien loin de nos aveugles, direz-vous ; mais il faut que vous ayez la bonté, madame, de me passer toutes ces digressions : je vous ai promis un entretien, et je ne puis vous tenir parole sans indulgence (A.-T. I, 305).

Et toujours des écarts, me direz-vous. Oui, madame, c'est la condition de notre traité. Voici maintenant mon opinion sur les deux questions précédentes... (A.-T. I, 324).

Je passerai, madame, sans digression, à un métaphysicien sur lequel on tenterait l'expérience (A.-T. I, 325).

A notre avis, la *Lettre* révèle par sa forme un *mouvement* qui prend les apparences d'une symétrie par sa progression cyclique. Dans son détail, d'abord, c'est le dialogue qui produit cet effet. Le dialogue de la *Lettre* est plus intime, plus

59

dense que celui des *Pensées philosophiques* ; les va-et-vient
sont plus rapides, la *présence* des interlocuteurs est beaucoup
mieux ressentie.

Si nous examinons la première partie de la *Lettre* — c'est
à dire tout ce qui précède l'entrée en cause de Saunderson,
nous verrons une série d'échanges de propos s'appuyant
tantôt sur la théorie, tantôt sur l'anecdote. Elles se font plus
vives jusqu'à ce qu'elles se résolvent d'abord en illustration
et ensuite en image. Après la courte introduction, le prétexte
de l'œuvre, Diderot nous présente l'aveugle de Puiseaux :

> ...c'est un homme qui ne manque pas de bon sens ; que beau-
> coup de personnes connaissent ; qui sait un peu de chimie, et qui
> a suivi, avec quelque succès, les cours de botanique au Jardin du
> Roi... il s'est retiré dans une petite ville de province, d'où il fait
> tous les ans un voyage à Paris (A.-T. I, 280).

Il n'y a ici aucun détail réellement superflu. Diderot nous
fournit un arrière-plan de menus faits, mais il résiste à la
« tentation biographique » (et cette économie est bien typique
de sa façon de présenter un personnage) pour passer directement à l'action :

> Nous arrivâmes chez notre aveugle sur les cinq heures du soir,
> et nous le trouvâmes occupé à faire lire son fils avec des caractères
> en relief : il n'y avait pas plus d'une heure qu'il était levé ; car
> vous saurez que la journée commence pour lui, quand elle finit
> pour nous (A.-T. I, 280).

Et le paragraphe suivant s'avance, non pas directement
mais d'un pas très ferme, vers les questions centrales de la
Lettre:

> Notre aveugle juge fort bien des symétries. La symétrie, qui
> est peut-être une affaire de pure convention entre nous, est cer-
> tainement telle, à beaucoup d'égards, entre un aveugle et ceux
> qui voient... (A.-T. I, 281).

A partir de ce moment, le mouvement de bascule du récit
est bien marqué. La discussion des symétries mène à la

notion qu'a l'aveugle de la beauté. Sans enchaînement visible, mais avec des échos sur le plan psychologique et esthétique qui mériteraient, dans un autre contexte, une discussion détaillée, Diderot parle de l'aveugle et du miroir. Nous voilà donc, dans un sens, à un niveau inférieur à celui de l'abstraction et le ton se fait plus familier :

notre (aveugle) parle de miroir à tout moment. Vous croyez bien qu'il ne sait ce que veut dire le mot miroir ; cependant il ne mettra jamais une glace à contre-jour (A.-T. I, 282).

Mais la définition du miroir que donne l'aveugle : « Une machine qui met les choses en relief loin d'elles-mêmes, si elles se trouvent placées convenablement par rapport à elle », provoque une phase ascendante. Il est maintenant question d'une autre définition.

A ce point, Diderot fait un raccourci assez ironique mais en même temps significatif. L'aveugle compare les yeux au bâton dont il se sert pour explorer les objets. Diderot se souvient d'un ouvrage qu'il a lu, d'une illustration qu'il y a remarquée. Il fait paraître cette même illustration dans la *Lettre* (A.-T., I, 283), tout en déclarant à sa correspondante : « Madame, ouvrez la *Dioptrique* de Descartes, et vous y verrez les phénomènes de la vue rapportés à ceux du toucher, et des planches d'optique pleines de figures d'hommes occupés à voir avec des bâtons. »

Par un mouvement instinctif, Diderot a eu recours à l'image : sa pensée a trouvé expression dans cette forme concentrée dont seul le pictural est capable.

Il suit un paragraphe qui reprend le thème de l'esthétique :

Aucun de nous ne s'avisa de l'interroger sur la peinture et sur l'écriture : mais il est évident qu'il n'y a point de questions auxquelles sa comparaison n'eût pu satisfaire ; ...il était tenté de croire que la glace peignant les objets, le peintre, pour les représenter, peignait peut-être une glace (A.-T. I, 284).

61

La question pourrait mener Diderot très loin, mais il l'abandonne sur une note indécise pour retomber dans les banalités divertissantes ;

> Nous lui vîmes enfiler des aiguilles fort menues. Pourrait-on, madame, vous prier de suspendre ici votre lecture, et de chercher comment vous vous y prendriez à sa place ? (A.-T. I, 284).

Mais la dame ne peut laisser errer son attention pendant longtemps, car la conversation passe au sujet de la mémoire et de la mémoire à la question de l'identité. Ici encore, c'est tout un amas de théories possibles que Diderot nous laisse apercevoir :

> Nous n'étudions les visages que pour reconnaître les personnes ; et si nous ne retenons pas la nôtre, c'est que nous ne serons jamais exposés à nous prendre pour un autre, ni un autre pour nous. D'ailleurs les secours que nos sens se prêtent mutuellement les empêchent de se perfectionner (A.-T. I, 285).

Il est clair que le problème de l'expression-identité n'est pas très éloigné de cette observation. Nous avons le sentiment que Diderot est sur le point de se demander de quelle façon les sens agissent l'un sur l'autre, de formuler une définition de l'expression qui conditionne la reconnaissance générale et la conscience de soi-même. Mais sa pensée rebondit, prend la tangente et se pose adroitement sur la place relative de l'Homme dans la structure de la Nature :

> Cet aveugle, dîmes-nous, s'estime autant et plus peut-être que nous qui voyons : pourquoi donc, si l'animal raisonne, comme on n'en peut guère douter, balançant ses avantages sur l'homme, qui lui sont mieux connus que ceux de l'homme sur lui, ne porterait-il pas un semblable jugement ? (A.-T. I, 285).

Deux pages plus loin, les liens qui rattachent l'expression à des manifestations physiologiques sont de nouveau mis en évidence, et cette fois-ci dans un autre de ces paragraphes ayant un rapport avec l'esthétique :

Il juge de la beauté par le toucher ; cela se comprend : mais ce qui n'est pas si facile à saisir, c'est qu'il fait entrer dans ce jugement la prononciation et le son de la voix. C'est aux anatomistes à nous apprendre s'il y a quelque rapport entre les parties de la bouche et du palais, et la forme extérieure du visage (A.-T. I, 287).

La place nous manque ici pour tracer dans son moindre détail le mouvement alternant de l'expression dans cette première partie de la *Lettre*. Ce qu'il importe de noter avant tout c'est la *mobilité* de la pensée de Diderot et son recours aux images. Lorsqu'il court le danger d'ennuyer par une exposition trop longue de notions abstraites, Diderot change de ton, s'adresse directement au lecteur, l'invite à participer à une petite expérience, l'oblige à réfléchir d'une façon très subjective. Et quand l'occasion se présente, une proposition est illustrée par une anecdote qui prête un sens de l'actualité [1].

Mais à partir du moment où les éléments vraiment dangereux sont glissés dans la *Lettre* (« Comme je n'ai jamais douté que l'état de nos organes et de nos sens n'ait beaucoup d'influence sur notre métaphysique et sur notre morale... » A.-T. I, 288), il n'est plus question de faire des digressions banales. Le problème de la connaissance se révèle dans toute sa profondeur. Diderot se demande quel pourrait être le dénominateur commun auquel se réduit la connaissance. La mathématique semble fournir une réponse :

Il y a une espèce d'abstraction dont si peu d'hommes sont capables, qu'elle semble réservée aux intelligences pures ; c'est celle par laquelle tout se réduirait à des unités numériques. Il faut convenir que les résultats de cette géométrie seraient bien exacts, et ses formules bien générales ; car il n'y a point d'objets, soit dans la nature, soit dans le possible, que ces unités simples ne pussent représenter, des points, des lignes, des surfaces, des solides, des pensées, des idées, des sensations... (A.-T. I, 293-294).

---

[1] Cf. l'histoire de l'aveugle, le pistolet et M. Hérault, lieutenant de police, A.-T. I, 285-286.

Diderot est, en fait, à la recherche d'un langage symbolique qui dépasse la simple communication entre l'aveugle et celui qui voit. Ce langage idéal livrerait à la connaissance, avec la plus grande rapidité, l'idée et son expression. Plus exactement, l'idée et son expression formeraient une identité commune.

L'envergure de cette idée est telle que Diderot cherche sans hésitation un appui, un exemple concret :

> Quel avantage n'eût-ce pas été pour Saunderson de trouver une arithmétique palpable toute préparée à l'âge de cinq ans, au lieu d'avoir à l'imaginer à l'âge de vingt-cinq ! Ce Saunderson, madame, est un autre aveugle dont il ne sera pas hors de propos de vous entretenir (A.-T. I, 295).

Sans pause, et sans élaborer la mise en scène de ce nouveau personnage, Diderot se lance dans un exposé du « système » de l'aveugle anglais.

En elle-même, cette méthode d'exprimer une notion abstraite par des moyens matériels et qui combinent une infinité de variations dans un cadre fixe est clairement d'un grand intérêt et pour l'esthéticien et pour le critique d'art. Et non moins importantes sont les illustrations gravées qui accompagnent le texte. Celui-ci est bien explicite ; nonobstant, les illustrations fixent à jamais dans notre conscience les principes du système de Saunderson. Même en 1749, Diderot comprend bien que l'addition d'une image graphique fait opérer un genre de raccourci, une compression du temps nécessaire à l'exposition d'une idée et à sa compréhension. Ce raccourci est la raison d'être de l'expression.

Dans la *Lettre sur les Sourds et muets*, Diderot examine la nature de ce qu'il appelle le « symbole » et « l'hiéroglyphe » en peinture et en poésie. Déjà, dans la *Lettre sur les aveugles*, la puissance du symbole, bien que celui-ci soit schématique, est non seulement reconnue mais employée avec une spontanéité qui redouble sa signification.

64

Pourtant, Diderot semble conscient d'une certaine lacune dans la continuité de son récit. Saunderson nous est présent, mais seulement par l'intermédiaire d'un dessein de carrés, de lignes et de figures géométriques. Nous n'avons pas ressenti sa manière d'être, son caractère. Impatient de nous présenter ce que Saunderson signifie, Diderot a fait une *esquisse* qu'il tente maintenant d'élaborer.

Il hésite, donne quelques détails biographiques puis, animé par la double force de la mémoire et une extension de l'idée du symbole mathématique, il essaie d'humaniser son personnage en parlant de l'expression dans le contexte du langage :

> Ceux qui ont écrit sa vie disent qu'il était fécond en expressions heureuses ; et cela est fort vraisemblable. Mais qu'entendez-vous par des expressions heureuses ? me demanderez-vous peut-être. Je vous répondrai, madame, que ce sont celles qui sont propres à un sens, au toucher, par exemple, et qui sont métaphoriques en même temps à un autre sens, comme aux yeux ; d'où il résulte une double lumière pour celui à qui l'on parle, la lumière vraie et directe de l'expression, et la lumière réfléchie de la métaphore... les licences de langage nous échappent, et la vérité des termes nous frappe seule (A.-T. I, 301-302).

Dans ce court passage l'idée centrale de ce qui deviendra la *Lettre sur les sourds et les muets* est déjà bien développée. Cependant la pensée de Diderot est douée d'une impulsion intérieure dont on ne peut jamais prédire la direction. Une question qui semble d'une immense portée est abandonnée sans scrupule, surtout si c'est vers un point d'intérêt plus immédiatement humain que Diderot s'avance.

A deux reprises, une digression vient l'écarter de Saunderson (A.-T., I, 302-306). Il s'interrompt pour s'excuser (A.-T., I, 305) et pour un instant il déploie l'une de ces tournures stylistiques qui deviendra leitmotiv dans la technique de *Jacques le fataliste:*

> Je pourrais ajouter à l'histoire de l'aveugle de Puisaux et de Saunderson, celle de Didyme d'Alexandrie, d'Eusèbe l'Asiatique, de Nicaise de Mechlin... (A.-T., I, 307).

Cette taquinerie conditionne admirablement le lecteur qui est tout prêt à redoubler son attention lorsque la menace d'une nouvelle digression est dissipée :

Mais ne nous éloignons plus de Saunderson, et suivons cet homme extraordinaire jusqu'au tombeau.

Lorsqu'il fut sur le point de mourir, on appela auprès de lui un ministre fort habile, M. Gervaise Holmes ; ils eurent ensemble un entretien sur l'existence de Dieu, dont il nous reste quelques fragments que je vous traduirai de mon mieux ; car ils en valent bien la peine (A.-T. I, 307).

En deux phrases, le ton du récit devient plus vif, plus direct. Diderot nous promet un aveu fait au lit de mort et une reprise des questions morales abandonnées avec regret quelques pages auparavant (A.-T., I, 289). Bien plus, ces quelques pages (A.-T., I, 307-311) de dialogue entre Saunderson et Holmes sont l'essence de la *Lettre*. D'un seul coup il nous semble qu'il y a *mariage* entre les idées motrices de l'œuvre et leur expression. Bien entendu, le parler direct du dialogue prête un sens d'actualité au style, mais il y a aussi un rehaussement de sentiment dans cette partie du récit qui fait le « raccourci expressif » sans être vraiment un procédé mécanique du style. L'on peut signaler la longueur des paragraphes de ces pages, le fait incontestable que notre attention est profondément engagée par un resserrement et une concentration des détails. Mais un relevé de ces artifices n'ajoute rien à la force quasi-poétique des passages qui sautent aux yeux pour se fixer dans la mémoire :

Je conjecture donc que, dans le commencement où la matière en fermentation faisait éclore l'univers, mes semblables étaient fort communs. Mais pourquoi n'assurais-je pas des mondes, ce que je crois des animaux ? combien de mondes estropiés, manqués, se sont dissipés, se reforment et se dissipent peut-être à chaque instant dans des espaces éloignés, où je ne touche point, et où vous ne voyez pas, mais où le mouvement continue et continuera de combiner des amas de matière, jusqu'à ce qu'ils aient obtenu

66

quelque arrangement dans lequel ils puissent persévérer ? O philosophes ! transportez-vous donc avec moi sur les confins de cet univers, au delà du point où je touche... (A.-T., I, 310).

Et cette phrase-éclair qui résume et étend à la fois tout ce que Diderot ressent et comprend par le temps, la durée, notre perception de l'existence :

Qu'est-ce que ce monde, monsieur Holmes ? un composé sujet à des révolutions, qui toutes indiquent une tendance continuelle à la destruction ; une succession rapide d'êtres qui s'entre-suivent, se poussent et disparaissent : une symétrie passagère ; un ordre momentané (A.-T., I, 311).

Il n'y a ici aucune trace de lenteur ni d'hésitation. Par moments une note de rhétorique vient frapper l'oreille contemporaine, mais notre impression primordiale est celle d'une homogénéité où pensée et expression forment un accord équilibré et satisfaisant.

En effet le lecteur se trouve intégré dans une scène ou un tableau (non pas un drame car l'action physique en est absente), et ses réactions sont aiguisées et fortifiées par un mouvement pictural. En même temps elles sont livrées aux immenses perspectives en profondeur que fournit la notion d'un instant présent qui résume tout un passé infini et qui contient tous les éléments possibles d'un avenir sans bornes.

Si le but de l'expression est de communiquer une idée avec précision et intensité avec le moins de mots possibles, alors il serait difficile de refuser à Diderot une grande mesure de succès dans le dialogue entre Saunderson et Holmes. Sans s'être questionné sur tous les aspects de la concentration expressive qu'il qualifiera deux ans plus tard, il s'en sert avec une compétence remarquable. Il semble avoir capté pour la première fois un certain timbre qui n'est pas très éloigné de la poésie.

Nous ne saurions dire que le dialogue entre Saunderson et Holmes représente un point culminant dans le style diderotien. Ce qu'il nous révèle est un genre particulier auquel Diderot a recours lorsque le fil de sa pensée le conduit dans une situation où le langage commun devient insuffisant à ses besoins expressifs. Ce n'est donc pas un élément *constant* de son style, mais une sorte de réservoir qui s'ouvre après certains préliminaires, tels ceux que nous venons de décrire. Et au fur et à mesure que Diderot s'avance dans sa carrière, ce réservoir lui devient plus accessible, et il y puise avec plus de rapidité.

La troisième et dernière partie de la *Lettre sur les aveugles* intéresse peu notre étude. Après la mort de Saunderson et la petite scène de genre où l'aveugle anglais dit ses adieux à sa femme et à ses enfants (A.-T., I, 312), Diderot change de nouveau le ton de sa composition :

> Je finirai cette lettre, qui n'est déjà que trop longue, par une question qu'on a proposée il y a longtemps (A.-T., I, 414).

C'est la question qu'avait discutée Molineux, Locke et Condillac : est-ce qu'un aveugle-né qui regagne sa vue serait capable de distinguer, par la vue seule, les formes différentes de certains objets ? Elle est traitée formellement, et bien que sa présentation indique avec quelle rigueur Diderot était capable de mener sa dialectique quand il en avait envie, les qualités expressives dont elle fait preuve sont bien minimes. D'ailleurs, dans son *Addition* à la *Lettre* qui date de 1782, Diderot met au jour une autocritique de son œuvre :

> la première partie m'en a parue plus intéressante que la seconde, et... j'ai senti que celle-là pouvait être un peu plus étendue et celle-ci beaucoup plus courte... (A.-T., I, 331).

Sa division de la *Lettre* en deux parties est évidemment plus simple que la nôtre, mais son commentaire est non moins juste.

Notre analyse de la *Lettre sur les aveugles* a été longue. Par moments elle pourrait avoir l'air d'être par trop détaillée si la méthode de l'explication de texte n'était pas l'une des plus valables pour une meilleure compréhension de Diderot. En ce qui concerne sa formation expressive, il est absolument nécessaire de scruter le texte, tout en écoutant ces tons divers que génère un style multiforme. Car, comme nous l'avons vu, une théorie de l'expression se trouve en puissance dans ces premières œuvres. Des images tirées du langage de l'esthétique font leur apparition avec insistance, et de temps en temps elles se rendent actuelles et vivantes, moulant à leurs propres fins l'inspiration de l'auteur. C'est à ces moments-là que nous entrevoyons un Diderot plutôt artiste que philosophe.

* * *

La *Lettre sur les sourds et muets*.

Jusqu'à une date récente, la *Lettre sur les sourds et muets* n'avait pas trouvé une place de toute première importance dans le *corpus* des œuvres de Diderot. Nous la retrouvons, certes, dans l'édition Assézat-Tourneux et dans un nombre de recueils qui lui sont antérieurs, mais son absence de l'édition de la Pléiade et de l'édition Garnier des *Œuvres philosophiques* faisait craindre qu'elle eût été reléguée aux « œuvres mineures » du philosophe.

Heureusement, la nouvelle édition qu'a donnée M. Paul Meyer [1] comble d'une façon très solide ce qui était une grave lacune dans l'édition critique des œuvres individuelles de Diderot. De plus, M. Meyer, dans son Introduction, éclaircit nettement l'orientation esthétique de la *Lettre*; il efface ainsi

---

[1] DIDEROT, *Lettre sur les sourds et muets.* Edition commentée et présentée par Paul Hugo MEYER in *Diderot Studies VII.* Genève, Droz, 1965.

le tort porté à l'ouvrage par la grande renommée de la *Lettre sur les aveugles*.

La *Lettre sur les sourds et muets* est avant tout une œuvre personnelle. Elle est née de cette fermentation intellectuelle par l'attaque et la riposte typiques du monde des lettres françaises, avec ses conflits de personnalités et son caractère intensément social. En 1746, l'abbé Batteux, professeur en philosophie grecque et latine au Collège de France, avait publié *Les Beaux-Arts réduits à un seul principe*, ouvrage qui avait pour but de mettre sur le même plan (par quels moyens n'est jamais bien indiqué) les arts plastiques et la littérature [1].

Or, bien que Diderot s'intéressât aux rapports entre la poésie et la peinture, et qu'une partie importante de la *Lettre* fût consacrée à cette question, l'attention de l'auteur se porta en premier lieu, sur un détail de l'œuvre de Batteux — le problème des inversions dans la formation et le développement des langues.

Notons bien, à cet égard, le chemin que fait l'inspiration dans les premières œuvres de Diderot : les *Pensées philosophiques* furent composées sous la tutelle de Shaftesbury ; la *Lettre sur les aveugles* avait pour arrière-plan la polémique qui se concentrait autour de la question des sources de la connaissance humaine. La *Lettre sur les sourds et muets* semble prendre forme par accident. Diderot est loin d'être disciple de l'abbé Batteux, mais sauf que ce dernier présente d'une façon obscure des théories déjà bien désuètes en 1751, il serait quelque peu excessif de croire que notre auteur querelle son adversaire. Nous préférons croire que Diderot fut engagé, en 1751, par le mouvement d'une activité littéraire grandissante. La *Lettre sur les aveugles* et l'incarcération à

---

[1] Une indication de la place de l'abbé Batteux dans le courant des idées esthétiques au dix-huitième siècle est donnée par FONTAINE, *op. cit.*, ch. VII, « Les amateurs, les hommes de lettres et les théoriciens, 1709-1747 ».

Vincennes avaient établi son identité aux yeux du public. Et la controverse suscitée par le « Prospectus » de l'*Encyclopédie*, engageant comme partie adverse le R.P. Berthier et le *Journal de Trévoux* [1], servit d'aiguillon pour une reprise de l'expression personnelle. Il ne fallut qu'une impulsion légère, une lecture légitimement rapide du livre de Batteux, pour provoquer un retour aux problèmes d'esthétique que laissaient à moitié explorés les œuvres précédentes. Et telle est la spontanéité de la *Lettre sur les sourds et muets* que Diderot ne s'excuse plus des digressions qu'il reconnaît maintenant comme inséparables de son récit :

> Cette réflexion, Monsieur, me conduit à une autre : elle est un peu éloignée de la matière que je traite ; mais, dans une lettre, les écarts sont permis, surtout lorsqu'ils peuvent conduire à des vues utiles (A.-T., I, 352).

Pourtant, la *Lettre sur les sourds et muets* ne laisse apercevoir dans sa structure aucune trace de désordre. Dans les *Pensées philosophiques* et dans la *Lettre sur les aveugles*, nous avons pu déceler un certain dessein dans la présentation des idées, un va-et-vient du dialogue, une division du texte en sections correspondant à telle ou telle question. Avec la *Lettre sur les sourds et muets*, les préoccupations de ce genre semblent disparaître. Après une lecture de l'œuvre, idées, exemples et images restent bien dans notre esprit, mais nous ne nous souvenons d'aucun schéma. Par une sorte de paradoxe bien diderotien, les digressions disparaissent à force d'être nombreuses ; les méandres du texte lui donnent une forme particulière où nous reconnaissons l'empreinte du caractère de Diderot. Et un récit qui avait toute l'apparence d'être composé d'un amas d'idées hétérogènes, devient un mouve-

---

[1] La correspondance relative à la querelle est cataloguée dans la *Correspondance de Diderot*, édit. George ROTH (Paris, Editions de Minuit, 1955 et seq.), t. I, pp. 102-109. Toute référence à la correspondance de Diderot sera désignée par la mention ROTH. Voir aussi A. M. WILSON, *op. cit.*, pp. 125-127.

ment ininterrompu de la pensée. Il suffit de se mettre en disponibilité totale devant le texte pour passer de la première à la seconde de ces impressions et pour apprécier que le caractère le plus frappant de la *Lettre sur les sourds et muets*, est la continuité.

En examinant le problème de l'expression, Diderot en arrive à briser les entraves qui semblaient devoir gêner le libre jeu de son imagination. Il domine avec facilité, avec complaisance même, les premières lourdeurs de son style ; les idées coulent de sa plume d'un seul jet.

Etant donné ces conditions particulières, il est clair qu'une analyse méthodique du texte pareille à celle que nous avons entreprise dans les deux chapitres précédents, serait peu utile. Dans la *Lettre sur les sourds et muets*, les idées de Diderot sur l'expression s'énoncent clairement, et il ne s'agit plus de les déduire d'un fouillis de données disparates. Sur le plan stylistique, la préoccupation avec des notions d'esthétique semble écarter pour un temps l'expressivité propre à la composition diderotienne. Le mouvement d'un esprit vif se relève toujours, mais n'entraîne pas des inégalités et des sursauts réclamant une étude et une explication particulières. L'image aussi, surtout l'image dramatique, telle qu'elle se présente dans le dialogue entre Saunderson et Holmes dans la *Lettre sur les aveugles*, est reléguée à un rôle subalterne. Certes, il faut tenir compte des planches (A.-T., I, 387), mais elles n'ont pas l'effet si frappant dans la *Lettre sur les aveugles* d'obtenir un raccourci entre la pensée et sa présentation sur la page imprimée. De temps à autre, il est vrai, Diderot introduit une petite scène qui semble prête à devenir « mobile » :

> Je suis à table avec un sourd et muet de naissance. Il veut commander à son laquais de me verser à boire. Il avertit d'abord son laquais. Il me regarde ensuite ; puis il imite du bras et de la main droite les mouvements d'un homme qui verse à boire (A.-T., I, 360).

72

Mais ces vignettes ont un but strictement utilitaire : il leur manque ce mouvement intérieur qui, en élargissant l'image permet de dépasser le sens littéral du texte. L'on retrouve l'image de l'homme-horloge :

> Si j'avais affaire à quelqu'un qui n'eût pas encore la facilité des idées abstraites, je lui mettrais ce système de l'entendement humain en relief... (A.-T., I, 367).

Ici encore l'image est employée dans une intention nettement pédagogique, et même en 1751 elle n'était pas des plus nouvelles [1].

Si toutefois les images dans la *Lettre sur les sourds et muets* font place à l'exemple concret, Diderot cherche les illustrations les plus exactes. Dans une lettre à son éditeur Bauche, datée du 20 janvier 1751, il écrit :

> Veillez, je vous prie, à ce qu'il ne se glisse point de fautes dans les exemples ; il n'en faudrait qu'une pour tout gâter (A.-T. I, 348).

Et vers le mois suivant, il prend à partie Le Breton dans les mêmes termes :

> Je vous prie de dire aux compositeurs, une fois pour toutes, qu'il ne faut point de lettres où il n'y en a point ; et par conséquent de marquer exactement celles que j'ai marquées, et de n'en point mettre d'autres (ROTH, I, pp. 110-111).

Scrupules d'un rédacteur en chef qui commence à se rendre compte du travail auquel il s'est engagé, ou souci de l'homme de lettres pour sa pensée ? Autant de points de vue

---

[1] Aram VARTANIAN, dans son ouvrage *La Mettrie's « L'Homme Machine »* (Princeton University Press, 1960) place l'idée de l'homme mécanique dans son contexte historique pour la retracer à ses origines cartésiennes. V. *op cit.*, ch. IV, p. 57 sqq., « The Historical Background of *L'Homme Machine* ». V. aussi du même auteur, *Diderot and Descartes* (Princeton University Press, 1953) ch. IV, p. 203 sqq., « From Cartesian Mechanistic Biology to the Man-Machine and Evolutionary Materialism ».

également valables. Ce qu'il faut retenir c'est le soin que Diderot a pris pour établir un texte définitif. La spontanéité de son inspiration est légendaire, mais elle ne fut jamais le résultat d'un mouvement imprévisible de l'esprit. L'écriture soignée et l'état ordonné des manuscrits autographes que nous possédons donnent un démenti à la belle fable de l'Encyclopédiste qui savait écrire au pied levé un conte, une pièce de théâtre ou un dialogue philosophique — fable d'ailleurs, que Diderot ne chercha jamais à démentir [1].

Dans la *Lettre sur les sourds et muets* la forme a été étudiée, et en examinant les idées que Diderot nous y présente, nous ne devons pas la négliger. Il convient pourtant de noter que par son titre, la *Lettre sur les sourds et muets* laisse entendre une parenté étroite avec la *Lettre sur les aveugles*.

En effet, le thème de la connaissance sensorielle est repris dans la *Lettre sur les sourds et muets*, mais il est subordonné à des préoccupations d'ordre esthétique. Dans nos chapitres précédents nous avons été obligé d'apporter des réserves à nos conclusions en constatant que ni les *Pensées philosophiques*, ni la *Lettre sur les aveugles* ne touchent directement à la philosophie du beau.

Avec la *Lettre sur les sourds et muets*, tel n'est plus le cas. Il est même possible de dire que la *Lettre* met fin à la formation expressive de Diderot dans ce sens qu'elle évite à l'auteur d'avoir à émettre ses idées sur l'art au travers d'une polémique sur la philosophie sensualiste.

Mais en même temps, la *Lettre* se dégage du courant d'universalisme encyclopédique. Malgré son désir d'éclairer les recoins les plus obscurs de la connaissance humaine, de livrer à l'intelligence commune tout aspect de la vérité spirituelle

---

[1] Dans l'Introduction à son *Inventaire du Fonds Vandeul et Inédits de Diderot* ; Droz, 1951, Herbert DIECKMANN nous fournit les indications les plus vraisemblables sur les méthodes qu'employait Diderot dans la rédaction de ses œuvres. (Voir en particulier *op. cit.*, p. XVII sqq. et pour une analyse de l'écriture de Diderot, p. XLV-XLVI.)

et matérielle, Diderot ne pouvait admettre que la perception
et la compréhension de l'art soient à la portée de tout le
monde :

> Quoi qu'il en soit, . . . il est constant que celui à qui l'in-
> telligence des propriétés hiéroglyphiques des mots n'a pas été don-
> née, ne saisira souvent dans les épithètes que le matériel et sera
> sujet à les trouver oisives ; il accusera des idées d'être lâches, ou
> des images d'être éloignées, parce qu'il n'apercevra pas le lien
> subtil qui les resserre ;... je puis assurer qu'il y a mille fois plus de
> gens en état d'entendre un géomètre qu'un poëte ; parce qu'il y a
> mille gens de bon sens contre un homme de goût, et mille personnes
> de goût contre une d'un goût exquis (A.-T., I, 382).

Cette limitation de la connaissance artistique est avant
tout une manifestation de l'individualisme diderotien. La
défense des passions dans les *Pensées philosophiques* l'avait
mise à la lumière ; les recherches sur la connaissance à travers
l'expérience de l'individu, qui forment la *Lettre sur les aveugles*
ne servit qu'à la renforcer. Dans la *Lettre sur les sourds et
muets,* Diderot en arrive à s'identifier complètement aux
problèmes qu'il discute. Les difficultés qu'éprouve le poète
lorsqu'il veut ordonner sa pensée sont bien les difficultés de
Diderot lui-même. C'est donc à partir de 1751 qu'il se rend
compte de son tempérament d'artiste individuel, et il admet
implicitement dans le passage cité que la pleine réalisation de
ce tempérament ne peut se faire qu'en suivant une voie qui
s'écarte souvent des chemins battus de la conscience collective.

Nous avons signalé le manque de dessein dans la composition de la *Lettre sur les sourds et muets* ; on y retrouve pourtant une progression que nous tenons à suivre, car il indique
bien clairement l'orientation et le développement de la notion
que Diderot se fait de l'expression. S'il fallait marquer les
étapes, l'on pourrait dire qu'à l'examen de la mécanique des
langues succède une analyse des éléments inspirationnels et
quasi-mystiques de la poésie. La *Lettre* s'oriente vers les
problèmes qui entourent la *projection* de la pensée, en contre-

partie de la *Lettre sur les aveugles* qui elle examinait la *formation* de la connaissance. Il est à peine nécessaire de montrer par le détail l'identification de la *Lettre sur les sourds et muets* et du problème de l'expression.

Diderot aborde le problème de l'expression directement. Après un court paragraphe d'un ton quelque peu ironique [1], il pose la question fondamentale :

> Pour bien traiter la matière des inversions, je crois qu'il est à propos d'examiner comment les langues se sont formées. Les objets sensibles ont les premiers frappé le sens ; et ceux qui réunissaient plusieurs qualités sensibles à la fois ont été les premiers nommés ; ce sont les différents individus qui composent cet univers (A.-T., I, 349).

Ces quelques lignes situent tout ce qui va suivre dans un contexte sensualiste, mais elles indiquent aussi que les recherches de Diderot vont se poursuivre dans une perspective historique. Notons-le de suite, la *Lettre sur les aveugles* avait sollicité notre attention par l'expressivité même de sa méthode, par le coup audacieux qu'est l'instrument actif de la cécité. La *Lettre sur les sourds et muets* n'a pas cet élément de surprise, mais en revanche le développement de la pensée est beaucoup plus systématique. La méthode expérimentale de Diderot éveille et guide l'imagination du lecteur, non pas par l'intermédiaire d'une suite de conjectures brillantes, mais grâce aux exemples qui se fondent sur une tradition littéraire, et des sensations d'ordre esthétique. Le champ de recherches est ainsi délimité sur le plan personnel, mais grandement étendu sur le plan « scientifique ».

Les philologues d'aujourd'hui auraient du mal, certes, à accepter sans contestation l'idée que Diderot se faisait de la formation des langues. En commun avec son siècle, il croyait

---

[1] Pour une indication du climat littéraire et social à Paris au moment de la composition de la *Lettre sur les sourds et muets*, voir l'article de Jean POMMIER : « Autour de la *Lettre sur les sourds et muets* », *R.H.L.F.*, 3. 1951.

que toutes les langues remontaient à un seul dialecte, et que le langage est uniquement un moyen de communiquer les idées. La *Grammaire de Port-Royal* (1660) que Diderot connaissait certainement et qui fournissait une interprétation universaliste du langage, n'avait certainement pas révélé la nature complexe du problème. Mais même dans le cadre des théories de son temps, Diderot fait preuve d'une naïveté remarquable [1].

Heureusement, ces lacunes ont une contre-partie positive. Peu importe que l'hébreu puisse exprimer les temps verbaux ; que la voyelle « A » n'ait jamais été l'archétype de la voyelle primitive, comme le pensait Diderot ; que celui-ci ait méconnu la vraie nature de la *lingua franca*. Ces détails, vrais ou faux, montrent à quel point Diderot fut sensible à l'actualité du problème traité, à ses rapports connexes et à son évolution passée.

Ce sens de la tradition en matière de langage était bien nécessaire : il fallait un instrument linguistique de la plus haute précision si l'*Encyclopédie* devait être plus qu'une œuvre d'intérêt passager. Dans ce sens, un examen de l'histoire des langues servit de contre-épreuve à Diderot, le rassurant sur la valeur du dictionnaire, et sur le choix de la langue française pour sa rédaction :

J'ajouterais volontiers, ... que la marche didactique et réglée à laquelle notre langue est assujettie, la rend plus propre aux sciences ; et que, par les tours et les inversions que le grec, le latin, l'italien, l'anglais se permettent, ces langues sont plus avantageuses pour les lettres... Le français est fait pour instruire, éclairer

---

[1] Voir H. J. HUNT, « Logic and Linguistics ; Diderot as *grammairien-philosophe* », *M.L.R.*, 1938, t. 33, pp. 215-233. Aussi : C. K. OGDEN, and I. A. RICHARDS, *The Meaning of Meaning*, Londres, 1930. — L'article de M. Hunt relève en détail les idées de Diderot sur le langage ; l'œuvre de MM. Ogden et Richards, surtout le chapitre X, « Symbol Situations », nous apporte une excellente interprétation des rapports entre le sens et le langage tels que nous les concevons à l'heure actuelle.

et convaincre, le grec, le latin, l'italien, l'anglais, pour persuader, émouvoir et tromper : parlez grec, latin, italien au peuple ; mais parlez français au sage (A.-T., I, 371-372).

Point n'est besoin d'insister que Diderot affirme une vérité déjà bien connue. En 1751, a coup sûr, le français était la véritable *lingua franca* du monde civilisé ; l'instrument naturel pour la diffusion des idées dans les milieux pensants de par le monde [1]. Seulement, Diderot comprend mal la multitude de raisons sociales, psychologiques et intellectuelles qui ont préludé à la formation de cette *lingua franca* si puissante et si exacte.

Par ailleurs, son désir de faire du langage un véritable outil de la pensée le conduit à prendre parti pour ce qu'on peut appeler l'historicité. Relevons un extrait de l'article « Encyclopédie » qui exprime clairement ce que nous soupçonnions après l'examen de la *Lettre sur les sourds et muets* :

Il n'y a qu'une langue morte qui puisse être une mesure exacte, invariable et commune pour tous les hommes qui sont et qui seront, entre les langues qu'ils parlent et qu'ils parleront. Comme cet idiome n'existe que dans les auteurs, il ne change plus ; et l'effet de ce caractère, c'est que l'application en est toujours la même, et toujours également connue (A.-T., XIV, 435-436).

Evidemment, l'amour que le philosophe portait aux auteurs grecs et latins dépend dans une certaine mesure de sa formation chez les jésuites. Il partageait avec la majorité de ses contemporains le besoin de rechercher des exemples littéraires, moraux, sociaux, psychologiques même, dans le trésor de la civilisation gréco-latine ; et cette orientation de la pensée spéculative vers un modèle dont l'excellence semble assuré, va cependant à l'encontre du principe même de l'histoire des langues.

---

[1] Voir Louis RÉAU : *L'Europe française au siècle des lumières*, Paris, Albin Michel, 1938, pp. 11-73.

Il n'y a pas lieu ici d'aborder la question de l'influence de l'antiquité sur l'expression telle que Diderot l'a conçue. Mais nous devons faire ressortir le paradoxe que suscite le traditionalisme de Diderot, élément profondément conservateur de son tempérament, quand il se heurte à une question dont la solution dépend du mouvement et du progrès de la connaissance humaine.

D'une part il se rend compte de l'immense complexité du langage ; d'autre part que cette complexité est susceptible de modification et de simplification. Le dix-huitième siècle était profondément attaché à l'idée qu'un signe pouvait résumer une émotion et que le savoir n'était qu'une *somme* de connaissances acquises. Nous ne devons pas oublier non plus que le dix-huitième siècle était un siècle passionnément collectionneur, pour ne pas dire thésaurisateur. Il y avait donc danger que les apôtres de la connaissance « universelle » s'appuyassent trop sur l'ordre réglé, et le dessein parfaitement compris, des langues mortes.

Heureusement, cette tendance était retenue par un esprit pédagogique fortement caractérisé, et par la conviction profonde de la prééminence de la langue française. Diderot plus que tout autre éprouvait le besoin de *communiquer* le savoir. S'il a fait souvent appel à l'ordre des civilisations passées, c'est en mêlant des sentiments de nostalgie à la mémoire (commune à tous) des expériences formatrices de sa pensée.

Nous croyons que c'est de ce point de vue qu'il faut envisager l'élément de rigidité, de conservatisme classique qui joue un rôle considérable dans le problème de l'expression chez Diderot. Dans le contexte de l'histoire des langues et de la *Lettre sur les sourds et muets*, le recours aux langues grecques et latines ressemble à une discipline motivée par le sentiment, exigée par un courant important de l'esthétique au dix-huitième siècle, mais qui prend sa place toutefois dans le schéma plus vaste de la science expérimentale.

79

Ayant établi ces données premières et générales, nous pouvons faire état de ce progrès de l'esprit de Diderot dont nous avons déjà parlé. Il convient d'évaluer le recours qu'a l'auteur au muet, c'est-à-dire à l'anormal. Alors que dans la *Lettre sur les aveugles* l'aveugle était un instrument actif, dramatique même, pour mettre en relief sa pensée, le muet de la *Lettre sur les sourds et muets* n'est qu'un symbole inerte et abstrait. Ce que Diderot lui demande comme « preuve » n'aboutit qu'à une sorte de jeu de charades dont les résultats sont tout à fait prévisibles :

> Je ne doute guère qu'il n'y eût des inversions dans (les actions mimées) de nos muets, que chacun d'eux n'eût son style, et que les inversions n'y missent des différences aussi marquées que celles qu'on rencontre dans les anciens auteurs grecs et latins. Mais comme le style qu'on a est toujours celui qu'on juge le meilleur, la conversation qui suivait les expériences ne pourrait qu'être très-philosophique et très-vive ; car tous nos muets de convention seraient obligés, quand on leur restituerait l'usage de la parole, de justifier, non seulement leur expression, mais encore la préférence qu'ils auraient donnée, dans l'ordre de leurs gestes, à telle ou telle idée (A.-T., I, 352).

Clairement, cette petite expérience n'est pas des plus probantes. La preuve qu'elle fournit de la nature des inversions est une preuve indirecte, dépendant d'une analyse après coup qui, elle-même, risque d'être faussée par les inversions propres à la langue dans laquelle elle serait expliquée. Pourtant, un détail important ne manque pas d'appeler notre attention dans ce passage. Diderot reconnaît que même l'expression la plus primitive, la communication réduite à ses éléments de base, est une chose dictée par le tempérament individuel. Il serait donc fort difficile de tirer des conclusions définitives des actions du muet, ou des muets, de convention. Diderot le sait fort bien :

> Mais il me vient un scrupule. C'est que, les pensées s'offrant à notre esprit, je ne sais par quel mécanisme, à peu près sous la

forme qu'elles auront dans le discours, et, pour ainsi dire, tout habillées, il y aurait à craindre que ce phénomène particulier ne gênât le geste de nos muets de convention ; qu'ils ne succombassent à une tentation qui entraîne presque tous ceux qui écrivent dans une autre langue que la leur, la tentation de modeler l'arrangement des signes de la langue qui leur est habituelle... mais, en tout cas, on pourrait s'adresser à un sourd et muet de naissance (A.-T., I, 353-354).

En fait, l'expérience des muets de convention s'avère un échec : celle du muet de naissance n'est guère plus révélatrice d'un ordre fixe, même dans l'expression la plus simplifiée. Diderot donne deux exemples : celui du jeu d'échecs où le muet

me montrant du doigt tous les spectateurs les uns après les autres, et faisant en même temps un petit mouvement des lèvres, qu'il accompagna d'un grand mouvement de ses deux bras qui allaient et venaient dans la direction de la porte et des tables, me répondit qu'il y avait peu de mérite à être sorti du mauvais pas où j'étais, avec les conseils *du tiers, du quart et des passants;* ce que ces gestes signifiaient si clairement que personne ne s'y trompa, et que l'expression populaire *consulter le tiers, du quart et les passants* vint à plusieurs en même temps ; ainsi, bonne ou mauvaise, notre muet rencontra cette expression en gestes (A.-T., I, 356).

L'autre exemple cherche à montrer que « l'idée principale » se pose la première dans l'expression d'une suite d'idées continues :

Je suis à table avec un sourd et muet de naissance. Il veut commander à son laquais de me verser à boire. Il avertit d'abord son laquais. Il me regarde ensuite, puis il imite du bras et de la main droite les mouvements d'un homme qui verse à boire... Le muet peut, après avoir averti le laquais, ou placer le signe qui désigne la chose ordonnée, ou celui qui dénote la personne à qui le message s'adresse, mais le lieu du premier geste est fixe... Quant à l'arrangement des deux autres gestes, c'est peut-être moins une affaire de justesse que de goût, de fantaisie, de convenance, d'harmonie, d'agrément et de style. En général, plus une phrase renfermera d'idées, et plus il y aura d'arrangements possibles de gestes ou d'autres signes ; plus il y aura de danger de tomber dans des contre-sens, dans des amphibologies et dans les autres vices de construction. Je ne sais si l'on peut juger sainement des sentiments et des mœurs d'un homme par ses écrits ; mais je crois qu'on ne risquerait pas à se tromper sur la justesse de son esprit si l'on en jugeait par son style ou plutôt par sa construction (A.-T., I, 360-361).

Nous nous sommes permis de donner cette citation en entier afin de montrer comment Diderot se trouve obligé d'admettre l'individualisme de l'expression et finalement d'établir le rapport tellement significatif entre l'expression et l'identité de celui qui s'exprime.

Les expériences du muet, ou de convention ou de naissance, obligent Diderot à reconnaître que la transmission d'une idée, d'une phrase, d'un discours, est susceptible de prendre un nombre de formes différentes qui dépendent très largement des circonstances contingentes à l'idée, et surtout du caractère de celui qui s'exprime. Peu à peu nous voyons se formuler dans la *Lettre sur les sourds et muets* une solution plus concrète au problème des inversions. Au delà des considérations d'ordre purement linguistique, Diderot cherche une sorte de langage « supérieur » où l'ordre des mots ou des signes sera fixé par les conditions inhérentes à la situation qu'ils décrivent. De cette façon, toute mésintelligence serait éliminée et le problème des inversions serait enfin résolu.

Ce « langage », c'est le geste, mais c'est aussi le geste né de circonstances extraordinaires. Considérons pour un instant la raison d'être du geste tel qu'il se présente comme accompagnement du langage. Dans la communication humaine, même dans sa forme la plus directe et dans un climat social où l'action physique semble s'intégrer sans gêne à la parole, le geste n'est qu'un appui. Oter le sens de la parole, la sonorité et les inflexions de la voix, et le fil de la compréhension devient fort ténu. Pour remplacer le langage, le geste doit

forcément s'accentuer et se simplifier. C'est à cette simplification et cette intensification que Diderot tend lorsqu'il
dit :

l'on parviendrait à substituer aux gestes à peu près leur équivalent
en mots ; je dis à peu près, parce qu'il y a des gestes sublimes
que toute l'éloquence oratoire ne rendra jamais. Tel est celui de
Macbeth dans la tragédie de Shakespeare. La somnambule
Macbeth s'avance en silence (acte V, scene i), et les yeux fermés,
sur la scène, imitant l'action d'une personne qui se lave les mains,
comme si les siennes eussent encore été teintes du sang de son
roi qu'elle avait égorgé il y avait plus de vingt ans. Je ne sais
rien de si pathétique en discours que le silence et le mouvement
des mains de cette femme. Quelle image de remords ! (A.-T., I,
354-355).

Ce souvenir (approximatif !) rappelle un autre :

La manière dont une autre femme annonça la mort à son
époux incertain de son sort, est encore une de ces représentations
dont l'énergie du langage oral n'approche pas. Elle se transporta,
avec son fils entre ses bras, dans un endroit de la campagne où son
mari pouvait l'apercevoir de la tour où il était renfermé ; et après
s'être fixé le visage pendant quelques temps du côté de la tour,
elle prit une poignée de terre qu'elle répandit en croix sur le corps
de son fils qu'elle avait étendu à ses pieds. Son mari comprit le
signe, et se laissa mourir de faim. On oublie la pensée la plus
sublime ; mais ces traits ne s'effacent point. Que de réflexions ne
pourrais-je faire, monsieur, sur le sublime de situation, si elles ne
me jetaient pas trop hors de mon sujet (A.-T., I, 355).

Si nous complétons ces deux exemples par ce que Diderot
nous rapporte de ses expériences au théâtre où il se mettait le
plus loin possible de la scène et se bouchait les oreilles afin
de mieux apprécier le « jeu » des acteurs (A.-T. I, 359), il
devient clair que le langage des gestes n'est pas celui de tous
les jours. Même dans sa manifestation la plus simple (cf. le
jeu d'échecs et la scène du dîner), il dépend d'un certain
arrangement de circonstances qui donne l'impression d'un
rehaussement de la réalité, de l'artifice.

Nous reconnaissons qu'ici une question assez délicate se pose. Nul ne voudrait prétendre que les idées esthétiques de Diderot fissent partie d'un compartiment spécial de sa pensée où les exigences et les sensations de la vie journalière n'avaient pas droit d'entrée. Au contraire, l'une de ses préoccupations constantes fut de rapporter notre perception du beau aux phénomènes les plus communs.

Mais tout comme la *Lettre sur les sourds et muets* elle-même prit forme grâce à un acte de désengagement, le problème particulier du geste ne semble pas ressortir de celui de l'utilité.

Le geste, tel que Diderot le voit, est doué d'un sens particulier qui le pousse inéluctablement à l'expression artistique. L'exemple tiré de *Macbeth*, ainsi que celui qui le suit, n'a pas sa véritable source dans un fait divers, mais dans un concours de circonstances dont chacune est « sous tension », provoquée par une excitation des émotions et des passions. Le problème des inversions se transforme donc assez rapidement en problème d'expression, s'engageant, à force de la préoccupation qu'a Diderot avec le geste, dans les chemins de l'esthétique qui lui sont les plus naturels.

Reportons-nous maintenant au clavecin oculaire du Père Castel, invention singulière qui ne cessa de fasciner Diderot, et qui est considéré, à juste titre, comme un des éléments de base de ses idées esthétiques [1] :

Vous connaissez, au moins de réputation, une machine singulière, sur laquelle l'inventeur se proposait d'exécuter des sonates de couleurs. J'imaginai que s'il y avait un être au monde qui dût prendre quelque plaisir à de la musique oculaire, et qui pût en juger sans prévention, c'était un sourd et muet de naissance.

Je conduisis donc le mien rue Saint-Jacques, dans la maison où l'on montre l'homme et la machine aux couleurs. Ah ! Monsieur, vous ne devinerez jamais l'impression que ces deux êtres firent sur lui, et moins encore sur les pensées qui lui vinrent.

---

[1] Pour une description détaillée, voir l'article « Clavecin » de *l'Encyclopédie*, la lettre de Diderot au Père Castel (AT, XIX, 425), et *Les Bijoux indiscrets* (A.-T., IV, 203 sqq.)

. . . .
Mon sourd s'imagina que ce génie inventeur était sourd et muet aussi; que son clavecin lui servait à converser avec les autres hommes; que chaque nuance sur le clavier avait la valeur d'une des lettres de l'alphabet; et qu'à l'aide des touches et de l'agilité des doigts, il combinait ces lettres, en formait des mots, des phrases; enfin, tout un discours en couleurs (A.-T., I, 356-357).

Le clavecin du Père Castel engage Diderot très fermement dans ce courant de la pensée esthétique au dix-huitième siècle qui cherchait justement à rapprocher la poésie, la musique et les beaux-arts. Il ne faut pas oublier que l'ouvrage auquel Diderot répond dans la *Lettre sur les sourds et muets* s'intitule *Les Beaux-Arts réduits à un même principe* [1].

Le clavecin oculaire est d'un intérêt particulier pour notre exposé, car il semblait offrir à Diderot la possibilité d'établir d'une façon quasi-scientifique, un « langage » sans paroles. N'oublions pas que Diderot était passionné de la musique; non seulement de ses qualités affectives, mais aussi de la science de l'harmonie. Même si la musique, par sa structure, se prête à une infinité de variations, ces variations peuvent être classifiées : une oreille entraînée sait les distinguer, leur attacher un nom. Par cet instrument singulier il semblait possible de transposer l'expression, de « faire des images » en se servant de la « musique », de composer un langage neuf que la mécanique raisonnable de l'esprit serait capable de déchiffrer.

Avant de quitter ce sujet à multiples ramifications, il faut remarquer que le clavecin du Père Castel communique son message uniquement par l'entremise des couleurs. Il n'est pas construit de façon à former par ses rubans une variété de desseins géométriques selon l'accord joué. Nous pouvons déduire de ce fait l'importance de la couleur expressive pour

---

[1] André FONTAINE, *op. cit.*, p. 203-207, indique combien l'œuvre de Batteux méritait la critique sévère de Diderot.

Diderot et son insistance sur elle lorsqu'il se fera critique de la peinture.

Malgré tout son intérêt, le clavecin du Père Castel n'est qu'une curiosité. S'il met en relief plusieurs aspects du problème de l'expression, il ne fournit par lui-même aucune solution. C'est ainsi que, ayant retracé les étapes de l'investigation de Diderot au cours de cette *Lettre sur les sourds et muets*, de leurs origines dans la question-prétexte des inversions, jusqu'à leur épanouissement dans le langage des gestes, nous croyons utile de nous arrêter et de poser une question qui s'adresse en fait à Diderot.

Comment définir, exactement, les qualités exigées par ce « langage gesticulaire » qu'est l'expression ? D'abord, Diderot semble désirer qu'il soit simple, sans trop de complications ni ornements. La raison en est claire : plus l'expression comporte de « manière », plus elle sera sujette à la méprise. Ce danger est pressenti :

> En général, plus une phrase renfermera d'idées, et plus il y aura d'arrangements possibles de gestes ou d'autres signes ; plus il y aura de danger de tomber dans des contre-sens... (A -T , I, 360-361).

Il n'en est pas moins vrai que la simplicité est de première importance pour permettre au geste expressif d'être rapidement assimilé et d'épouser le sens pleinement et continûment. Diderot veut que l'expression *frappe*, et que le geste se fixe dans l'esprit avec une grande économie de moyens. L'on voit donc combien Diderot dût être tenté par ce que nous appellerions le geste-type.

En expliquant ainsi un phénomène dont la complexité est grande, nous risquons de nous aventurer sur un terrain dangereux. Si par exemple nous reprenons l'exemple de Lady Macbeth dans la scène du somnambulisme, nous constatons que la sensibilité moderne ne saurait concevoir la pantomime sans les vers qui l'accompagnent. En soi le geste de se laver les mains après le meurtre du roi Duncan qu'accomplit Lady Macbeth dans le plus parfait silence, nous paraîtrait outré et comme touchant au mélodrame. L'effet est encore plus frappant dans le cas de la femme qui marque avec une poignée de terre le signe de la croix sur le corps allongé de son fils (A.-T., I, 355).

Or, il est nécessaire de faire preuve de grande prudence quand on veut juger de l'originalité ou de la banalité des moyens qui soulevaient les émotions et les passions au dix-huitième siècle. Deux cents ans n'ont fait qu'adoucir nos réactions émotives, sans doute en les rendant plus complexes.

Mais même si l'on tient compte de cette évolution de la sensibilité, il est possible d'affirmer que Diderot préférait le geste expressif où tout ce qui est ambigu est non seulement écarté, mais inéluctablement banni. Il faut admettre aussi que le désir de communiquer peut devenir tellement intense que le geste significatif risque d'être surchargé de trop de nuances.

L'équilibre nécessaire entre la force d'une idée et la puissance expressive qu'elle exige est toujours difficile à établir et il est plus difficile encore de juger du succès de l'écrivain à une certaine distance dans le temps. Nous ne croyons cependant pas être contredit si nous affirmons que Diderot rompt souvent cet équilibre, non pas volontairement, mais d'une façon curieusement accidentelle.

Dans son désir de simplifier et de classifier, de frapper l'esprit sans donner libre cours à notre imagination, Diderot rend le geste expressif par des procédés qui traduisent la représentation traditionnelle et instamment reconnaissable d'une émotion. Donc, en dépit de l'enthousiasme débordant de son caractère, ou parfois à cause de cet enthousiasme même, qui le porte le plus souvent à opposer tout académisme, Diderot ne se sépare jamais tout à fait de LeBrun et de ses conférences. Il croyait voir une expression pour chaque état d'âme, tout comme il voyait chaque mot comme dénotant invariablement un objet ou une idée. Même lorsque l'expression est replacée dans son cadre esthétique où le sens de la réalité journalière est renforcé par la sélection et le processus de transmutation qu'y effectue l'artiste, Diderot ne sait pas se défaire d'une espèce de conformisme, voire de déterminisme qui a ses racines profondes dans ses idées philosophiques.

L'expression simple et l'expression caractéristique sont donc bien chères à Diderot, mais elles sont toutes les deux sujettes à une troisième force qu'il annonce dans le passage suivant :

> On éprouve, en s'entretenant avec un sourd et un muet de naissance, une difficulté presque insurmontable à lui désigner les parties indéterminées de la quantité, soit en nombre, soit en étendue, soit en durée... On n'est jamais sûr de lui avoir fait entendre la différence des temps (A.-T., I, 362).

Quelques pages plus loin, Diderot analyse cette difficulté :

> la sensation n'a point dans l'âme ce développement successif du discours ; et si elle pouvait commander à vingt bouches, chaque bouche disant son mot, toutes les idées précédentes seraient rendues à la fois... Aucune langue n'approcherait de la rapidité de celle-ci (A.-T., I, 367).

Et dans un autre passage, nous pénétrons au cœur de ce troisième aspect de l'expression — celui de l'expression conçue dans le temps, ou plus exactement, dans la durée :

> Autre chose est l'état de notre âme ; autre chose, le compte que nous en rendons, soit à nous-même, soit aux autres ; autre chose, la sensation totale et instantanée de cet état ; autre chose, l'attention successive et détaillée que nous sommes forcés d'y donner pour l'analyser, la manifester, et nous faire entendre. Notre âme est un tableau mouvant, d'après lequel nous peignons sans cesse : nous employons bien du temps à la rendre avec fidélité : mais il existe en entier, et tout à la fois : l'esprit ne va pas à pas comptés comme l'expression. Le pinceau n'exécute qu'à la longue ce que l'oeil du peintre embrasse tout d'un coup. La formation des lan-

gues exigeait la décomposition ; mais *voir* un objet, le *juger* beau, *éprouver* une sensation agréable, *désirer* la possession, c'est l'état de l'âme dans un même instant, et ce que le grec et le latin rendent par un seul mot. Ce mot prononcé, tout est dit, tout est entendu. Ah, monsieur ! combien notre entendement est modifié par les signes ; et que la diction la plus vive est encore une froide copie de ce qui s'y passe ! (A.-T., I, 369).

Avec une concision admirable, Diderot décrit l'essentiel du procédé expressif. Ayant marqué ses dimensions — la simplicité et le trait caractéristique, il passe à l'examen de son rythme, de ce mouvement intérieur sans lequel l'expression serait dépourvue de sens.

Par une analyse qui est évidemment le fruit d'une expérience personnelle, il met au jour le décalage inévitable entre la formation d'une idée ou d'une sensation et notre manière de l'enregistrer. La mécanique de l'esprit, dont on ne sait pas mesurer le rythme, peut donner l'impression d'un éternel présent, de ce *hic et nunc* existentiel que M. Georges Poulet a très bien relevé dans la partie de son étude qui touche à Diderot [1]. En effet, ce sentiment que nous examinons ici n'est qu'une continuation de l'idée que Saunderson propose à son interlocuteur :

Qu'est-ce que ce monde, monsieur Holmes ? un composé sujet à des révolutions... une succession rapide d'êtres qui s'entre-suivent, se poussent et disparaissent : une symétrie passagère ; un ordre momentané (A.-T., I, 311).

Diderot a compris que, plus l'expression se rapproche de cet « ordre momentané », de ce mouvement « instantané » de l'esprit, plus elle nous frappe, plus elle devient vivante et réelle. Retenons que cette instantanéité de l'expression dont il souligne l'importance est le mieux rendue par l'image :

[1] Georges POULET : *Etudes sur le temps humain*, Paris, Plon, pp. 218-238.

« Notre âme est un tableau mouvant, d'après lequel nous peignons sans cesse... Le pinceau n'exécute qu'à la longue ce que l'œil du peintre embrasse tout d'un coup. »

Enfin Diderot indique explicitement le rapport entre l'expression et la peinture, mais sans prétendre que la peinture puisse fournir une solution au problème. Le trait du pinceau a besoin lui aussi, d'être dirigé.

Mais la peinture, de par sa nature, contient le maximum de qualités vraiment expressives. Vers la fin de la *Lettre sur les sourds et muets*, quand Diderot examine en les comparant, les différents arts, nous lisons :

> Le peintre, n'ayant qu'un moment, n'a pu rassembler autant de symptômes mortels que le poëte, mais en revanche, ils sont bien plus frappants ; c'est la chose même que le peintre montre ; les expressions du musicien et du poëte n'en sont que des hiëroglyphes (A.-T., I, 387-388).

À première vue, l'on pourrait croire que l'expression picturale pour Diderot procède tout simplement d'un souci de réalisme. Elle serait une représentation de « la chose même », un « rassemblement de symptômes mortels ». Sans vouloir sousestimer l'importance que Diderot attachait à toute représentation qui soit visuellement « exacte », il faut se demander en quoi consiste, précisément, la supériorité expressive de la peinture.

La réponse à cette question se trouve, sans aucun doute, dans ce sentiment qu'avait Diderot de la durée, du « moment fécond », pour employer un terme de Lessing [1], qui gouverne

---

[1] Pour une étude qui trace le développement de l'esthétique dans son « pays d'origine », consulter A. NIVELLE, *Les Théories esthétiques en Allemagne de Baumgarten à Kant*, Paris, Les Belles Lettres, 1955. Il est à remarquer comment les idées esthétiques, énoncées sans esprit de système chez Diderot, sont vite approfondies et systématisées par les théoriciens allemands. Dans la 2e partie, Ch. II, sec. 5 de sa thèse, M. Nivelle fait une analyse détaillée du « moment fécond », phénomène de l'expérience esthétique qui, selon Lessing, nous livre simultanément un aperçu du passé et de l'avenir. Dans un contexte

la représentation picturale. Il est certain, par exemple, que le peintre ne se limite aucunement à un seul moment. Tout son art consiste à observer, à noter et à synthétiser la somme de ses expériences dans un *effet* qui se veut spontané. Ce qui intéresse le plus Diderot, c'est que sur la toile peinte, le geste expressif, qui produit cet effet, devient visible, par conséquent vérifiable. Même si le peintre « n'a qu'un instant » dans ce sens qu'il doit à son art de reproduire une perception de la réalité dans sa forme la plus immédiate et donc à son instant le plus vif, le choix qu'il opère fait partie d'un présent infiniment extensible.

Car le « résultat » de la peinture est un objet que l'on n'a ni à « lire », ni à « écouter » : l'image se livre *instantanément* à la connaissance, et ceci sous une forme concrète et matérielle. Pour prendre connaissance de la peinture, il n'y a nul besoin de maîtriser un système complexe de symboles et de syntaxe, car la peinture commence à parler dès que nous nous livrons à elle en tête-à-tête dans les simples conditions de la lumière du jour, et sans employer autre chose que notre sens de la vue.

Pourtant, au cœur même du phénomène pictural, Diderot trouve moyen de renforcer ses convictions par un procédé ingénieux qui semble fournir une clé au problème de l'expression. Le passage suivant la situe dans une perspective qui fait ressortir toute sa signification :

> Il faut distinguer, dans tout discours en général, la pensée et l'expression ; si la pensée est rendue avec clarté, pureté et précision, c'en est assez pour la conversation familière ; joignez à ces qualités le choix des termes avec le nombre et l'harmonie de la période, et vous aurez le style qui convient à la chaire ; mais vous serez encore loin de la poésie, surtout de la poésie que l'ode et le poëme épique

---

plus large que celui de notre étude, les rapports que fait Diderot entre la poésie et la peinture dans la *Lettre sur les sourds et muets* sont à comparer avec la thèse centrale du *Laokoon* de Lessing (v. FOLKIERSKI, *op. cit.*, p. 172 sqq.)

déploient dans leurs descriptions. Il passe alors dans le discours du poëte un esprit qui en meut et vivifie toutes les syllabes. Qu'est-ce que cet esprit ? j'en ai quelquefois senti la présence ; mais tout ce que j'en sais, c'est que c'est lui qui fait que les choses sont dites et représentées tout à la fois ; que dans le même temps que l'entendement les saisit, l'âme en est émue, l'imagination les voit et l'oreille les entend, et que le discours n'est plus seulement un enchaînement de termes énergiques qui exposent la pensée avec force et noblesse, mais que c'est encore un tissu d'hiéroglyphes entassés les uns sur les autres qui la peignent. Je pourrais dire, en ce sens, que toute poésie est emblématique.

Mais l'intelligence de l'emblème poétique n'est pas donnée à tout le monde ; il faut être presque en état de le créer pour le sentir fortement (A.-T., I, 374).

Ce retour à des questions de linguistique paraît déplacé après une telle insistance sur l'image picturale. Toutefois, l'image avec toutes les qualités expressives qu'elle détient, ne concerne pas uniquement les arts plastiques. Diderot indique qu'elle possède une faculté « supérieure » qui lui donne la possibilité de s'assimiler à toutes les formes de l'expression artistique. C'est ainsi que l'image peut se modifier, prendre un caractère quintessentiel — devenir ce que Diderot appelle l'hiéroglyphe.

Que veut dire, au juste, ce terme qui paraît au milieu de la *Lettre sur les sourds et muets* ? Dans son article, « Hieroglyph and Emblem in Diderot's *Lettre sur les sourds et muets* » [1], M. James Doolittle nous fait savoir qu'au dix-huitième siècle, le mot « hiéroglyphe » revêtait un sens beaucoup plus large que de nos jours. L'hiéroglyphe, et plus encore, l'emblème, remontaient au « livre d'emblèmes ».

Par le nombre de volumes qu'il a suscités, il mérite l'appellation de genre littéraire. Il a sa source dans le symbolisme inhérent à la religion chrétienne et s'est formalisé

---

[1] James DOOLITTLE : « Hieroglyph and Emblem in Diderot's *Lettre sur les sourds et muets* », in *Diderot Studies II*, Syracuse University Press, 1952, pp. 148-167.

dans l'iconographie du Moyen Age [1]. Il atteignit son apogée au dix-septième siècle, et quoique son déclin au siècle suivant fût rapide, le souvenir qu'il laissa demeura sans doute très vif [2].

Le livre d'emblèmes était composé d'un nombre de phrases imprimées chacune en tête de page. Au dessous de la phrase se trouvait une image, ou plus exactement une devise ou emblème; et en bas de page, quelques lignes de prose ou de vers servaient à montrer comment image et phrase s'expliquent mutuellement [3]. Le Père Le Moine, dans un ouvrage intitulé *De l'Art des devises*, (Paris, 1666) donne une définition enthousiaste de ces exercices typographiques :

> C'est une Poësie, qui ne chante point, qui n'est composée que d'une Figure muette, et d'un Mot qui parle pour elle à la veuë. La merveille est, que cette Poësie sans Musique fait en un moment avec cette Figure et ce mot, ce que l'autre Poësie ne scauroit faire qu'avec un long temps et de grands préparatifs d'harmonies, de fictions et de machines... (cité par PRAZ, *op. cit.* I, p. 52).

Diderot aussi voyait très clairement le sens pictural de l'hiéroglyphe et de l'emblème. Ils remplissaient pour lui la première condition de l'expressivité. Ils formaient aussi une « écriture » mystique, idéographique, dérivant d'une philosophie qui précédait celle des Grecs [4]. Chose plus importante encore, ils combinaient dans un seul mouvement, idée et expression, connaissance et appréciation, mais non pas dans

---

[1] L'ouvrage qui fait autorité sur l'histoire des livres d'emblèmes est de Mario PRAZ : *Studies in Seventeenth Century Imagery*. Studies of the Warburg Institute, Vol. 3, Londres, 1939. L'étude se divise en deux tomes dont le second est consacré à un catalogue des livres d'emblèmes.

[2] Le catalogue de Praz relève 14 titres de livres d'emblèmes imprimés en France entre 1700 et 1779.

[3] L'un des « emblématistes » les plus actifs était Andrea ALCIATI dont l'*Emblematum liber* (Augsburg, 1531 ; Paris, 1534 ; Venise, 1546 ; Lyon, 1551) sert de modèle aux historiens du genre.

[4] Voir l'article « Egyptiens (Philosophie des) » de l'*Encyclopédie*.

les bornes rigides de tel ou tel genre artistique. Car l'hiéroglyphe rompt les barrières qui séparent les différentes *formes*
de l'expression. Praz l'explique de la façon suivante :

> Puisque chaque image poétique renferme un emblème en
> puissance, l'on comprend pourquoi les emblèmes se tiennent de
> si près au siècle où l'amour de l'image toucha à son apogée —
> c'est à dire au dix-septième siècle. L'homme du dix-septième
> siècle, toujours à la recherche d'une vérité appuyé par les sens,
> ne se borna point à une passion imaginative déjà poussée aux
> limites de la fantaisie : il voulait l'extérioriser, la transposer en
> hiéroglyphe, en emblème. Il prit grand plaisir à renforcer la
> parole par l'addition de la représentation plastique. On ne doit
> pas oublier que ce fut l'époque par excellence de l'opéra, genre
> qui traduit la pensée de Diderot lorsqu'il dit : « les choses sont
> dites et représentées tout à la fois ; dans le même temps que l'en-
> tendement les saisit, l'âme en est émue, l'imagination les voit et
> l'oreille les entend. » Vu dans une perspective philosophique
> l'opéra en tant qu'amalgame de différentes formes artistiques,
> n'est qu'illusion. Mais du point de vue psychologique, il fait preuve
> d'une sorte d'imagination qui cherche à se dépasser. L'opéra
> témoigne d'un appétit intellectuel aussi débridé que l'appétit des
> sens. En un mot, il indique un processus de matérialisation plutôt
> que de sublimation (PRAZ, *op. cit.*, I, pp. 12-13).

La dernière partie de ce paragraphe confirme notre pensée
sur la tendance expressionniste chez Diderot — sa prédilection

---

[1] Since every poetical image contains a potential emblem, one
can understand why emblems were the characteristic of that century
in which the tendency to images reached its climax, the seventeenth
century. In need as he was of certainties of the senses, the seventeenth-
century man did not stop at the purely fantastic cherishing of the
image : he wanted to externalize it, to transpose it into a hieroglyph,
and emblem. He took delight in driving home the word by the
addition of a plastic representation. One must remember that this
is the age of the opera, which carries out Diderot's saying : « les choses
sont dites et représentées tout à la fois ; dans le même temps que
l'entendement les saisit, l'âme en est émue, l'imagination les voit et
l'oreille les entend. » If considered from a philosophical angle, the
opera as a fusing together of various arts is purely an illusion ; but
from the psychological point of view it witnesses to a kind of imagination which tries to overreach itself, an appetite of the intellect as
uncontrolled as an appetite of the senses : in a word, it argues a
process of materialization rather than of sublimation.

pour le geste large qui va au-delà de l'idée qu'il transmet. Mais faut-il assimiler la notion même de l'hiéroglyphe à une conception purement matérialiste ?

C'est croyons-nous, tout le paradoxe de la pensée diderotienne qui se manifeste ici une fois de plus. Si nous suivons la pensée de Praz, il nous faut croire que le phénomène de l'hiéroglyphe est mécanique et déterminé, tenant de l'artifice volontairement mis en œuvre. On peut, par contre, le considérer de la même façon que Doolittle qui trouve l'argument de Praz peu probant. Doolittle affirme que le véritable but de Diderot en se servant du terme « hiéroglyphe » était de suggérer la qualité mystique, synthétique de l'expression :

Le problème essentiel que pose la *lettre sur les sourds et muets*, est celui d'un moyen de communication humaine duquel toute convention linguistique a été banni. Dans ses idées sur l'inversion, Diderot indique bien que le langage conventionnel est pour la plupart produit de la raison. Au mieux, c'est un instrument à peu près exact, à l'aide duquel nous analysons logiquement des phénomènes conçus par des moyens que nous considérons raisonnables. Si le langage veut communiquer des phénomènes qui dépassent les bornes de la raison, alors il doit franchir lui-même ses propres enceintes. Pour le poète, qui comprend et qui cherche à faire savoir ces choses dans la nature qui ne sont pas soumises aux lois de la raison et de la logique, il se pose un problème d'expression. De même le critique doit affronter le problème de l'entendement. Ces deux problèmes sont analogues à ceux que connaît le sourd-muet dans le monde des êtres normaux. Tout comme le sourd-muet comprend et se sert du geste, afin de désigner les choses pour lesquelles il n'a pas de paroles, de même le poète et le critique se fient à la représentation hiéroglyphe pour communiquer et pour prendre connaissance des choses dont l'expression verbale et conventionnelle se montre impuissante (DOOLITTLE, *op. cit.*, pp. 160-161).

---

[1] The fundamental problem posed in the *Sourds et muets* is that of a medium of communication between man and man from which all linguistic convention is arbitrarily banished. In his discussion of inversion Diderot makes it amply plain that conventional language is for the most part a product of reason, at best an approximately

Il paraît pourtant légitime de rapprocher ces deux points de vue. Il semble en effet possible d'expliquer le plaisir esthétique que nous éprouvons à la lecture de tel ou tel vers par une analyse grammaticale.

De même la peinture montre une savante géométrie de lignes, de plans et de couleurs ; la musique se réduit à un système mathématique ; le drame aux mouvements prévisibles du corps humain. Et bien que ce point de vue puisse nous paraître trop simpliste, il ne faudrait pas oublier qu'il exerça un grand attrait pour les penseurs du dix-huitième siècle. Même lorsque la qualité mystique de l'expression artistique est reconnue et que les qualificatifs « insaisissable », « sublime », « impénétrable », etc. apparaissent, le désir d'expliquer et, si possible, de classifier, reste entier. C'est ainsi que Diderot, après avoir interprété l'expression artistique par cette notion vraiment lumineuse de l'hiéroglyphe, est tout heureux de repartir à la recherche des « catégories » de l'expression lorsqu'il en vient à la formulation de ses idées sur l'esthétique picturale dans ses *Essais sur la peinture*.

Toutefois, si Diderot tourne la question, il est clair que pour lui l'expression artistique échappe à une définition précise et rationnelle. Malgré l'analyse pseudo-scientifique du langage, la conclusion inévitable de la *Lettre sur les sourds et muets* est que la communication humaine, dans sa forme la plus parfaite, va à l'encontre de la règle, à l'encontre même de la raison. C'est l'imagination, née de l'expérience, certes, mais capable aussi d'assimiler l'illusion et le rêve, qui donne

---

accurate instrument for the logical analysis of rationally conceived plenomena, and that the limitations of rationality must be overcome if language is to convey things which trancend those limits. The poet, who grasps and would speak of things in nature beyond the juris-diction of reason and logic, has a problem of apprehension, which is analogous to those of the deaf-mute in the ordinary world ; just as the deafmute uses and understands gesture to signify things for which he has no words, so the poet and critic rely upon hieroglyphic represen-tation to communicate things for which no conventional verbal expression is adequate.

l'impulsion à l'expression artistique et qui, réciproquement la rend intelligible à celui qui s'apprête à l'entendi e.

A vrai dire, l'hiéroglyphe et l'emblème enjambent le matériel et le spirituel. L'artiste introduit, peut-être inconsciemment, l'hiéroglyphe dans le tissu de sa composition pour qu'il éveille, chez le spectateur, la possibilité de former d'autres « images emblématiques ». Et ces images, à leur tour, dépendent d'autres expériences, d'autres rêves. Autrement dit, l'hiéroglyphe sert de catalyseur au moment essentiel de la conception et de la compréhension de l'œuvre d'art. Evidemment, sa portée est très grande :

> Tout art d'imitation ayant ses hiéroglyphes particuliers, je voudrais bien que quelque esprit instruit et délicat s'occupât un jour à les comparer entre teux.
>
> Balancer les beautés d'un poëte avec celles d'un autre poëte, c'est ce qu'on a fait mille fois. Mais rassembler les beautés communes de la poésie, de la peinture et de la musique ; en montrer les analogies ; expliquer comment le poëte, le peintre et le musicien rendent la même image ; saisir les emblèmes fugitifs de leur expression ; examiner s'il n'y aurait pas quelque similitude entre ces emblèmes, etc., c'est ce qui reste à faire et ce que je vous conseille d'ajouter à vos *Beaux-arts réduits à un même principe* (A.-T., I, 385).

En effet, c'est une esquisse de l'esthétique comparée que Diderot propose à l'abbé Batteux et que l'Allemand Lessing a été le premier à élaborer de façon systématique [1]. Notre dessein n'est pourtant pas de suivre dans tous ses détours l'influence qu'exercèrent les idées esthétiques de Diderot sur la pensée contemporaine et postérieure. Malgré l'envergure de la notion de l'hiéroglyphe — les rapports que l'on a tracés entre elle et la naissance du mouvement symboliste ; l'importance du « souvenir hiéroglyphique » dans le roman du vingtième siècle, pour ne citer que deux exemples — le fait

---

[1] Cf. NIVELLE, *op. cit.*, et R. MORTIER, *Diderot en Allemagne,* Paris, P.U.F., 1954, en particulier, pp. 345-350.

primordial pour notre étude est qu'hiéroglyphe et emblème tels que Diderot les conçoit ont leur source commune dans la représentation picturale. Bien que Diderot les ait déduits, en premier lieu, de l'art poétique, les appliquant, par la suite, à tous les arts, il ne cesse de les définir et de les présenter en termes qui sortent de l'atelier du peintre.

La *Lettre sur les sourds et les muets* s'occupe avant tout de la théorie. Le problème de l'expression y trouve, grâce à l'hiéroglyphe, la solution la plus complète que Diderot puisse lui offrir. Et puisque le philosophe se passionnait pour les questions d'esthétique auxquelles il s'attachait à trouver une réponse, la *Lettre* a pris le double aspect de thèse et d'expérience personnelle.

Il nous reste maintenant à faire valoir la thèse et de mettre l'expérience personnelle à l'épreuve en nous reportant aux faits. Si Diderot considère que l'inspiration artistique — la sienne et celle de l'artiste en général — se traduit avec la plus grande aisance et dans sa forme la plus complète par l'intermédiaire de l'image, nous nous devons d'examiner ses réactions devant l'art qui formalise l'hiéroglyphe, qui s'en sert à tout instant et qui rend immuable son aspect matériel. Dès 1751 Diderot était arrivé à une théorie complète de l'expression, et il avait pressenti ses conséquences. Il nous reste à voir dans quelle mesure il a su se dédoubler, se servir *pratiquement*, dans la critique d'art des *Salons*, des éléments théoriques qu'il avait formulés.

III

L'EXPRESSION ET LA PRATIQUE
DE LA CRITIQUE D'ART : LES *SALONS*

Les Premiers *Salons* : 1759 ; 1761 ; 1763.

Il n'aura plus qu'à lui prêter sa verve, sa doctrine propre, sa science d'écrivain, et qu'à mettre en œuvre la matière d'ordinaire médiocrement traitée avant lui. Il sera créateur si l'on veut, mais à la façon de ceux qui donnent la vie véritable à quelque chose qui végétait.

C'est ainsi qu'André Fontaine (*op. cit.* p. 287) explique la rencontre entre Diderot et la critique d'art.

Dans une étude qui fait le tour d'horizon des doctrines d'art courantes en France pendant plus d'un siècle, une mesure de simplification peut se justifier. M. Fontaine laisse entendre qu'en acceptant de faire le compte rendu du Salon de 1759, Diderot fut amené à adopter un genre littéraire taillé à sa mesure, et qu'il a complètement transformé.

Ici, comme ailleurs, l'esprit prompt du philosophe donne l'impression d'un professionalisme inné qu'en réalité l'expérience et la réflexion venaient consolider après un début hésitant. En s'occupant des *Salons* on a tendance à souligner les efforts magistraux de 1765 et 1767 et à négliger les années d'apprentissage. Celles-ci nous fournissent la preuve que l'entrée de Diderot sur la scène de la critique d'art s'accorde avec un « dessein expressif ».

Relevons au préalable que Diderot s'est fait critique d'art affectivement, suivant les devoirs de l'amitié par un certain engagement social. C'est de 1757 que nous pouvons

99

dater avec certitude sa collaboration avec Grimm pour la *Correspondance littéraire* [1]. Mais bien qu'il soit impossible ici d'en faire l'historique, il est certain que dès 1753, année où Grimm prit la relève de l'Abbé Raynal et transforma les *Nouvelles* en *Correspondance littéraire*, Diderot a fourni à l'esprit glaneur de son ami un secours appréciable.

Diderot ne fut pas le premier à conter par écrit ses réactions personnelles devant un tableau : Daniel Mornet a porté le coup de grâce à cette légende [2]. Il est certain qu'il connaissait les *Réflexions sur quelques causes de l'état présent de la peinture en France* qu'avait publiée La Font de Saint Yenne en 1747. Plus important encore, Grimm s'était lui-même chargé du compte-rendu du Salon biennal dès 1753. Il y avait donc une tradition, vaguement délimitée il est vrai, de « la critique d'art [3] ».

Les tentatives de Grimm dans le genre nouveau s'étaient bornées à quelques observations bien générales portant seulement sur les œuvres les plus importantes de l'exposition. L'Allemand prend parti volontiers pour le goût « moderne », et il va sans dire que son métier de journaliste-mondain l'astreint à faire l'éloge plutôt que la critique raisonnée du milieu, social aussi bien qu'artistique, auquel ses lecteurs ne pouvaient participer que par l'intermédiaire de sa *Correspondance:*

---

[1] Diderot assuma la tâche de rédacteur de la *Correspondance* pour la première fois entre mars et septembre 1757 lors de l'absence de Grimm en Westphalie avec le Maréchal d'Estrées. Voir J. R. SMILEY : *Diderot's Relations with Grimm* ; University of Illinois Press, Urbana, 1950, p. 82 sqq.

[2] D. MORNET : *Diderot, l'homme et l'œuvre, op. cit.*, p. 105 : « Il est bien certain que Diderot n'a pas fondé, comme on l'a dit, la critique d'art, pour cette même raison qu'on a à peu près ignoré la science et que cette critique se développe avant lui et autour de lui. »

[3] SMILEY, *op. cit.*, p. 91 sqq. donne une idée exacte des tableaux et des méthodes critiques qui trouvaient la même faveur auprès de Diderot que de Grimm. Voir aussi A. FONTAINE, *op. cit.*, ch. vii, « Les amateurs, les hommes de lettres et les théoriciens de 1709 à 1747. »

...tous les peintres réunis de l'Europe entière sans en excepter l'Italie, ne feraient pas aujourd'hui le quart d'un salon que l'école française remplit par des morceaux de distinction sans peine [1].

Malgré ces antécédents, Diderot ne semble avoir suivi aucune règle lorsqu'il en vient à consigner ses impressions de l'exposition de 1759. Dans une lettre à Grimm, datée du 2 septembre 1759, la tâche qui va s'alourdir si rapidement dans les six années qui vont suivre, prend l'allure d'un menu service amical :

> Avant que de sortir de la ville, j'irai voir le Salon ; s'il m'inspire quelque chose qui puisse vous servir, vous l'aurez. Cela n'entre-t-il pas dans le plan de vos feuilles? Commandez, je vous obéis assez mal, mais il ne m'en coûte rien (ROTH, II, p. 241).

Et avant que le premier *Salon* ne paraisse, dans une lettre du Grandval écrite dans la troisième semaine de septembre, plusieurs feuilles rédigées avec une certaine désinvolture, nous révèlent déjà sa préoccupation :

> Voici à peu près ce que vous m'avez demandé. Je souhaite que vous puissiez en tirer parti. Beaucoup de tableaux, mon ami ; beaucoup de mauvais tableaux. J'aime à louer. Je suis heureux quand j'admire. Je ne demandais pas mieux que d'être heureux et d'admirer.
> C'est un portrait du maréchal d'Etrées qui a l'air d'un petit fou ou d'un spadassin déguisé.
> C'en est un autre de madame de Pompadour plus droit et plus froid ; un visage précieux ; une bouche pincée ; de petites mains d'un enfant de treize ans ; un grand panier en éventail ; une robe de satin à fleurs bien imité, mais d'un mauvais choix (S.A. I, 63).

Il serait tentant de croire que Diderot cherchait à consoler les abonnés à la *Correspondance* de leur absence de Paris, mais

---

[1] GRIMM : *Correspondance littéraire, philosophique et critique,* éd. Tourneux, Paris, Garnier, 1877-1882, II, 279.

cette note de déception, les réflexions négatives, sont plus probablement les manifestations d'une critique qui cherche sa forme d'expression.

Dès le début, elle est personnelle et complètement libérée de toute nuance moralisante : les principes de base de « l'expression diderotienne » y sont fermement établis. Les *Salons* en effet sont bien des lettres : et l'on ne saurait trop insister sur le caractère spontané que leur apporte leur premier contexte.

Il est à la fois étonnant et satisfaisant de constater que l'on peut quitter une page des *Salons* pour se reporter à une lettre écrite à Sophie Volland, sans apercevoir de différence dans le ton.

Cette pensée n'est guère flatteuse pour Mlle Volland, mais elle nous paraît juste [1]. La liaison Diderot-Sophie Volland date de 1756, et chose curieuse, Diderot y assimile son amitié pour Grimm. Voici comment, dans une lettre à Sophie, le philosophe décrit l'effort titanesque qu'il est en train d'accomplir au bénéfice de son ami allemand :

C'a été une assez douce satisfaction pour moi que cet essai. Je me suis convaincu qu'il me restait pleinement, entièrement, toute l'imagination et la chaleur de mes trente ans, avec un fonds de connaissance et de jugement que je n'avais point alors. J'ai pris la plume ; j'ai écrit quinze jours de suite, du soir au matin, et j'ai rempli d'idées et de style plus de deux cent pages de l'écriture petite et menue dont je vous écris mes longues lettres, et sur le même papier ; ce qui fournirait environ deux bons volumes d'impression (ROTH, V, 168).

En citant cet extrait, nous anticipons quelque peu sur le temps, car il s'agit dans la lettre du *Salon* de 1765. Toujours

---

[1] Voir l'*Introduction* aux Lettres à Sophie Volland, éd. André Babelon, Paris, Gallimard, 1930, p. 7 : « Sa pensée ne s'exprime jamais si pleinement que s'il la sent se refléter et agir en autrui. Pour cela, il lui fallait rencontrer l'être chez qui les éléments les plus hétérogènes de sa vie pussent enfin trouver asile. Ce fut Louise-Henriette dite Sophie Volland. »

est-il que les *Salons* prennent forme et arrivent à leur apogée sous l'égide de cette affection intime prodiguée par Diderot vers la quarantaine. Faut-il les considérer comme la contre-partie disons « masculine » des lettres à Sophie Volland ? C'est une question de psychologie à laquelle nous hésiterions à répondre. Toujours est-il que l'expressivité propre à Diderot dépend d'un rapport humain et affectif qui incite chez le philosophe un mouvement libre et spontané de l'esprit.

Ces quelques notes biographiques viennent encore justifier notre choix des *Salons* comme terrain d'élection pour cette étude. Il convient donc d'examiner le texte même du premier *Salon*.

Le *Salon* de 1759 :

La peinture, expression de l'intelligence et appel aux sens; Diderot critique-créateur et « expressionniste ».

C'est une théorie générale de l'expression qui se forme progressivement à travers les œuvres qui précèdent les *Salons* ; il n'est donc pas étonnant que l'expression picturale ne trouve pas, en 1759, une place dominante dans la critique d'art de Diderot. Les premiers *Salons* sont des esquisses que l'expérience viendra étoffer. Les passer sous silence serait oublier que l'esquisse s'allie naturellement à l'hiéroglyphe dans le mouvement expressif. Le seul *Salon* de 1759, qui ne remplit qu'une douzaine de pages de l'édition Assézat-Tourneux, donne en effet une indication des pistes à déblayer et à agrandir dans un examen des *Salons* suivants. En fait, le *Salon* de 1759 n'emploie le mot *expression* qu'une seule fois. En parlant d'une *Annonciation* de Restout (qui est, en réalité une *Assomption* de Lagrenée, car le philosophe s'est trompé de tableau — S.A. I, 69), Diderot nous apprend que « l'on cherche en vain le personnage intéressant. D'ailleurs nulle expression, point de distance entre les plans, une couleur sombre, des lumières de nuit » (S.A. I. 63). Il va sans dire qu'on ne peut tirer aucune conclusion de cette remarque faite en passant.

Mais si l'on quitte le détail pour en venir à la vue d'ensemble, l'on voit que le *Salon* de 1759 établit fermement certains grands principes de la critique d'art telle que Diderot la conçut — principes qui marquent d'une façon tranchante l'expression picturale.

D'abord Diderot exige de l'œuvre plastique une stimulation intellectuelle : elle doit être conçue et se faire comprendre dans l'entendement comme « une grande idée ». Puis, elle doit éveiller les sens, mettre le spectateur dans une situation où l'affectivité physique, voire même physiologique, est engagée.

Il suffit de comparer les deux passages suivant pour s'en rendre compte. Diderot vient de commenter une série de tableaux de Vien :

(ce sont) quatre tableaux... dont je ne sens pas le mérite.

Vous rappelez-vous la *Résurrection du Lazare* par Rembrandt, ces disciples écartés, ce Christ en prière, cette tête enveloppée du linceul dont on ne voit que le sommet, et ces deux bras effrayants qui sortent du tombeau ? Ces gens-ci croient qu'il n'y a qu'à arranger des figures ; ils ne savent pas que le premier point, le point important ; c'est de trouver une grande idée ; qu'il faut se promener, méditer, laisser là les pinceaux, et demeurer en repos jusqu'à ce que la grande idée soit trouvée.

Il y a d'un La Grenée une *Assomption, Vénus aux forges de Lemnos demandant à Vulcain des armes pour son fils...* et quelques petits tableaux, car les précédents sont grands. Si j'avais eu à peindre la descente de Venus dans les forges de Lemnos, on aurait vu les forges en feu sous des masses de roches, Vulcain debout devant son enclume, les mains appuyées sur son marteau, la déesse toute nue lui passant la main sous le menton ; ici le travail des Cyclopes suspendu... les étincelles dispersées sous leurs coups auraient mis en désordre l'atelier du forgeron... Le sujet était de poésie et d'imagination, et j'aurais tâché d'en montrer (S. A. I, 65-66).

Ce qui fixe notre attention ici, ce n'est pas seulement la « grande idée » que Diderot espère trouver dans la peinture, mais le fait que lorsque cette idée manque, le philosophe est tout prêt à fournir sa propre interprétation de tel ou tel sujet. De cette manière, nous voyons transposée en paroles non pas l'image que Diderot avait vue, mais une autre, idéalisée qu'il « compose » lui-même.

Ce procédé paraîtrait maladroit s'il n'avait pas l'enthousiasme et la sensibilité qui témoignent d'un esprit proprement créateur. Plus encore, ces « digressions » outrecuidantes portent le cachet d'une forme expressive qui se dépasse pour toucher à l'expressionnisme. Nous avons indiqué dans nos chapitres précédents (v. supra pp. 49-50 ; 66 sqq.) la résolution de la pensée diderotienne en images. Dans les *Salons*, ces images sont fournies par la nature même de la critique d'art : ce qui était auparavant le fruit d'un processus créateur, est présenté maintenant comme « matière première », et point de départ d'une construction toute nouvelle.

Puisque les réflexes critiques de Diderot ont entraîné une contention très forte de son esprit, les images qui leur étaient soumises ne pouvaient rester telles que l'artiste les avait conçues. Evidemment toute critique déforme dans une certaine mesure son sujet, mais chez Diderot cette déformation est intensément personnelle et extensive. Elle ne dépend pas toujours d'un jugement critique — c'est-à-dire que Diderot ne « change » pas nécessairement un tableau parce qu'il le trouve laid ou mal exécuté. Chaque fois l'œuvre plastique fait vibrer les couches les plus profondes de son intelligence, mais il arrive qu'il ne sache plus se soumettre à la discipline de la critique. A ces moments l'œuvre est véritablement déchirée, sa structure et tous ses traits sont contournés, et elle est complètement refaite sur la page manuscrite.

C'est ainsi que l'expression dans la critique d'art de Diderot devient parfois expressionnisme, car la peinture « re-faite » n'est jamais un tableau où certains détails ont été modifiés, et moins encore, adoucis. Diderot tient toujours à rehausser l'intensité de l'expérience esthétique, à souffler la « grande idée » qui manque, en exagérant, souvent même en surchargeant, les concours de la représentation strictement visuelle. Dans le passage que nous venons de citer, par exemple, le tableau « re-fait » serait composé d'une masse de détails. Les figures seraient représentées avec vigueur, il y aurait surtout un sens du *mouvement* qui attire l'attention du spectateur et qui fait travailler son esprit.

Il convient d'ajouter deux observations au phénomène que nous venons de décrire. La première concerne cette tendance de Diderot à s'appuyer sur un modèle ; la seconde se rapporte aux procédés matériels de la peinture.

Dans la *Lettre sur les sourds et muets*, la question de l'hiéroglyphe expressif s'élabore sur un arrière-plan d'exemples tirés des auteurs grecs et romains (v. supra p. 78). De même, il est souvent question dans les *Salons* d'œuvres picturales auxquelles la tradition a donné un brevet d'excellence. Les arts plastiques se prêtent de par leur nature à la critique comparative, et nous ne voudrions pas exagérer les connaissances de Diderot en matière d'histoire de la peinture. Il nous semble possible d'affirmer toutefois qu'en se référant à une œuvre connue, Diderot ouvre la voie à la « re-création » du tableau qu'il commente. « Vous rappelez-vous la *Résurrection du Lazare*, par Rembrandt », dit-il, « ces disciples écartés, ce Christ en prière...» (ibid.). Et il passe au commentaire du *Vénus aux forges* que nous venons de noter.

L'autre observation porte sur la technique et l'expression. Lorsque Diderot recrée un tableau, ce n'est pas la composition seule qui est transformée. Les modifications vont jusqu'à la structure physique de la toile, selon laquelle l'artiste manie son pinceau. Notons le résumé que Diderot présente à la fin de ce *Salon* de 1759 :

Nous avons beaucoup d'artistes, peu de bons, pas un excellent, ils choisissent de beaux sujets, mais la force leur manque. Ils n'ont ni esprit, ni élévation, ni chaleur, ni imagination. Presque tous pèchent par le coloris. Beaucoup de dessin, point d'idée (S.A. I, 69).

En d'autres termes, l'esprit, la chaleur, l'imagination — nous pouvons ajouter à cette liste le mouvement et l'expression — se manifestent plus par le coloris que par l'exactitude du dessin. Pour Diderot il existe une sorte de tension dans chaque tableau, une opposition entre la représentation exacte mais froide, et la liberté expressive dont jouit l'artiste au moment où il applique le pigment sur la toile.

Il ne faudrait pas faire une opposition nette entre le dessin et le coloris, car Diderot avait compris que le graphisme ne peut être divorcé du coloris dans la technique de la peinture. Il s'agit plutôt de savoir sur lequel le peintre ou le critique met l'accent. Diderot souscrit toujours à la « grande idée », si celle-ci peut se retrouver, et elle sera d'autant mieux reçue qu'elle est peinte avec éclat. Le sensualisme de Diderot, son désir d'être touché par les yeux, fait qu'il se penche sur les effets les plus vifs de la peinture, sur les qualités affectives et expressives de la couleur.

Ayant noté cette insistance sur le traitement expressif de l'inspiration noble, considérons la citation suivante :

Avant que de passer à la sculpture, il ne faut pas que j'oublie une petite *Nativité* de Boucher. J'avoue que le coloris en est faux, qu'elle a trop d'éclat, que l'enfant est de couleur rose, qu'il n'y a rien de si ridicule qu'un lit galant en baldaquin dans un sujet pareil, mais la Vierge est si belle, si amoureuse et si touchante ! Il est impossible d'imaginer rien de plus fini ni rien de plus espiègle que ce petit saint Jean couché sur le dos, qui tient un épi. Il me prend toujours envie d'imaginer une flèche à la place de cet épi... et puis des têtes d'anges plus animées, plus gaies, plus vivantes ; le nouveau-né le plus joli ! Je ne serais pas fâché d'avoir ce tableau. Toutes les fois que vous viendriez chez moi vous en diriez du mal, mais vous le regarderiez (S.A. I, 68-69).

Le cas Boucher présente un des aspects les plus révélateurs de la psychologie de Diderot telle que nous la déduisons

107

de sa critique d'art. Parmi les peintres français du dix-huitième siècle, c'est Boucher qui fait l'appel le plus direct aux sens. Sa méthode n'est guère délicate ; ses intentions ne sont jamais cachées. Il connaissait bien le goût de son public et il n'a pas hésité à mettre son talent aux services de son intérêt. Sa clientèle était composée de rentiers et de fermiers généraux : ses toiles s'accommodaient à merveille à l'intimité luxueuse du petit salon et du boudoir.

Diderot ne pardonna jamais ce qu'il appelle en 1763 cet « abus du talent », et ses critiques gagnent en verdeur à chaque nouveau Salon. En 1759, ces commentaires ont un intérêt particulier, car ils témoignent d'une réaction personnelle qui a tendance à se perdre par la suite dans un torrent de réprobation.

En fait, Diderot est attiré par les toiles de Boucher, et cela à cause des « défauts » qu'il y trouve. Le coloris de l'artiste n'est ni plus ni moins « vrai » que celui de Vernet ou de Loutherbourg, et l'exactitude de son dessin laisse peu de prise à la critique. Seulement, la technique de Boucher sert avant tout à émoustiller les sens. Son œuvre échappe complètement à toute intention morale. La réaction de Diderot est donc complexe : attraction puis mouvement de recul qui se transforme vite en réflexe dénigrateur.

Ajoutons que la peinture de Boucher est loin d'être inexpressive. En plus de l'appel « amoral » qu'elle fait aux sens, elle est mouvementée, elle contient une masse de petits détails piquants, elle invite à la mobilité du regard par une légèreté et un jeu de perspectives qui rappellent, par moments, l'œuvre du Tiepolo.

Que Diderot ait opposé avec ferveur ces qualités nous indique à quel point le problème de l'expression est lié à des considérations d'ordre moral. L'explication du phénomène serait plus facile si Diderot désapprouvait les toiles de Boucher simplement en raison de leur fausse pudeur. Mais il ajoute à son antipathie des critiques sociales, voire politiques, dont la nature n'est pas encore clairement dévoilée dans le *Salon* de 1759.

Les autres exposants au Salon ne fournissent à Diderot que quelques observations qu'il développera par la suite. C'est sur un ton presque badin qu'il fait la critique des tableaux à sujet religieux. Ainsi la *Piscine miraculeuse* de Vien (S.A. I, fig. 10) lui fait écrire :

sur le milieu un malade assis par terre qui fait de l'effet. Il est vrai qu'il est vigoureux et gras, et que Sophie a raison quand elle dit que s'il est malade, il faut que ce soit d'un cor au pied... (S.A. I, 65).

Dès 1759, son affection et son estime pour Chardin sont solidement établis, et le critique connaît les méthodes subtiles employées par son ami pour obtenir les effets saisissants qui font toute la valeur de ses toiles :

Vous prendriez les bouteilles par le goulot si vous aviez soif ; les pêches et les raisins éveillent l'appétit et appellent la main. M. Chardin est homme d'esprit, il entend la théorie de son art... Il a le faire aussi large dans ses petites figures que si elles avaient des coudées. La largeur du faire est indépendante de l'étendue de la toile et de la grandeur des objets (S.A. I, 66-67).

Les *Marines* de Vernet trouvent grâce à ses yeux aussi, à cause de leurs « effets » presque surnaturels :

Les mers se soulèvent et se tranquillisent à son gré ; le ciel s'obscurcit, l'éclair s'allume, le tonnerre gronde, la tempête s'élève, les vaisseaux s'embrassent ; on entend le bruit des flots, les cris de ceux qui périssent... (S.A. I, 67).

Une fois de plus c'est le mouvement, et le détail extra-ordinaire qui retiennent l'attention de Diderot et qui font travailler son imagination.

Le *Salon* de 1759, malgré son manque d'envergure, met en évidence le problème de l'expression pour Diderot critique d'art. Devant un tableau le philosophe attend l'expérience esthétique « complète ». Il veut être touché par la double force de l'intelligence et des sens. Si l'un de ces éléments manque, il le remplace par une image plus puissante, plus expressive, que celle du peintre. Au fur et à mesure qu'il avance dans son travail de critique, cette faculté se perfectionne. L'écrivain s'identifie de plus en plus étroitement à son œuvre, puis finalement à l'œuvre plastique dont il essaie de trouver la valeur.

* * *

Le *Salon* de 1761 :

> *L'expression et la vraisemblance; le goût actuel et le goût antique; l'expression et le moment.*

La présentation du *Salon* de 1761 continue avec l'insouciance amicale de 1759 :

> Voici, mon ami, les idées qui m'ont passé par la tête à la vue des tableaux qu'on a exposés cette année au Salon. Je les jette sur le papier, sans me soucier ni de les trier ni de les écrire. Il y en aura de vraies, il y en aura de fausses (S.A. I, 108).

Ne soyons pas dupes de ce ton modeste. En deux ans, la critique de Diderot a fait de grands progrès. Il commente les œuvres de trente des trente-trois peintres exposants. Pour 1759, les chiffres sont vingt-deux sur trente-six. En 1761, le compte-rendu du Salon n'est certes pas définitif, mais les abonnés à la *Correspondance littéraire* pouvaient avoir une bonne idée générale des œuvres exposées. Diderot semble avoir compris que sa tâche serait éventuellement de commenter chaque numéro du livret officiel ou bien de donner un compte-rendu des œuvres de chaque membre de l'Académie.

Le ton du *Salon* de 1761 est optimiste ; il y a même une *Récapitulation* à la fin — ce qui témoigne d'un certain esprit d'ordre — où nous lisons que

Jamais nous n'avons eu un plus beau salon. Presque aucun tableau absolument mauvais ; plus de bons que de médiocres, et un grand nombre d'excellents.

. . . .

On ne peint plus en Flandre. S'il y a des peintres en Italie et en Allemagne, ils sont moins réunis ; ils ont moins d'émulation et moins d'encouragements. La France est donc la seule contrée où cet art se soutienne, et même avec quelque éclat (S.A. I, 140).

Malgré cette approbation, Diderot soulève dans son récit un nombre d'objections qui ne sont pas étrangères au problème de l'expression. La plus significative est celle du réalisme, ou plutôt de la vraisemblance. C'est encore Boucher qui est la cible la plus visible de sa critique :

Quelles couleurs ! quelle variété ! quelle richesse d'objets et d'idées ! Cet homme a tout, excepté la vérité... Quel sujet a jamais rassemblé dans un même endroit, en pleine campagne, sous les arches d'un pont, loin de toute habitation, des femmes, des hommes, des enfants, des bœufs, des vaches, des moutons, des chiens, des bottes de paille, de l'eau, du feu, une lanterne, des réchauds, des cruches, des chaudrons... Quel tapage d'objets disparates ! (S.A. I, 112).

Passons, sans commentaire, à la digression que provoque une critique de deux toiles de Hallé, peintre qui « n'a pas... un morceau qui vaille » :

Je ne sais si M. le professeur Hallé est un grand dessinateur ; mais il est sans génie. Il ne connaît pas la nature ; il n'a rien dans la tête... Encore une fois, je ne me connais pas en dessin, et c'est toujours le côté par lequel l'artiste se défend contre l'homme de lettres. J'ai peur que les autres ne s'entendent pas plus en dessin que moi. Nous ne voyons jamais le nu ; la religion et le climat s'y opposent. Il n'en est pas de nous ainsi que des Anciens, qui avaient des bains, des gymnases, peu d'idée de la pudeur, des dieux et des déesses faits d'après des modèles humains... Nous ne savons ce que c'est que les belles proportions... Et puis nos ajustements corrompent les formes. Nos cuisses sont coupées par des jarretières, le corps de nos femmes étranglé par des corps. Nous avons de la beauté deux jugements opposés, l'un de convention, l'autre d'étude.

111

Ce jugement contradictoire, d'après lequel nous appellerions beau dans la rue et dans nos cercles ce que nous appellerions laid dans l'atelier... ne nous permet pas d'avoir une certaine sévérité de goût ; car il ne faut pas croire qu'on fasse comme on veut abstraction de ses préjugés, ni qu'on en ait impunément (S.A. I, 116).

Comme la plupart des digressions dont Diderot se rend « coupable », celle-ci soulève plus d'idées que nous ne pourrions considérer. Il ressort néanmoins que le mouvement et l'accumulation de détails — éléments principaux de l'expression picturale — ont leur complément dans un dépouillement et une simplicité auxquels Diderot semble tout autant attaché.

Pourtant, nous ne croyons pas déceler dans la critique des œuvres de Hallé une opposition nette aux « afféteries » que le philosophe trouve caractéristiques de la décadence chez Boucher. Rappelons qu'il ne les passe pas sous silence dans son récit, mais en donne toute une liste. Elles se sont communiquées donc à sa conscience ; elles ont bien une certaine puissance expressive.

Cette question des rapports entre la vraisemblance et l'expression est d'une grande complexité, et il se peut qu'à la fin elle se réduise à une question de goût. Comment se fait-il par exemple, que les détails d'une scène pastorale peinte par Boucher soient dénigrés lorsque les mêmes objets dans l'*Accordée de village* de Greuze sont applaudis ?

La dernière citation, malgré les problèmes qu'elle pose, nous porte à formuler une réponse. La vraisemblance, cette qualité qui rend possible le mensonge de l'art dépend d'un choix que fait l'artiste dans la *conception* de son œuvre. L'expression, elle, dépend d'un mouvement spontané de l'inspiration. Elle coupe à travers toute manifestation préétablie de règle, de goût, de forme même.

Or Diderot exige de l'expérience esthétique un amalgame complet de ces deux éléments largement contradictoires. Il veut que l'expression — le moment supra-réel, le geste «dramatique», l'objet qui appuie insolemment le récit de tel ou tel incident — garde toute sa vigueur. S'il trouve qu'elle manque dans un tableau, il la fournit lui-même. En même temps, le tableau doit être « vrai », la raison sobre et calculée ne doit pas disparaître. La situation est analogue à celle où nous nous trouvons dans cet état de mi-conscience, mi-sommeil, tirés d'un côté par le désir de prolonger l'irréalité du rêve, et poussés de l'autre par la mécanique « raisonnable » de l'état de veille.

Cette double exigence nous apprend aussi la nature du recours de Diderot à l'Antiquité. Dans le modèle antique il croit trouver une façon de représenter le « vrai » qui englobe d'office la vigueur et le mouvement propres à l'expression. L'Antiquité, dans ce sens, devient le « modèle idéal » que les changements de goût ne peuvent plus toucher. Elle est aussi un genre d'échappatoire, car le renouvellement des préférences humaines est inséparable de l'art.

Pour le philosophe, c'est la nudité, les « belles proportions » qui mettent à l'ombre les « ajustements » contemporains. Il revient sans cesse à un manque de liberté physique qui s'allie dans sa pensée à la décadence morale et sociale de son époque. Les *Amusements de l'enfance* de Bachelier donnent lieu à cette description :

Il y a des enfants qui grimpent à des arbres ; il y en a qui sont montés sur des boucs, sur des béliers ; il y en a de toutes sortes d'espèces et de couleurs ; mais point de vérité. Ils sont habillés comme jamais des enfants ne l'ont été ; tout cela a un air de mascarade qui fait fort mal avec l'air de paysage et de bergerie (S.A. I, 127).

Et le *Roi reçu à l'Hôtel de ville de Paris* de Roslin, à celle-ci :

(c'est) la meilleure satire que j'aie vue de nos usages, de nos perruques et de nos ajustements. Il faut voir la platitude de nos petits pourpoints, de nos hauts-de-chausses qui prennent la mise si juste, de nos sachets à cheveux, de nos manches et de nos boutonnières ; et le ridicule de ces énormes perruques magistrales, et l'ignoble de ces larges faces bourgeoises (S.A. I, 129).

113

Serait-il maintenant possible de préciser la nature du détail que Diderot accepte comme « vrai » et qui est en même temps expressif ? Le mot-clé qui vient à l'esprit est « la simplicité », mais même ce mot ne peut servir sans être qualifié. La simplicité expressive n'est pas pour Diderot une simplicité de nombre : au contraire, il est fatalement attiré par l'entassement de détails narratifs et dans le tableau, et dans sa critique. Le tempérament du philosophe est essentiellement multiplicatif.

Mais un entassement de détails deviendra simple et expressif s'il est suggéré par la «grande idée». C'est donc la conception de l'œuvre qui impose une échelle de valeurs à son exécution. L'appel à l'intelligence dicte, en principe, les termes de l'appel aux sens.

Comme de raison, ces règles sont dominées par l'affectivité inhérente à tout jugement critique chez Diderot. C'est ainsi qu'un sujet tiré de la littérature grecque ou romaine est d'office une « grande idée » et les détails peuvent y être ajoutés sans restrictions. Dans la pensée de Diderot, l'Antiquité — terme nébuleux que l'on ne saurait éclaircir complètement [1] — se porte garant d'une excellence esthético-morale qu'une grande liberté expressive ne détruit point :

Mais voici une des plus grandes compositions du Salon : c'est le *Combat de Diomède et d'Enée* (de Doyen), sujet tiré du cinquième livre de l'*Iliade* d'Homère. J'ai relu à l'occasion du tableau de Doyen, cet endroit du poëte. C'est un enchaînement de situations terribles et délicates, et toujours la couleur et l'harmonie qui conviennent. Il y a là soixante vers à décourager l'homme le mieux appelé à la poésie.

---

[1] Voir J. SEZNEC : *Essais sur Diderot et l'Antiquité*, Oxford, Clarendon Press, 1957. Dans ce recueil de conférences, M. Seznec nous donne une synthèse des connaissances et des idées qui relient l'œuvre de Diderot à la culture gréco-latine. L'auteur insiste sur l'étendue restreinte de son travail (p. xvi), mais la question a été reprise tout dernièrement dans une série d'études pénétrantes que l'on doit à Raymond Trousson : «Diderot et l'Antiquité grecque», in *Diderot Studies VI*, pp. 215-245 ; «Diderot et Homère», in *Diderot Studies VIII*, pp. 185-216 ; «Diderot helléniste», in *Diderot Studies XII*, pp. 141-326.

Voici, si j'avais été peintre, le tableau qu'Homère m'eût inspiré. On aurait vu Enée renversé aux pieds de Diomède. Vénus serait accourue pour le secourir : elle eût laissé tomber une gaze qui eût dérobé son fils à la fureur du héros grec... J'aurais élevé Diomède sur un amas de cadavres. Le sang eût coulé sous ses pieds. Terrible dans son aspect et dans son attitude, il eût menacé la déesse de son javelot (S.A. I, 131).

Et la description continue, pleine d'accessoires, de détails frappants et de mouvement. Le thème antique, la « grande idée » a provoqué un véritable torrent expressif. Plus encore, il a donné à Diderot le droit de présenter son propre « tableau » avant qu'il n'ait été question de celui de Doyen.

Lorsque la « grande idée » du peintre va de pair avec les connaissances et les sentiments les plus chers au philosophe, il en résulte une effusion qui renverse « l'ordre » critique et qui impose à la composition et littéraire et plastique une force mouvementée où la simplicité n'a qu'un sens purement nominal.

Il entre aussi dans cette question-labyrinthe, le problème du moment que choisit le peintre pour communiquer avec la plus grande intensité les qualités expressives de son œuvre. La composition de Doyen peut nous servir encore, car Diderot lui impose non seulement des détails, mais un « moment » personnel. Après avoir donné un résumé de son « prétendu » tableau, il continue :

J'aurais choisi, comme vous voyez, le moment qui eût précédé la blessure de Vénus ; M. Doyen, au contraire, a préféré le moment qui suit.

Il a élevé son Diomède sur un tas de cadavres ; il est terrible...

Cette composition est, comme vous voyez, toute d'effroi. Le moment qui précédait la blessure eût offert le contraste du terrible et du délicat ; Vénus, la déesse de la volupté, toute nue au milieu du sang et des armes, secourant son fils contre un homme terrible qui l'eût menacée de sa lance (S.A. I, 131-132).

Ce changement d'accent a donc deux effets. Il écarte une réaction d'effroi qui, considéré par lui-même, est inesthétique, et met à sa place un effet de *contraste* expressif. Il y a mélange entre le « terrible » et le « délicat » : le résultat est ce que M. Seznec appelle « le maximum de pathétique » (*op. cit.*, p. 70).

Le choix de tel ou tel moment n'implique pas automatiquement la simplicité, et il n'est qu'un accessoire fortuit de la vraisemblance. Les deux qualités sont sacrifiées sans regrets de la part de Diderot lorsqu'il est possible de les remplacer par l'expression forte et mouvementée.

L'on ne saurait oublier que pour Diderot, comme pour toute sa génération, il existait une hiérarchie de genres dans la peinture. La peinture d'histoire représente la forme la plus noble, la plus achevée de l'expression picturale, et c'est dans ce genre que le choix du moment fut considéré de prime importance. Naturellement, c'est à propos de la critique de ce genre que Diderot se laisse tenter le plus souvent par l'intervention et la substitution expressives.

Ayant fait cette digression pour examiner de plus près l'expression « créatrice » de Diderot, nous revenons, avant de quitter ce *Salon* de 1761, au domaine de la théorie. Le tableau qui fit sensation à cette exposition est l'*Accordée de village* de Greuze. Puisqu'il ne fut pas exposé avant le 20 septembre 1761, Diderot se trouva obligé d'en parler dans sa *Récapitulation*. Ce coup du hasard est d'un certain intérêt pour nous, car en traitant le tableau en marge de sa critique officielle, Diderot s'attaque à sa nouvelle tâche à tête reposée. Plus tard, son enthousiasme pour Greuze aura tendance à obscurcir les raisons premières de son admiration.

L'*Accordée de village* est ce que l'on pourrait nommer un tableau expressif composé sur un ton mineur. Sa raison d'être est la vraisemblance anecdotique ; l'artiste a bien poursuivi la conception initiale de son inspiration en choisissant le moment qui convient le mieux au sujet — Diderot s'en déclare parfaitement satisfait :

116

Le sujet est pathétique, et l'on se sent gagner d'une émotion douce en le regardant. La composition m'en a parue très belle : c'est la chose comme elle a dû se passer. Il y a douze figures ; chacune est à sa place, et fait ce qu'elle doit. Comme elles s'enchaînent toutes ! comme elles vont en ondoyant et en pyramidant ! Je me moque de ces conditions ; cependant quand elles se rencontrent dans un morceau de peinture par hasard, sans que le peintre ait eu la pensée de les y introduire, sans qu'il leur ait rien sacrifié, elles me plaisent (S.A. I, 141).

Greuze a donc réussi à combiner sur la toile raison et invention imaginative. De plus, son sujet ne fait aucun appel au passé pour garantir son excellence. Pourtant, le détail expressif n'y manque pas. Cette petite scène de genre est meublée de non moins de douze personnages (S.A. I, fig. 64) dont chacun s'identifie et participe à l'action générale par une expression bien marquée. Et le « décor » de la composition comporte un panier, une armoire, une paneterie, une arquebuse, une lanterne, un assortiment de vaisselle, un escalier de bois, sans compter

cette poule qui a mené ses poussins au milieu de la scène, et qui a cinq ou six petits, comme la mère aux pieds de laquelle elle cherche sa vie a six à sept enfants, et cette petite fille qui leur jette du pain et qui les nourrit... (S.A. I, 143).

La « simplicité » expressive ici n'est pas la simplicité héroïque que Diderot retrouve ou remplace dans la représentation de tel ou tel passage de l'*Iliade*. C'est la simplicité qu'inspire les « bonnes mœurs » *contemporaines* auxquelles le moralisme plus sauvage, plus poétique de l'Antiquité ne touche, que trop rarement, aux yeux du philosophe.

Nous croyons déceler dans le *Salon* de 1761, deux tonalités expressives, toutes les deux intimement liées au moralisme de la communication picturale, mais dont l'une est synonyme du mouvement discordant, frappant et contrasté, l'autre d'un mouvement calme, régulier, intime, presque biologique.

117

D'un côté il est possible de ranger les artistes tels que Hallé, Deshays, Challe ; de l'autre, les peintres « bourgeois », disons même familiaux, tels que Greuze et Chardin.

Ces catégories ne sont pas déterminées avec une rigueur absolue, mais elles nous fournissent deux pierres de touche très utiles auxquelles nous aurons à revenir.

* * *

Le *Salon* de 1763 :

L'expression et la technique de la peinture.

Bien qu'il soit impossible de l'affirmer avec une certitude absolue, il est vraisemblable que Diderot se soit fait conduire, lors de ses visites au Salon de 1763, par un artiste dont il venait de faire la connaissance : Jean-Baptiste Siméon Chardin [1]. Nous ne devons pas nous en étonner, car il serait difficile d'imaginer un Diderot salonnier toujours en tête-à-tête solitaire avec les tableaux.

Si j'ai quelques notions réfléchies de la peinture et de la sculpture, c'est à vous, mon ami, que je les dois ; j'aurais suivi au Salon la foule des oisifs ; j'aurais accordé, comme eux, un coup d'œil superficiel et distrait aux productions de nos artistes... (S.A. II, 57)

Il n'est pas toujours aisé de distinguer la vérité et le compliment dans les relations de Diderot avec Grimm. L'amitié qu'avait le philosophe pour Chardin — amitié qui est ressentie par le lecteur des *Salons* au lieu d'être traduite en formules de politesse — est donc plus intéressante.

Chardin était, depuis 1761, « tapissier » du Salon — c'est-à-dire qu'il ordonnait la disposition des tableaux, sculptures, gravures et tapisseries. Ce travail délicat le mettait très

---

[1] Voir la note biographique édit. S.A. I, 171.

certainement en rapport intime avec ses confrères exposants, et nous pouvons imaginer qu'il s'était fait un devoir de les présenter à Diderot.

A partir de 1763, Diderot se montre très au courant des problèmes que pose la technique de la peinture. En causant avec les artistes dans leurs ateliers, son vocabulaire s'enrichit d'une foule de termes qu'il manie avec un enthousiasme visible :

> Je suis aussi bien fâché que ces morceaux de peinture qui ont la fraîcheur et l'éclat des fleurs soient condamnés à se faner aussi vite qu'elles.
>
> Cet inconvénient tient à une manière de faire qui double l'effet du tableau pour le moment. Lorsque le peintre a presque achevé son ouvrage, il glace. Glacer, c'est passer sur tout une couche légère de la couleur et de la teinte qui convient à chaque partie. Cette couche peu chargée de couleur et très chargée d'huile fait la fonction et a le défaut d'un vernis ; l'huile se sèche et jaunit en se séchant, et le tableau s'enfume plus ou moins, selon qu'il a été peint plus ou moins franchement.
>
> . . . .
> L'art de donner à la peinture des couleurs durables est presque encore à trouver. Il semble qu'il faudrait bannir la plupart des chaux, toutes les subtances salines, et n'admettre que des terres pures et bien lavées (S.A. I, 203).

Et cette note savante se trouve au milieu d'une critique sévère des toiles de Boucher :

> Pour la couleur, ordonnez à votre chimiste de vous faire une détonation ou plutôt déflagration de cuivre par le nitre et vous la verrez telle qu'elle est dans le tableau de Boucher. C'est celle d'un bel émail de Limoges (S.A. I. 204).

Mais ce sont les natures mortes de Chardin qui évoquent les éloges les plus fervents d'une technique achevée :

> C'est celui-ci qui est un peintre ; c'est celui-ci qui est un coloriste... C'est que ce vase de porcelaine est de la porcelaine ; c'est que ces olives sont réellement séparées de l'œil par l'eau dans

119

laquelle elles nagent ; c'est qu'il n'y a qu'à prendre ces biscuits et les manger, cette bigarade l'ouvrir et la presser, ce verre de vin et le boire, ces fruits et les peler, ce pâté et y mettre le couteau.
. . . .
On n'entend rien à cette magie. Ce sont des couches épaisses de couleur appliquées les uns sur les autres et dont l'effet transpire de dessous en dessus. D'autres fois, on dirait que c'est une vapeur qu'on a soufflée sur la toile ; ailleurs, une écume légère qu'on y a jetée. (S.A. I. 222-223).

Dans l'amas de détails techniques qui éclatent sur les pages du *Salon* de 1763, il y en a un qui revient avec persistance — celui de la couleur. Nous avons déjà relevé la différence que faisait Diderot entre le dessin « intellectuel » et la couleur « expressive ». En 1763, les effets du coloris exercent sur sa conscience critique une fascination toute particulière. Ses amis peintres sont en train de l'initier aux secrets de la palette ; maintenant, il s'approche de bien près de la toile pour y apprécier les nuances infimes de la pigmentation.

Car dans les traits du pinceau se lit l'identité propre à l'artiste : le choix de telle ou telle couleur et la façon dont elle est maniée, servent à expliquer ces mouvements intérieurs que reflète directement expressif et plastique. Il n'y a guère besoin de dire que Diderot se montre partisan de toutes les expériences de technique qui réveillent, par leur audace et leur ingéniosité, les émotions du spectateur :

Ce faire de Loutherbourg, de Casanove, de Chardin et de quelques autres, tant anciens que modernes, est long et pénible. Il faut à chaque coup de pinceau, ou plutôt de brosse ou de pouce, que l'artiste s'éloigne de sa toile pour juger de l'effet. De près l'ouvrage ne paraît qu'un tas informe de couleurs grossièrement appliquées. Rien n'est plus difficile que d'allier ce soin, ces détails, avec ce qu'on appelle la manière large. Si les coups de force s'isolent et se font sentir séparément, l'effet du tout est perdu... Quel travail que celui d'introduire entre une infinité de chocs fiers et vigoureux une harmonie qui les lie et qui sauve l'ouvrage de la petitesse de forme (S.A. I, 226).

Les « anciens » dont il est question dans la première phrase sont sans doute les peintres qui avaient exposé auparavant (le passage fait partie du commentaire des œuvres de Philippe-Jacques Loutherbourg qui fut Agréé de l'Académie en 1763 à l'âge de 23 ans — v. note biographique S.A. I, 186-7). Car, en faisant l'éloge des qualités affectives de la couleur et du « faire large », Diderot s'identifie au goût « moderne » ou « jeune » de son temps.

En 1763, la querelle entre Poussinistes et Rubenistes [1] avait perdu beaucoup de sa véhémence. Diderot se place pourtant à l'avant-garde d'un esprit qui ne cessa de faire contre-poids au style du Grand Siècle. Il serait même intéressant de retrouver le fil par lequel la compréhension qu'avait Diderot des techniques de la peinture laisse pressentir le style de Delacroix et peut-être celui des Impressionistes et des Expressionnistes du dix-neuvième siècle. Les indices d'un tel développement sont là [2], et même s'il ne convient pas de les examiner en détail dans le contexte actuel, elles n'en sont pas moins évidemment des témoins du goût progressif de l'auteur.

Si nous avons placé ce *Salon* de 1763 sous la rubrique « expression et technique », il n'en faut pas conclure que son intérêt tient exclusivement aux éléments purement matériels de l'art pictural. Les questions du faire et du coloris ne tardent point à entraîner Diderot vers d'autres considérations qui touchent également au problème de l'expression.

Son goût « moderne », par exemple, suscite cette réflexion qui rappelle tout de suite la *Lettre sur les sourds et muets* :

tandis qu'il y a tant de manières différentes d'écrire qui chacune ont leur mérite particulier, n'y aurait-il qu'une seule manière de

---

[1] Cf. André FONTAINE, *op. cit.*, ch. 5 : « Roger de Piles et les amateurs au XVIIe siècle. »

[2] Voir l'étude de Gita MAY : *Diderot et Baudelaire critiques d'art*, Genève, Droz, 1957. En particulier, ch. VIII : « Problèmes d'Exécution », pp. 156-173.

bien peindre ? Parce qu'Homère est plus impetueux que Virgile plus sage et plus nombreux que le Tasse, le Tasse plus intéressant et plus varié que Voltaire, refuserai-je mon juste hommage à celui-ci ? Modernes envieux de vos contemporains, jusques à quand vous acharnerez-vous à les rabaisser par vos éternelles comparaisons avec les Anciens ? N'est-ce pas une façon de juger bien étrange que de ne regarder les Anciens que par leurs beaux côtés, comme vous faites, et que de fermer les yeux sur leurs défauts, et de n'avoir au contraire les yeux ouverts que sur les défauts des modernes et que de les tenir opiniâtrément fermés sur leurs beautés (S.A. I, 202)

Derrière ces généralités dominées par un sentiment anti-académique se cachent les questions de l'excellence esthétique, de la nature changeante du beau et pour l'artiste et pour le spectateur. Dans une immense complexité de styles, de traditions, de modèles, de techniques, comment l'artiste, qu'il soit peintre, écrivain ou musicien, peut-il trouver la note expressive qui ne le trahira pas ? Comment accède-t-il à la forme personnelle qui touche, en même temps, à l'universel ?

Lorsqu'il fait le compte-rendu des œuvres de Deshays, ces questions se posent d'une façon que nous tenons à mettre en évidence. En 1763, Deshays exposa au Salon sept toiles dont deux — *Le mariage de la sainte Vierge* et *La chasteté de Joseph* — obtinrent un grand succès (v. note biographique, S.A., I, 168).

Or, en 1763 la mode du tableau religieux était passée. Au Salon de 1761, on en avait vu 16 ; en 1763, il n'y en a plus que 13 (v. S.A. I, 152). Que Diderot se soit senti attiré par ce genre est curieux, et les raisons qui viennent expliquer son engouement sont d'un intérêt particulier. Il vient de décrire la composition du *Mariage de la Vierge* :

Qu'on me dise, après cela, que notre mythologie prête moins à la peinture que celle des Anciens ! Peut-être la Fable offre-t-elle plus de sujets doux et agréables ; peut-être n'avons-nous rien à comparer, en ce genre, au Jugement de Pâris ; mais le sang que l'abominable croix a fait couler de tous côtés est bien d'une autre ressource pour le pinceau tragique. Il y a sans doute de la sublimité dans une tête de Jupiter ; il a fallu du génie pour trouver le caractère d'un Euménide tel que les Anciens nous l'ont laissé ; mais qu'est-ce que ces figures isolées en comparaison de ces scènes où il s'agit de montrer l'aliénation d'esprit ou la fermeté religieuse, l'atrocité de l'intolérance, un autel fumant d'encens devant une idole, un prêtre aiguisant froidement ses couteaux, un préteur faisant déchirer de sang-froid son semblable à coups de fouet, un fou s'offrant avec joie à tous les tourments qu'on lui montre et défiant ses bourreaux ; un peuple effrayé, des enfants qui détournent la vue et se renversent sur le sein de leurs mères... Les crimes que la folie du Christ a commis et fait commettre sont autant de grands drames et bien d'une autre difficulté que la descente d'Orphée aux enfers (S.A. I, 214).

On ne pourrait guère souhaiter une gamme plus complète de détails non seulement expressifs mais expressionnistes. Pris hors de leur contexte, ils seraient déjà bien suffisants pour nous montrer un Diderot fasciné par les mouvements convulsifs qui vont de pair avec les extrêmes de la conduite humaine [1]. Mais que cette fascination se nourrisse avec tant d'énergie au sein de la religion chrétienne n'est pas une circonstance fortuite.

On a parlé récemment du sadisme de Diderot [2], et dans une savante communication faite au 13ᵐᵉ congrès de l'Association internationale des études françaises, M. Vartanian a bien montré le rôle que joue l'élément sexuel dans l'œuvre de Diderot [3]. Dans le cadre de la philosophie matérialiste et déterministe que Diderot professait, il n'y a certes pas de raison que le critique d'art ne trouve une stimulation sensuelle, même sexuelle, dans le sujet d'un tableau plutôt que dans

---

[1] Nous rappellons l'influence des convulsionnaires de Saint-Médard dans la composition des *Pensées philosophiques*.

[2] Raymond JEAN, « Le sadisme de Diderot », *Critique*, janvier, 1963, pp. 33-50.

[3] Aram VARTANIAN, « Erotisme et philosophie chez Diderot », *Cahiers de l'A.I.E.F.* XIII, juin, 1961.

celui d'un autre. Le « libertinage » de Diderot, et nous employons le mot dans un sens très large, faisait partie intégrante de son caractère [1].

Mais la tradition de la morale chrétienne ne peut être dissociée complètement de la morale « naturelle » que Diderot cherche à formuler. Elle ne peut être négligée non plus. Au contraire, elle fournit sur le plan esthétique un outil ou un catalysant expressif. Le christianisme dans tous ses aspects, mais surtout dans ses rites et son histoire provoque chez Diderot un mouvement qui cherche à raffiner sur l'ébranlement d'une religion établie.

Sa critique de la *Chasteté de Joseph* de Deshays continue cet élan sacrilège auquel vient s'ajouter un élément puissant de sexualité. Nous ne voulons pas dire que le tableau de Deshays soit tout à fait sans blâme pour l'interprétation que Diderot en fait, mais il ne s'agit pas ici d'une simple interprétation. Diderot prend un véritable plaisir à décrire les détails du tableau dans les termes les plus vifs et les plus expressifs :

> Je ne sais si ce tableau est destiné pour une église, mais c'est à faire damner le prêtre au milieu de sa messe et donner au diable tous les assistants. Avez-vous rien vu de plus voluptueux ?...
> La femme de Putiphar s'est précipitée du chevet au pied de son lit ; elle s'est couchée sur le ventre et elle arrête par le bras le sot et bel esclave pour lequel elle a pris goût. On voit sa gorge et ses épaules. Qu'elle est belle cette gorge ! Qu'elles sont belles ces épaules ! L'amour et le dépit, mais plus encore le dépit que l'amour, se montrent sur son visage ; le peintre y a répandu des traits qui, sans la défigurer, décèlent l'impudence et la méchanceté...
> Cette femme a une jambe nue qui descend hors du lit. O l'admirable demi-teinte qui est là ! On ne peut pas dire que sa cuisse soit découverte ; mais il y a une telle magie dans ce linge léger qui la cache, ou plutôt qui la montre, qu'il n'est point de femme qui n'en rougisse, point d'homme à qui le cœur n'en palpite (S.A. I, 215-716).

---

[1] Cf. Pierre MESNARD, *Le Cas Diderot, étude de caractérologie*, Paris, P.U.F. 1952, p. 111-113.

Ces élans en eux-mêmes ne visent pas directement des questions de technique picturale, mais ils écartent Diderot de la voie de sa critique et le font tomber dans la digression. Ici, et au contraire du dessein habituel, c'est la *digression* qui renferme les principes de théorie et qui vient *après* le moment d'expressivité :

Assemblez confusément des objets de toute espèce et de toutes couleurs, du linge, des fruits, du papier, des livres, des étoffes et des animaux, et vous verrez que l'air et la lumière, ces deux harmoniques universels, les accorderont tous, je ne sais comment, par des reflets imperceptibles ; tout se liera, les disparates s'affaibliront, et votre œil ne reprochera rien à l'ensemble. L'art du musicien qui, en touchant sur l'orgue l'accord parfait d'*ut*, porte à votre oreille les dissonants *ut, mi, sol, si, re, ut,* en est venu là ; celui du peintre d'y viendra jamais. C'est que le musicien vous envoie les sons mêmes, et que ce que le peintre broie sur sa palette, ce n'est pas de la chair, de la laine, du sang, la lumière du soleil, l'air de l'atmosphère, mais des terres, des sucs de plantes, des os calcinés, des pierres broyées, des chaux métalliques... De là la palette particulière, ou faire, une technique propre à chaque peintre. Qu'est-ce que cette technique ? L'art de sauver un certain nombre de dissonances, d'esquiver les difficultés supérieures à l'art... De là la nécessite d'un certain choix d'objets et de couleurs ; encore après ce choix, quelque bien fait qu'il puisse être, le meilleur tableau, le plus harmonieux, n'est-il qu'un tissu de faussetés qui se couvrent les unes les autres ? (S.A. I, 217).

La question de technique par laquelle s'ouvre le passage pose en fait le problème de toute forme de représentation artistique. La référence à la musique lui sert d'appui, rappelant le clavecin oculaire et les exercices d'esthétique comparée de la *Lettre sur les sourds et muets* [1]. Et finalement, à travers les complexités accumulées de cette

---

[1] Il est intéressant de noter que dans la *Lettre sur les sourds et muets*, Diderot emploie la même tournure de phrase que nous voyons ici, mais il insiste : « c'est la chose même que le peintre montre. » (cf. A.-T. I, 387-388). Nous sommes tentés d'en conclure que Diderot éprouvait le même sentiment d'émerveillement mêlé d'admiration lorsqu'il commençait à venir aux prises avec chaque forme de l'art.

digression apparaît le problème central de l'expression individuelle.

L'on ne saurait pas dire que Diderot le présente avec l'enthousiasme qu'il vient de manifester en se rappellant les tableaux de Deshays. A l'énergie manifestée pendant deux ou trois pages succède une note sérieuse pour ne pas dire pessimiste. L'œuvre d'art, l'expression la plus achevée du tempérament, n'est-il, après tout, qu'un « tissu de faussetés » ? Lorsque l'artiste a compris et assimilé toutes les nuances d'une technique qu'il met ensuite au service de l'inspiration la plus noble, il ne fait que tromper le spectateur. Encore une fois, Diderot se trouve aux prises avec le mensonge de l'art que sa « raison » ne veut admettre.

Mais l'expérience du doute est salutaire. Car avec les connaissances acquises et discutées lors de ce *Salon*, Diderot met au point son rôle de critique d'art :

> Le triste et plat métier que celui de critique ! Il est si difficile de produire une chose même médiocre ; il est si facile de sentir la médiocrité ! Et puis, toujours ramasser des ordures, comme Fréron ou ceux qui se promènent dans nos rues avec des tombereaux (S.A. I, 209).

Il y a pourtant des moyens de sortir de l'embarras. Si l'excellence artistique et l'expression vraie se cachent dans le labyrinthe de styles et de modèles, le critique doit lui-même prendre une mesure de souplesse. Il lui faut acquérir

> toutes les sortes du goût, un cœur sensible à tous les charmes, une âme susceptible d'une infinité d'enthousiasmes différents, une variété de style qui répondît à la variété des pinceaux ; pouvoir être grand ou voluptueux avec Deshays, simple et vrai avec Chardin, délicat avec Vien, pathétique avec Greuze, produire toutes les illusions possibles avec Vernet... (S.A. I, 195).

Pour suivre le mouvement de l'esprit créateur, le critique essayera de mobiliser autant que possible ses propres facultés perceptives. Il tâchera de faire face au caractère de l'artiste et risquera les chocs et les malentendus d'une telle rencontre. Si l'œuvre picturale fait vibrer une corde sensuelle chez le critique, cet élément sera poursuivi et élaboré, au risque même d'enfreindre la sensibilité du lecteur. La critique d'art sera libre de tout dogmatisme. Elle aspirera à une « existence » propre non pas pour concurrencer l'œuvre plastique mais pour vivre avec elle sur un pied d'égalité. Il y aura donc un genre d'engagement entre artiste et critique sur un plan pratique plutôt que théorique. Il n'est jamais facile de séparer dans les écrits de Diderot, esthétique et critique d'art, mais il n'y a aucun doute que c'est dans le domaine de la critique que le philosophe s'identifie le mieux à sa propre conscience d'artiste.

Même dans les *Essais sur la peinture,* il faut situer dans un contexte *pratique* les efforts de Diderot pour systématiser sa pensée.

Avec le *Salon* de 1763 et la découverte de la technique picturale, le problème de l'expression entre dans sa phase la plus intéressante. La période d'initiation ct d'apprentissage est terminée et l'engagement que Diderot a pris avec la peinture ne connaît plus les contraintes de la nouveauté.

Nous nous rallions à l'opinion de M. Dieckmann qui dit que le *Salon* de 1763 est « plus parfait dans les proportions.» « La critique d'art y domine,» poursuit-il, « il y a une unité de dessin, d'intérêt et de style qui lui donne une place à part parmi les autres *Salons* ».[1] Mais le « caractère encyclopédique » des *Salons* de 1765 et 1767 réclame notre attention par le fait même que Diderot s'y livre à son humeur vagabonde, à une multitude de digressions avec bien des redites. Et c'est précisément dans ces conditions-là que l'expression, antipathique à l'ordre et au dessein fixe, se laisse surprendre à l'état de nature et dans tous ses détails.

* * *

---

[1] H. DIECKMANN, *Cinq Leçons sur Diderot, op. cit.,* p. 130.

Le *Salon* de 1765, suivi des *Essais sur la peinture:*

> Après avoir décrit et jugé quatre à cinq cents tableaux, finissons par produire nos titres ; nous devons cette satisfaction aux artistes que nous avons maltraités ; nous la devons aux personnes à qui ces feuilles sont destinées. C'est peut-être un moyen d'adoucir la critique sévère que d'exposer franchement les motifs de confiance qu'on peut avoir dans nos jugements. Pour cet effet, nous oserons donner un petit *Traité de peinture*, et parler à notre manière et selon la mesure de nos connaissances, du dessin, de la couleur, du clair-obscur et de la composition (S.A. II, 234).

A la fin de son quatrième *Salon*, Diderot s'arrête, jette un coup d'œil en arrière et se décide à mettre au clair les principes de sa critique d'art. Ne serait-il donc pas utile de le suivre, d'abandonner les dictées de la chronologie, et d'aborder sans plus de façon les *Essais sur la peinture* ? Cette étape franchie, rien ne nous empêcherait d'aller droit à la source même de notre enquête pour examiner le chapitre IV des *Essais* qui a pour titre : « Ce que tout le monde sait sur l'expression et quelque chose que tout le monde ne sait pas ».

Rien n'est plus tentant que d'isoler ainsi les principes de l'expression afin de découvrir dans quelle mesure ils avaient été appliqués dans le *Salon* de 1765, et de quelle manière ils vont influer sur les *Salons* qui suivent. Si toutefois Diderot avait su écrire une œuvre de pure théorie, cette formule serait non seulement souhaitable mais elle s'imposerait.

Mais les *Essais sur la peinture* ne correspondent aucunement à la simplicité que laissent supposer les en-tête des chapitres. Là où Diderot se propose de nous parler de l'expression, l'on voit germer, puis s'enraciner une belle gerbe de digressions. En 1765, l'habitude de « dialoguer avec lui-même » s'était développée à un tel point de complexité que tout effort d'analyse de la part du lecteur devient infailliblement un travail de synthèse. Il ne saurait être question de considérer le seul chapitre IV des *Essais sur la peinture* comme une réponse définitive au problème de l'expression.

Nous comptons examiner ce chapitre en détail, tout en insistant sur le fait que l'œuvre dont il fait partie s'intègre elle-même au *Salon* de 1765. Il n'y a pas de rupture entre *Salon* et *Essais*, et les uns ne peuvent pas servir de clé à l'autre. Ici, comme ailleurs, la méthode chronologique s'impose.

* * *

En 1765 parurent les dix derniers tomes (VIII-XVIII) de *l'Encyclopédie*. La partie la plus onéreuse du Dictionnaire était donc terminée. Il ne restait qu'à mener à bonne fin les deux volumes de planches, et ce travail-là était tout autant un plaisir qu'un devoir. Le 18 août 1765, Diderot écrit à Sophie Volland :

> J'en ai, je crois, pour le reste de la semaine, après laquelle je m'écrierai : Terre ! terre ! (ROTH, IV).

Le *Salon* de 1765 sera donc un travail de détente après quinze ans au cours desquels le philosophe s'est vu obligé de canaliser une grande partie de son inspiration. Dès maintenant, il ne sera plus question de cases alphabétiques et de brouilles avec la censure. Mais si les ennuis occasionnés par la rédaction de *l'Encyclopédie* donnent à réfléchir amèrement à Diderot [1], celui-ci ne pense aucunement ralentir le débit de son inspiration littéraire. La fin du travail encyclopédique l'incita plutôt à des efforts redoublés. Le *Salon* de 1765, avec les *Essais sur la peinture* constituent presque trois cents pages de l'édition Assézat-Tourneux. Et la trace d'un thème dominateur tel que nous avons pu en déceler dans les *Salons* de 1759, de 1761 et de 1763 en est absente.

---

[1] « Si l'on ajoute aux années de notre vie qui s'étaient écoulées lorsque nous avons projeté cet ouvrage, celles que nous avons données à son exécution, on concevra facilement que nous avons plus vécu qu'il nous reste à vivre. » (*Encyclopédie*, t. VIII « Avis aux Souscripteurs ».)

Le *Salon* de 1765 est déconcertant par son foisonnement de détails et de théories ; nous avons l'impression que Diderot y jouit pleinement de sa liberté nouvellement acquise. Dans les *Salons* précédents, un mouvement, une accélération dans le récit nous a servi d'indices de l'expression. Dans le *Salon* de 1765, ces indices sont cachés bien souvent par le ton enthousiaste qui domine l'œuvre entière.

En 1765, l'expression dans la critique d'art de Diderot est à son point d'apogée. Entre sujet, inspiration et communication règne une union parfaite : il devient de plus en plus difficile de surprendre Diderot en train de « se regarder composer ».

Pourtant, le critique même le plus éclectique, dissimule mal ses goûts et ses préférences. En 1765, comme d'habitude, Diderot avait visité le Salon « livret » en main, et dans son compte-rendu il est fidèle au numérotage du catalogue. Mais il y a une hiérarchie des genres à laquelle il s'attache avec dévotion. Certains tableaux l'attirent plus que d'autres, et au-dessus de toute considération de composition et de technique c'est le sujet qui lui fournit une pierre de touche et qui impose à ce *Salon* de 1765 une sorte de dessein.

On s'aperçoit que certains peintres sont passés presque complètement sous silence, surtout lorsqu'ils ont le malheur de se trouver entre deux « Grands ». Après avoir consacré quatre pages élogieuses aux ruines de Servandoni (S.A. II, 115-118), par exemple, Diderot expédie avec une note d'impatience et en quelques lignes les œuvres de Francisque Millet de Nonnotte, de Boizot, de Le Bel et de Perroneau. Il semble vouloir arriver le plus vite possible aux paysages de Vernet (S.A. II, 120-123) qui lui plaisent davantage et qui, fait plus significatif encore, lui donnent l'occasion de faire une belle digression. Afin de mieux aborder cet examen du *Salon* de 1765, nous comptons suivre les élans expressifs qui vont de paire avec ce que Diderot, et son public, estimaient le plus dans les arts picturaux.

130

Dans cette perspective, la peinture d'histoire nous fournit un point de départ inévitable et un tremplin bien utile. Car ce genre qui se place au-dessus de tous les autres ne se trouve que rarement à l'état pur. Il est teinté presque toujours d'éléments mythologiques, d'une solide tradition classique, et il se confond souvent avec la peinture religieuse.

Dans la conscience esthétique de Diderot, la peinture d'histoire se définit par la « grandeur de faire », qu'un détail simple et réaliste vient appuyer. Il sollicite un engagement moral de la part du spectateur qui ne manquera pas de s'identifier avec les personnages du tableau. Car la peinture d'histoire est essentiellement une représentation de la figure humaine à un moment important et extraordinaire de son existence. Puisque l'histoire ne se fait que par l'engagement qui lie l'être humain à ses semblables, la peinture d'histoire devient un groupement de personnages qui ont tous une relation particulière et significative les uns avec les autres. Et ces personnages se tournent vers le monde extérieur au tableau afin d'*exprimer* leur situation unique.

La peinture d'histoire ne doit donc renfermer aucune note équivoque : chaque geste de chaque personnage doit obéir strictement aux lois de la vraisemblance, sans rien enlever au sens du mystère qui s'attache aux moments capitaux du progrès humain. Le choix du « moment » est de grande importance pour combiner un maximum de mouvement expressif avec le simple « propos » moralisant ou pédagogique du tableau. Ces considérations à leur tour touchent aux problèmes de la composition, du coloris et du dessin. N'oublions pas qu'au dix-huitième siècle, le peintre lui-même choisissait le ton majeur ou le ton mineur. En optant pour le premier il risquait beaucoup. Il lui fallait un grand talent pour aspirer aux « Grands Sujets » : il y avait même une « compétence minimum » généralement ressentie mais qui échappe à la définition, au dessous de laquelle la pratique de la peinture d'histoire était vouée à l'échec.

A cet égard, Diderot s'est montré bien sévère dans ses jugements, et c'est la peinture d'histoire qui suscite ses critiques les plus vives et qui l'incite bien souvent à la digression expressive. Au Salon de 1765 il a trouvé de quoi se plaindre. La peinture d'histoire y était pauvre, et en quantité et en qualité, mais la faute n'en était pas entièrement aux peintres.

Si la peinture d'histoire représente le sommet de l'art pictural aux yeux du public du dix-huitième siècle, elle maintient son rang en partie grâce à l'appui des événements contemporains. Afin que l'artiste et son public puissent communiquer et ressentir un épanouissement de la conscience collective, il est souhaitable que les événements historiques de leur temps aient quelque grandeur. Or, en 1765, la gloire de la France avait souffert un déclin considérable. La politique extérieure de Louis XV, et particulièrement les accords défavorables qui avaient terminé la Guerre de Sept Ans, n'étaient guère propices à un grand élan patriotique.

Dans le but de relever quelque peu cette situation par la propagande à laquelle se prêtait déjà la peinture, la Direction des Bâtiments du Roi avait proposé en 1764 de décorer le pavillon de Choisy avec une série de tableaux qui aurait pour thème les bienfaits de quatre empereurs romains (voir S.A. II, 8-9). Au Salon de 1765 on pouvait donc admirer, de feu Carle Van Loo, un *Auguste fermant les portes du temple de Janus*; de Hallé, un *Trajan descendant de cheval pour entendre la plainte d'une pauvre femme*; et de Vien, un *Marc-Aurèle faisant distribuer du pain au peuple*. Le quatrième tableau de la série fut commandé à Boucher, mais jamais exécuté. Une autre composition, la *Descente de Guillaume le Conquérant en Angleterre* de Lécipié, vint souligner la réticence des peintres devant les faits de l'histoire contemporaine.

Aucune de ces œuvres ne trouve de faveur auprès de Diderot, et ses observations ont toutes un thème commun :

Fermer le temple de Janus, c'est annoncer une paix générale dans l'empire, une réjouissance, une fête ; et j'ai beau parcourir la toile, je n'y vois pas le moindre vestige de joie. Cela est froid, cela est insipide ; tout est d'un silence morne, d'un triste à périr ; c'est un enterrement de vestale (S.A. II, 62).

. . . .

Tout le côté de Trajan est sans couleur ; le ciel, trop clair, met le groupe dans la demi-teinte, et achève de la tuer. Mais c'est le bras et la main de cet empereur qu'il faut voir ; le bras pour le raide, la main et le pouce pour l'incorrection de dessin. Les peintres d'histoire traitent ces menus détails de bagatelles ; ils vont aux grands effets. Cette imitation rigoureuse de la nature, les arrêtant à chaque pas, éteindrait leur feu, étoufferait leur génie, n'est-il pas vrai, monsieur Hallé ? ... Ce tableau est sans consistance dans sa composition. Ce n'est rien, mais rien, ni pour la couleur, qui est de sucs d'herbes passés, ni pour l'expression, ni pour les caractères, ni pour le dessin. C'est un grand émail bien triste et bien froid (S.A. II, 83).

Et le tableau de Vien n'est qu'un catalogue d'occasions manquées :

La position de Marc-Aurèle ne me déplaît pas ; elle est simple et naturelle ; mais son visage est sans expression... J'ai beau chercher quelques traces effrayantes des horreurs de la famine et de la peste, quelques incidents horribles qui caractérisent ces fléaux, il n'y en a point ...Cette composition est sans chaleur et sans verve ; nulle poésie, nulle imagination (S.A. II, 88).

De même la tentative de Lépicié pour faire valoir l'un des moments glorieux de l'histoire française, est un échec dû à un mauvais choix du « moment » :

Quel instant croyez-vous que celui-ci (Lépicié) ait choisi ? Celui, n'est-ce pas, où la flamme consume les vaisseaux, et où le général annonce à son armée l'alternative terrible ? Vous croyez qu'on voit sur la toile les vaisseaux en flamme ; Guillaume sur son cheval parlant à ses troupes ; et sur cette multitude innombrable de visages, toute la variété des impressions, de l'inquiétude, de la surprise, de l'admiration, de la terreur, de l'abbatement, de la confiance et de la joie ? Votre tête se remplit de groupes ; vous y

133

cherchez l'action véritable de Guillaume, les caractères de ses principaux officiers, le silence ou le murmure, les repos ou le mouvement de son armée. Tranquillisez-vous et ne vous donnez pas une peine dont l'artiste s'est dispensé (S.A. II, 181-182).

Il est à noter que la réaction de Diderot devant une pauvreté de détails expressifs devient plus raffinée au fur et à mesure que sa critique d'art mûrit. Dans le dernier exemple cité, il prend à témoin ses lecteurs absents et leur souffle adroitement le genre de tableau qu'ils devraient imaginer avec un titre tel que *Guillaume le Conquérant descendant en Angleterre*. Toute cette manœuvre est destinée à rehausser la valeur de ses propres remarques. La substitution directe d'une digression expressive là où le peintre a fait défaut avec l'expression picturale, cède la place maintenant à une méthode plus subtile, plus « littéraire ».

La critique de la peinture d'histoire ne nous fournit pas les seuls exemples de ce changement de ton, mais Diderot réclamera toujours et avec vigueur une infinité de mouvement, un rehaussement du coloris, une grande ingéniosité de composition, et surtout une foule de personnages expressifs dans le traitement des Grands Sujets. Au Salon de 1765, c'est Casanove, peintre de batailles et de chevaux qui fournit bon nombre de ces qualités :

> C'est un grand peintre que ce Casanove ; il a de l'imagination, de la verve ; il sort de son cerveau des chevaux qui hennissent, bondissent, mordent, ruent et combattent ; des hommes qui s'égorgent en cent manières diverses ; des crânes entr'ouverts, des poitrines percées, des cris, des menaces, du feu, de la fumée, du sang, des morts, des mourants, toute la confusion, toutes les horreurs d'une mêlée (S.A. II, 132).

Faut-il attribuer cet appétit pour des détails, qui dépassent l'expressif pour devenir expressionnistes, à des conditions politiques et sociales ? L'hypothèse est tentante, bien que Diderot n'ait jamais fait allusion dans ses écrits aux événements de l'histoire contemporaine. En ce qui concerne sa critique de la peinture d'histoire, il serait difficile d'ignorer ces sentiments qui forment l'identité d'une nation et qui touchent infailliblement à l'inspiration de l'artiste. Lorsque Diderot réclame du mouvement expressif dans un tableau qui a pour sujet même un fait de l'histoire lointaine, il se fait le porte-parole d'une opinion qui, en 1765, désirait un renouveau dans les forces politiques de la France. Nous nous gardons bien de parler d'esprit révolutionnaire : il s'agit ici d'un phénomène qui ne ferait guère trembler l'aiguille d'un instrument destiné à mesurer les secousses de l'ordre social. L'œuvre de Daniel Mornet aussi nous incite à la prudence [1].

Il importe de noter toutefois que les éléments expressifs de la peinture ne sont guère sujets aux lois de la raison. L'iconographie possède depuis toujours une force évocatrice qui s'intègre facilement à la conscience collective. L'image enseigne, Diderot le savait bien, mais elle enseigne par la voie du sentiment. Et le sentiment partagé, multiplié et disséminé devient une force politique que la raison ne détourne jamais.

Si nous descendons un échelon dans la hiérarchie des genres, ces considérations politiques et sociales ont une portée beaucoup moins grande. Devant la peinture à sujet mythologique ou antique, Diderot se laisse emporter par une sensibilité intime et personnelle. Les *Grâces* de Van Loo, les *Charités romaines* de La Grenée et de Bachelier, l'*Hector et Pâris* de Challe font tous appel aux sens plutôt qu'à un sentiment moral. De plus, ces sujets ont des sources littéraires que Diderot connaît fort bien et auxquelles il n'hésite jamais à puiser quand il peut en tirer une comparaison utile :

---

[1] Daniel MORNET, *Les Origines intellectuelles de la Révolution française*, Paris, Armand Colin, 1933 : « Dans l'ordre politique l'influence de Diderot est nulle. Il a avoué lui-même que les problèmes d'économie et de politique lui « embrouillaient » la tête. » P. 92.

Pour juger si l'Hector de Challe est l'Hector d'Homère, voyons si le discours que le vieux poète a fait tenir à son personnage, conviendrait par hasard au personnage de notre peintre (S.A. II, 108).

Il cite une vingtaine de vers, traduits de l'*Iliade* (mais aussi sus par cœur), avant de commencer sa critique du tableau. Il va presque sans dire que l'interprétation picturale pâlit à côté de l'œuvre littéraire :

> Quelle force ! quelle vérité. C'est ainsi que parle l'Hector du vieil Homère. Otez, ajoutez un mot à ce discours, si vous l'osez... Et votre tableau ?... Je vous entends ; mais m'était-il permis de passer devant la statue de mon dieu sans la saluer ? Homère salué, j'en viens à M. Challe. Mais comment vous rendrai-je la confusion de tous ces objets, la fausse somptuosité de ce palais, la pauvre richesse de toute cette composition ? (*ibid*).

Malgré sa déception, le sujet lui tient suffisamment à cœur pour ne point être abandonné avec un geste d'impatience. Au lieu de présenter brusquement un « tableau substitut », Diderot prend grand soin de décrire l'œuvre de Challe, tout en dialoguant avec lui-même pour anticiper les objections de son lecteur. D'un seul coup la description est rendue vivante, doublement expressive :

> Derrière Hélène et Pâris, d'autres femmes, les yeux fixés sur Hector... Aurez-vous bientôt fini ? dites-vous ? ... Attendez, attendez ; vous n'y êtes pas. Sur un plan plus élevé, tout à fait sur la gauche, Vénus et son fils, apparemment sur un autel... M'avez-vous suivi ? cela s'est-il arrangé dans votre tête ? (S.A. II, 109).

Là où le tableau fait un appel très direct aux sens, et dans la peinture à sujet antique la chose n'est pas rare, Diderot « participe » facilement à la composition. Il est certain qu'il connaissait fort bien les techniques du peintre dans le traitement du nu. La texture et la couleur de la chair humaine sont des thèmes que l'on retrouve constamment dans les

Salons et qui laissent apercevoir quelques traits psychologiques et stylistiques bien significatifs.

Les *Grâces* de Carle Van Loo ne plaisent pas à Diderot :

> Il est difficile d'imaginer une composition plus froide, des Grâces plus insipides, moins légères, moins agréables. Elles n'ont ni vie, ni action, ni caractère. Que font-elles là ? je veux mourir si elles n'en savent rien. Elles se montrent (S.A. II, 63).

Mais sans dire comment elles pouvaient être meilleures, il passe directement à une transcription littéraire :

> Ce n'est pas ainsi que le poëte les a vues. C'était au printemps. Il faisait un beau clair de lune. La verdure nouvelle couvrait les montagnes. Les ruisseaux murmuraient. On entendait, on voyait jaillir leurs eaux argentées. L'éclat de l'astre de la nuit ondulait à leur surface. Le lieu était solitaire et tranquille (*ibid*).

Il est bien facile de parler d'un romantisme naissant chez Diderot : le goût qu'il manifeste pour le cadre rustique donne un certain poids à cette hypothèse. Pourtant dans l'exemple cité, ce n'est pas le cadre — bien stylisé — qui nous frappe le plus. C'est le nombre de verbes se rapportant aux sens que Diderot introduit dans les quelques lignes de son récit. Il ne compare pas les Grâces de Van Loo avec celles de tel ou tel poète, mais crée autour d'elles, par le verbe, une atmosphère sensuelle que le peintre, lui, n'a pas su communiquer. Il n'y a donc pas substitution d'expression, même pas substitution due à une citation littéraire, mais bien création d'une forme expressive qui dépend entièrement de la réaction particulière de Diderot, critique du nu féminin.

Le *Salon* de 1765 fournit d'autres exemples. L'*Angélique et Médor* de Boucher provoque cette remarque qui semble l'écho très fidèle de la dernière citation :

> Il a plu au peintre d'appeler cela *Angélique et Médor;* mais ce sera tout ce qu'il me plaira... Eh ! mordieu, il n'y avait qu'à se laisser mener par le poète. Comme le lieu de son aventure est plus

beau, plus grand, plus pittoresque et mieux choisi ! C'est un antre rustique, c'est un lieu retiré, c'est le séjour de l'ombre et du silence : c'est là que, loin de tout importun, on peut rendre un amant heureux, et non pas en plein jour, en pleine campagne, sur un coussin (S.A. II, 78).

Jupiter et Antiope de J. B. Deshays pèche par le fait qu'il n'invite pas à une participation à l'action :

Il (Jupiter) est faune, il est en présence d'une femme nue, et la luxure ne lui sort pas de la bouche, des yeux, des narines, de tous les pores de la peau, et je ne suis pas tenté de crier : « Antiope, réveillez-vous ; si vous dormez un moment de plus, vous... » C'est qu'elle n'est pas belle, et que je ne me soucie pas d'elle (S.A. II, 99).

Il est possible de juger avec exactitude la « participation » de Diderot à un tableau de ce genre. Au Salon de 1765, deux peintres avaient été inspirés par le même sujet. Diderot pouvait donc comparer *La Charité Romaine* traitée et par La Grenée et par Bachelier. La version du premier reçoit ces éloges :

La femme est belle ; son visage a de l'expression, sa draperie est on ne peut mieux entendue. Le vieillard est beau, trop beau, certainement ; il est trop frais, plus en chair que s'il avait deux vaches à son service : il n'a pas l'air d'avoir souffert un moment ; et si cette jeune femme n'y prend pas garde, il finira par lui faire un enfant (S.A. II, 95).

Pourtant, Diderot n'est pas tout à fait content :

ce n'est pas là le tableau que j'ai dans l'imagination.

Je ne veux pas absolument que ce malheureux vieillard, ni cette femme charitable, soupçonnent qu'on les observe ; ce soupçon arrête l'action et détruit le sujet. J'enchaîne le vieillard ; la chaîne attachée aux murs du cachot lui tient les mains sur le dos. Aussitôt que sa nourrice a paru et découvert son sein, sa bouche avide s'y porte et s'en saisit. Je veux qu'on voie, sans son action, le caractère de l'affamé ; et sur tout son corps, les effects de la souffrance. Il n'a pas laissé le temps à la femme de s'approcher de lui ; il s'est précipité vers elle, et sa chaîne tendue en a retiré ses bras en arrière. Je ne veux point que se soit une jeune femme ; il me faut une femme au moins de trente ans, d'un caractère grand, sévère et honnête ; que son expression soit celle de la tendresse et de la pitié (*ibid*).

On ne peut guère douter que Diderot s'identifie avec l'action qu'il décrit, soit comme participant, soit comme spectateur unique et insoupçonné. Cette dernière interprétation donne quelque inquiétude sur le plan psychologique, mais elle n'en est pas moins indicatrice du rôle auquel Diderot aspirait devant la peinture de ce genre.

Pourtant, devant certains tableaux il n'a plus envie de s'intégrer à la composition. Dans sa version de la *Charité romaine*, Bachelier avait imaginé une unique source de lumière pour éclairer son sujet. Voici le commentaire de Diderot :

> Ce jour a placé la tête de cette femme dans une demi-teinte ou dans l'ombre. L'artiste a eu beau se tourmenter, se désespérer, sa tête est devenue ronde et noirâtre, couleur et forme qui, jointes à un nez aquilin ou droit, lui donnent la physionomie bizarre de l'enfant d'une Mexicaine qui a couché avec un Européen, et ou les traits caractéristiques des deux nations sont brouillés.
>
> Vous avez voulu que votre vieillard fût maigre, sec et décharné, moribond, et vous l'avez rendu hideux à faire peur. La touche extrêmement dure de sa tête, ces os proéminents, ce front étroit, cette barbe hérissée, lui ôtent la figure humaine... (S.A. II, 105) [1].

Il faut en conclure que l'expressivité trop appuyée peut nuire à la vraisemblance du sujet. L'expression, dans ce contexte, prend une place subalterne dans l'expérience esthétique. Aux moments où les appétits sensuels de Diderot sont éveillés, le philosophe cherche à se rapprocher de la composition par un genre de rêverie qui est bien expressive sur le plan littéraire, mais qui risque d'être brisée par un

---

[1] Cf. S.A. II, figs. 24 et 25.

« excès » de technique de la part du peintre. La *Chaste Suzanne* de Carle Van Loo, pour citer un dernier exemple, tombe dans cette catégorie de sujets. C'était peut-être le tableau le plus franchement sensuel de l'exposition, mais pour Diderot la technique « agréable » fait une bonne partie de sa valeur :

> Il y a de la grâce, sans nuire à la noblesse ; de la variété, sans aucune affectation de contraste. La partie de la figure qui est dans la demi-teinte est du plus beau faire. Ce linge blanc, qui est étendu sur les cuisses, reflète admirablement sur les chairs c'est une masse de clair qui n'en détruit point l'effet ; magie difficile, qui montre et l'habileté du maître et la vigueur de son coloris (S.A. II, 64-65).

Notre résumé de l'expression dans ses rapports avec la peinture à sujet antique et historique se termine comme il se doit par une référence au *Corésus s'immolant pour sauver Callirhoé*, de Fragonard. Ce tableau fut non seulement l'un des « clous » de l'exposition (voir S.A. II, 8, et note historique p. 43), mais il incita encore Diderot à faire la digression la plus longue et la plus intéressante du *Salon* de 1765.

Le compte-rendu de *Corésus et Callirhoé* est présenté sous la forme d'un dialogue imaginaire entre Diderot et Grimm. Les *Salons* dans leur ensemble font certainement un dialogue continuel, tantôt entre Diderot et le tableau, tantôt entre Diderot et son lecteur. Il s'agit ici d'un dialogue qui est mis dans le texte sous une *forme* schématique. En nommant les interlocuteurs, Diderot isole deux personnages dans une lumière plus intense que celle qui éclaire le récit avoisinant. De plus il *se* nomme. Il y a donc non seulement effet d'actualité, mais effort conscient, textuellement visible, de s'identifier avec la « composition », que produit le dialogue.

Si, de la forme du passage, ou en vient aux idées qu'il contient, le jeu de perspectives est plus complexe. Notons d'abord que Diderot prétend ne pas avoir vu le tableau :

> Il m'est impossible, mon ami, de vous entretenir de ce tableau. Vous savez qu'il n'était plus au Salon, lorsque la sensation générale

qu'il fit m'y appela. C'est votre affaire que d'en rendre compte. Nous en causerons ensemble (S.A. II, 188).

Dans l'impossibilité de le décrire, il nous propose de

nous faire part d'une vision assez étrange dont je fus tourmenté la nuit qui suivit un jour dont j'avais passé la matinée à voir des tableaux, et la soirée à lire quelques *Dialogues* de Platon (*ibid*).

Ce rêve sera donc un mélange d'expérience esthétique et de théorie philosophique. L'image de la caverne, les silhouettes et la formation de la connaissance, sont empruntées, bien entendu, à la *République* (livre VIII). Diderot ajoute une critique plus âpre que celle de Platon :

Par derrière nous, il y avait des rois, des ministres, des prêtres, des docteurs, des apôtres, des prophètes, des théologiens, des politiques, des fripons, des charlatans, des artisans d'illusions, et toute la troupe des marchands d'espérances et de craintes. Chacun d'eux avait une provision de petites figures transparentes et colorées, propres à son état ; et toutes ces figures étaient si bien faites, si bien peintes, en si grand nombre et si variées, qu'il y en avait de quoi fournir à la représentation de toutes les scènes comiques, tragiques et burlesques de la vie (S.A. II, 189).

Ce détail mis à part, il est clair que l'antre de Platon a touché Diderot critique d'art bien plus qu'il n'a touché Diderot philosophe. En racontant son rêve, il s'arrête brusquement :

Je vous dirai une autre fois ce qui arrivait à ceux qui méprisaient le conseil de la voix, les périls qu'ils couraient, les persécutions qu'ils avaient à souffrir. Ce sera pour quand nous ferons de la philosophie. Aujourd'hui qu'il s'agit de tableaux, j'aime mieux, vous en décrire quelques-uns de ceux que je vis sur la grande toile. Je vous jure qu'ils valaient les meilleurs du Salon (S.A. II, 190).

L'image de la caverne prête au dialogue un certain cachet de « noblesse » philosophique, mais sa véritable puissance est celle d'une catalyse. Elle fait naître dans l'esprit de Diderot d'autres images plus mouvementées, plus expressives, que l'originale. Par un tour curieux, c'est l'élément matériel, l'image « concrète » par laquelle Platon a voulu faire valoir une idée *abstraite*, que Diderot saisit et sur lequel il glose. Si l'expressionnisme est, de par sa définition, un procédé qui vise le matériel au préjudice de l'abstraction, nous aurions alors du mal à trouver un exemple plus frappant de la prédisposition expressionniste que manifeste la critique d'art de Diderot.

Plus on avance dans ce dialogue-digression, plus on est frappé par la présence de l'objet. Ce n'est pas *un* tableau que Diderot imagine, mais plusieurs, et chacun fourmille de détails expressifs :

D'abord ce fut un jeune homme, ses longs vêtements sacerdotaux en désordre, la main armée d'un thyrse, le front couronné de lierre, qui versait, d'un grand vase antique, des flots de vin dans de larges et profondes coupes qu'il portait à la bouche de quelques femmes, aux yeux hagards, et à la tête échevelée. Il s'enivrait avec elles ; elles s'enivraient avec lui ; et quand ils étaient ivres, ils se levaient et se mettaient à courir les rues en poussant des cris mêlés de fureur et de joie (*ibid*).

Diderot:

c'était un spectacle de joie extravagante, de licence effrénée, d'une ivresse et d'une fureur inconcevables. Ah ! si j'étais peintre ! J'ai encore tous ces visages-là présents à mon esprit (S.A. II, 191).

Les effets de la technique ne sont pas oubliés. Bien que ce soit Grimm qui sert de repoussoir aux élans de Diderot, ce dernier n'hésite pas à donner à son ami un rôle dans la distribution des éloges :

Grimm:

C'est un beau rêve que vous avez fait ; c'est un beau rêve qu'il a peint. Quand on perd son tableau de vue pour un moment, on craint toujours que sa toile ne se replie comme la vôtre, et que ces fantômes intéressants et sublimes ne s'évanouissent comme ceux de la nuit. Si vous aviez vu son tableau, vous auriez été frappé de

142

la même magie de lumière, et de la manière dont les ténèbres se fondaient avec elle ; du lugubre que ce mélange portait dans tous les points de sa composition ; vous auriez éprouvé la même commisération, le même effroi ; vous auriez vu la masse de cette lumière, forte d'abord, se dégrader avec une vitesse et un art surprenants ; vous en auriez remarqué les échos se jouant supérieurement entre les figures (S.A. II, 195).

Rien ne manque à ce tableau de Fragonard. Même le « moment », chose capitale pour l'expression la plus forte et la plus vraisemblable, est identique dans la composition peinte et dans le rêve de Diderot :

Diderot :

Mais l'instant effroyable de son rêve, celui où le sacrificateur s'enfonce le poignard dans le sein, est donc celui que Fragonard a choisi ?

Grimm :

Assurément. Nous avons seulement observé, dans le tableau, que les vêtements du grand prêtre tenaient un peu trop de ceux d'une femme (S.A. II, 196).

Il convient de se demander dans quelle mesure Diderot avait rêvé juste. Si l'on consulte le tableau en question (S.A. II, fig. 71), on ne peut pas manquer d'être étonné. La dizaine de personnages représentés ont tous le visage « expressif » — leur état d'âme est visiblement éloigné du calme et de la tranquillité. Mais l'on n'éprouve nullement la sensation de mouvement tumultueux que Diderot a su communiquer dans son compte-rendu.

Il y a eu donc substitution littéraire, non seulement d'une composition mais de plusieurs scènes auxquelles Diderot a infusé une forte dose d'action expressive et une multitude d'incidents et de détails. De plus, en employant le dialogue pour construire coup après coup son récit multiforme, Diderot accroît la durée du « moment » expressif. Chaque détail qu'il décrit est juste : « C'est exactement le tableau de Fragonard ! »

s'écrie Grimm à plusieurs reprises. Et pourtant ces « moments » successifs se résument en un point unique qui est le « moment » que Fragonard lui-même avait choisi. Ce passage nous semble fournir une démonstration pratique de « l'hiéroglyphe » expressive telle que Diderot l'a décrite dans la *Lettre sur les sourds et muets*.

Il nous reste à dire quelques mots de la signification du rêve. Faut-il voir ici un élément précurseur du *Rêve de d'Alembert* ? Sans vouloir approfondir trop la question, il nous semble possible d'affirmer que le rêve fournit à Diderot un instrument expressif pareil à celui qu'est l'aveugle dans la *Lettre sur les aveugles*. Le rêve est un état extraordinaire de la conscience, tout comme la cécité est une anormalité de l'organisme humain. Les deux états, étudiés de près, peuvent éclairer notre connaissance du réel.

Dans ce domaine plus restreint du *Salon* de 1765, le rêve permet à Diderot de faire reculer les limites de sa propre expression. Le *Corésus et Callirhoé* répondait pleinement à ses exigences de critique : il n'y avait donc pas besoin de substituer un « tableau en paroles ». Au contraire, la composition de Fragonard inspira à notre auteur un nombre de « scènes » quasi-autonomes qu'il situe, par le dialogue et l'artifice du rêve, dans une sorte de « monde à part », « un monde où l'on peut aller », pour emprunter à Gide une phrase célèbre. Dorénavant, le chemin qui relie la critique d'art de Diderot à la technique de ses romans se dessine de plus en plus clairement.

La ligne qui sépare la peinture à sujet antique de la peinture à sujet religieux n'est pas facile à tracer. Comme nous venons de le voir, les deux genres se confondent aisément dans une composition inspirée par un rite de l'antiquité. On a exposé pourtant au Salon de 1765 des tableaux qui avaient pour sujet un événement ou un personnage de la religion chrétienne. Ces œuvres se divisaient, d'une façon générale, en deux catégories. D'un côté il y avait les peintres qui s'étaient attachés à la «grande manière» et qui, selon l'avis de Diderot, péchaient souvent en forçant leur talent :

C'est bien fait d'être simple, *dit-il de l'Apothéose de Saint-Louis*, de La Grenée, mais l'on s'impose alors la nécessité d'être sublime ; sublime dans l'idée, sublime dans l'exécution (S.A. II, 90).

Joseph vendu par ses frères, d'Amand, donne lieu à un petit dialogue acerbe :

— Oh ! ne parlez pas de la couleur ni du dessin, je ferme les yeux là-dessus. Mais ce que je sens, c'est un froid mortel qui me gagne dans le sujet le plus pathétique. Où avez-vous pris qu'il fût permis de me montrer une pareille scène, sans me fendre le cœur ? Ne parlons plus de ce tableau, je vous prie ; y penser m'afflige (S.A. II, 187).

De même le *Jésus-Christ baptisé par Saint-Jean*, de Lépicié, est sévèrement critiqué, mais en même temps les remarques de Diderot indiquent qu'il avait bien compris la force de prédication de l'image :

A mon sens, un peintre d'église est une espèce de prédicateur plus clair, plus frappant, plus intelligible, plus à la portée du commun, que le curé et son vicaire. Ceux-ci parlent aux oreilles qui sont souvent bouchées. Le tableau parle aux yeux, comme le spectacle de la nature, qui nous a appris presque tout ce que nous savons... Supprimez tous les symboles sensibles ; et le reste bientôt se réduira à un galimatias métaphysique, qui prendra autant de formes et de tournures bizarres qu'il y aura de têtes. Que l'on m'accorde pour un instant que tous les hommes devinssent aveugles, et je gage qu'avant qu'il soit dix ans ils disputent et s'exterminent à propos de la forme, de l'effet et de la couleur des êtres les plus familiers de l'univers (S.A. II, 184).

De nouveau un écho de la *Lettre sur les aveugles* et de la *Lettre sur les sourds et muets* se fait entendre.

Cependant, la « grande manière » dans la peinture religieuse avait sa contre-partie dans un genre qui nous intéresse très particulièrement — l'étude de l'expression. Des tableaux tels que la *Conversion de Saint Paul*, et le *Saint Jérôme écrivant sur la mort*, tous les deux de Deshays ; le *Saint Grégoire*, et même la *Chaste Suzanne*, de Carle Van Loo visent à un effet frappant par l'expression des personnages représentés. L'élément narratif de la composition est moins important que la peinture d'un sentiment fort. Il n'y a guère besoin d'insister sur le fait que les attitudes de la piété et les événements de l'histoire biblique se prêtent tout naturellement à cet exercice.

Dans cet « art du portrait religieux », c'est le détail, utilisé dans la représentation de l'expression extraordinaire, qui retient l'attention de Diderot. Ses préférences vont toujours vers le mouvement, mais il s'agit ici du mouvement capté sur un seul visage ou rendu par l'attitude du personnage qui fait le sujet de la composition :

> On voit dans le tableau de Deshays Saul renversé sur le devant du tableau ; ses pieds sont tournés vers le fond ; sa tête est plus basse que le reste de son corps ; il se soutient sur une de ses mains qui touche la terre ; son autre bras élevé semble chercher à garantir sa tête, et ses regards sont attachés sur le lieu d'où vient le péril (S.A. II, 97).

Le *Saint Jérôme*, du même peintre, était moins réussi (S.A. II, 97-98), et La Grenée, dans son *Sacrifice de Jephté*, avait manqué de feu au moment décisif dans l'inspiration de son œuvre :

> Beau sujet, mais qui demande un poëte moins sage, plus enthousiaste que La Grenée... Mais ce Jephté ne manque pas d'expression... Il est vrai ; mais a-t-il celle d'un père qui égorge sa fille ? Croyez-vous que si, ayant posé sur la poitrine de sa fille une main qui dirigeât le coup, prêt à enfoncer le poignard qu'il tiendrait de l'autre main, il eût les yeux fermés, la bouche serrée, les muscles du visage convulsés, et la tête tournée vers le ciel, il ne serait pas plus frappant et plus vrai ? (S.A. II, 92).

La *Chaste Suzanne* avait posé un beau problème d'expression à Carle Van Loo. Comment représenter, tout en gardant une certaine vraisemblance équilibrée, le désir, la passion, sur les visages des deux vieillards, avec l'émoi, mêlé de pudeur propre à Suzanne ? Pour Diderot, cette tâche difficile semblait à moitié réussie. Suzanne elle-même fait preuve d'une expressivité qui ne laisse aucun doute sur l'état de son âme et de son esprit :

> Ses yeux, tournés vers le ciel, en appellent du secours ; son bras gauche retient les linges qui couvrent le haut de ses cuisses ; sa main droite écarte, repousse le bras gauche du vieillard qui est de ce côté. La belle figure ! la position en est grande ; son trouble, sa douleur, sont fortement exprimés ; elle est dessinée de grand goût ; ce sont des chairs vraies, la plus belle couleur, et tout plein de vérités de nature répandues sur le cou, sur la gorge, aux genoux (S.A. II, 64).

Par contre, les deux vieillards ne manifestent que froidement leurs sentiments :

> Le vieillard qui est à gauche est vu de profil ; il a la jambe gauche fléchie, et de son genou droit il semble presser le dessous de la cuisse de la Suzanne. Sa main gauche tire le linge qui couvre les cuisses, et sa main droite invite Suzanne à céder. Ce vieillard a un faux air d'Henri IV. Ce caractère de tête est bien choisi ; mais il fallait y joindre plus de mouvement, plus d'action, plus de désir, plus d'expression (S.A. II, 65).

Ce manque d'élan dans les détails porte préjudice à tout le tableau, car l'expression s'enrichit et se fortifie par des effets de contraste et d'harmonie :

> Plus de chaleur, plus de violence, plus d'emportement dans les vieillards, auraient donné un intérêt prodigieux à cette femme innocente et belle, livrée à la merci de deux vieux scélérats. Elle-même en aurait pris plus de terreur et d'expression ; car tout s'entraîne. Les passions sur la toile s'accordent et se désaccordent comme les couleurs. Il y a dans l'ensemble une harmonie de sentiments comme de tons. Les vieillards plus pressants, le peintre eût

147

senti que la femme devait être plus effrayée ; et bientôt ses regards auraient fait au ciel une tout autre instance (*ibid*).

De Carle Van Loo aussi, il y avait au Salon de 1765 sept *Esquisses pour la chapelle de Saint-Grégoire aux Invalides.* Vivement applaudies par les critiques (voir note historique S.A. II, 18), elles font l'objet d'un long commentaire de Diderot. Il les trouve à son goût non seulement à cause de cette idée ingénieuse de Van Loo qui a fait vieillir St. Grégoire dans chaque esquisse successive, mais à cause des questions de technique que pose l'esquisse elle-même.

Là où Diderot fulmine contre les lacunes de l'expression de tel ou tel peintre, les problèmes de la technique picturale sont toujours mis en cause. Les procédés complexes et l'action réciproque du dessin et du coloris peuvent travailler à l'encontre de l'inspiration libre et spontanée de l'artiste. Bien plus, la technique du peintre, si souvent approximative et lourde, s'érige en barrière entre l'enthousiasme de Diderot et l'expression « idéale » qu'il cherche à créer sur la page manuscrite. L'esquisse possède certaines qualités qui rendent cette difficulté moins aiguë.

Diderot s'étonne d'abord que les sept compositions de Van Loo ne soient considérées comme des tableaux achevés :

> Carle n'aurait laissé que ces esquisses, qu'elles lui feraient un rang parmi les grands peintres. Mais pourquoi les a-t-il appelées des esquisses ? Elles sont coloriées ; se sont des tableaux, et de beaux tableaux, qui ont encore ce mérite, que le regret de la main qui défaillit en les exécutant, se joint à l'admiration et la rend plus touchante (S.A. II, 67).

De plus, il n'y en a aucune qui donne lieu à une critique adverse. Etant donné le goût exigeant de Diderot en matière d'expression, et ses *réflexes d'iconoclastes*, les éloges qu'il formule à l'égard de l'esquisse sont bien dignes d'attention. Le passage suivant relève les points les plus saillants de son engouement :

Les caractères de têtes sont pris de la vie ordinaire et commune. Je les ai vus cent fois dans nos églises. Ils font foule, sans confusion. Ces expressions de visage et de dos sont tout à fait vraies. Voilà la tête qui convient au père commun des croyants. ...Voulez-vous que je vous dise une idée vraie, c'est que ces visages réguliers, nobles et grands, font aussi mal dans une composition historique qu'un bel et grand arbre, bien arrondi, dont le tronc s'élève sans fléchir, dont l'écorce n'offre ni rides, ni crevasses, ni gerçures, et dont les branches, s'étendant également en tout sens, forment une vaste cime régulière, ferait mal dans un paysage. Cela est trop monotone, trop symétrique. Tournez autour de cet arbre, il ne vous présentera rien de nouveau ; on l'a tout vu sous un aspect : c'est de tout côté l'image du bonheur et de la prospérité. Il n'y a point d'humeur ni dans cette belle tête, ni dans ce bel arbre. Comme ce cardinal de l'esquisse est attentif ! comme il regarde bien ! Le beau corps ! la belle attitude ! Qu'elle est naturelle et simple ! Ce n'est pas à l'Académie qu'on l'a prise ; et puis un intérêt un ; une action une (S.A. II, 69).

Si Diderot a loué sans réserve ces esquisses c'est que le dessin rapide, joint à un coloris sommaire, traduit dans un seul instant le mouvement et la vérité. Impression et expression se confondent : le contour de la figure humaine ou les traits du visage sont captés sur le vif et projetés par l'artiste dans un coup de pinceau. La simplicité s'allie ainsi à la rapidité pour pousser en avant l'imagination du spectateur. L'esquisse est, en fait, une sorte d'hiéroglyphe. Elle fait germer dans l'esprit une quantité d'images *possibles:* elle est à la fois définitive et suggestive.

Dans la peinture religieuse Diderot retrouve deux tonalités expressives. L'une inspire les « grands sentiments » par le groupement des personnages, par le choix d'un « moment » sublime ; l'autre se laisse surprendre le plus souvent dans la représentation d'une seule figure mise en relief par la nature de la composition.

Lorsque nous en venons à la prochaine catégorie de tableaux — c'est-à-dire les tableaux de genre — la dernière de ces tonalités prend une place dominante, et la technique de l'esquisse qui lui fait appui est d'autant plus significative. Dans le *Salon* de 1765, les éloges les plus ferventes sont réservées à Greuze, peintre sans lequel la critique d'art de Diderot resterait ignorée du grand public. Greuze est certainement le peintre qui a su traduire ce qui correspond le mieux, en termes picturaux, à la « sensibilité a fleur de peau » de Diderot. Les tableaux de Greuze ont tôt fait d'éveiller son enthousiasme, de flatter son goût de la technique habile et brillante. Mais à notre sens, leur signification est plus profonde. Les premières lignes du compte-rendu de 1765 font ressortir un fait auquel Diderot lui-même n'avait peut-être pas pensé lorsqu'il écrivit :

> Voici votre peintre et le mien, le premier qui se soit avisé, parmi nous, de donner les mœurs à l'art et d'enchaîner des événements d'après lesquels il serait facile de faire un roman (S.A. II, 144).

Au Salon de 1765, on trouvait des tableaux de Greuze tels que *La Mère Bien-aimée, Le Fils ingrat*, et *Le Mauvais Fils puni* — tous des groupes de personnages et tous applaudis par Diderot. Notons toutefois qu'il se contente d'en donner une belle description détaillée et enthousiaste. Le tableau qui l'avait vraiment retenu et qui éclaircit le sens de ces «événements d'après lesquels il serait facile de faire un roman » est la *Jeune Fille qui pleure son oiseau mort* (voir S.A. II, fig. 54). Ce sujet pathétique est tourné par Diderot en petit conte dialogué dont les premières phrases témoignent d'un rehaussement du ton expressif :

> La jolie élégie ! le charmant poëme ! la belle idylle que Gessner en ferait ! C'est la vignette d'un morceau de ce poëte. Tableau délicieux ! le plus agréable et peut-être le plus intéressant du Salon. La pauvre petite est de face ; sa tête est appuyée sur sa main gauche : l'oiseau mort est posé sur le bord supérieur de la cage, la tête pendante, les ailes traînantes, les pattes en l'air... la pauvre petite ! ah ! qu'elle est affligée ! Comme elles est naturellement placée ! que sa tête est belle ! qu'elle est également coiffée ! que son visage a d'expression ! Sa douleur est profonde ; elle est à son malheur, elle y est tout entière (S.A. II, 145).

150

La vraisemblance et la force de l'expression tiennent ici une place d'honneur. Mais Diderot ne reste pas longtemps dans les généralités, il en vient rapidement aux détails :

> O la belle main ! la belle main ! le beau bras ! Voyez la vérité des détails de ces doigts ; et ces fossettes et cette mollesse, et cette teinte de rougeur dont la pression de la tête a coloré le bout ce ces doigts délicats, et le charme de tout cela. On s'approcherait de cette main pour la baiser, si on ne respectait cette enfant et sa douleur (*ibid*).

Cette dernière phrase met un pont entre la description enthousiaste et l'engagement expressif. Le tableau émeut profondément la sensualité de Diderot : il éprouve le désir d'y « participer » de la même façon qu'il a voulu « assister » à la *Charité romaine* de La Grenée. La différence, c'est que le tableau de Greuze est bien plus équivoque du point de vue de la morale. Diderot en avait bien compris l'ambiguïté iconographique :

> Le sujet de ce petit poëme est si fin, que beaucoup de personnes ne l'ont pas entendu ; ils ont cru que cette jeune fille ne pleurait que son serin. Greuze a déjà peint une fois le même sujet, il a placé devant une glace fêlée une grande fille en satin blanc, pénétrée d'une profonde mélancolie. Ne pensez-vous pas qu'il y aurait autant de bêtise à attribuer les pleurs de la jeune fille de ce Salon à la perte d'un oiseau, que la mélancolie de la jeune fille du Salon précédent à son miroir cassé ? Cette enfant pleure autre chose, vous dis-je. D'abord, vous l'avez entendue, elle en convient ; et son afflication réfléchie le dit de reste. Cette douleur ! à son âge ! et pour un oiseau !... (S.A. II, 147).

C'est sur cette ambiguïté que le compte-rendu est fondé. Ce qui suit — le petit roman à l'état d'embryon — est mis ainsi dans la perspective d'un amoralisme délibéré. Le style du passage, surtout le maniement fort adroit du prétendu dialogue (*ibid)*, ne laisse rien à désirer, mais cette adresse même semble dépendre de l'ambiguïté morale du sujet. Il nous semble, en lisant ces quelques paragraphes, que la critique d'art est dépassée et que Diderot est au seuil d'un genre plus libre. La petite scène de genre de Greuze a déchaîné un torrent de détails expressifs qui s'accorderaient mieux avec un contexte moins rigide que le compte-rendu d'un tableau, et qui trouveront leur véritable place dans les œuvres romanesques de Diderot.

Les autres toiles exposées par Greuze au Salon de 1765 sont intéressantes surtout pour des questions de technique. Les portraits plaisent par leur « vérité ». Diderot est particulièrement touché par *Une Petite Fille qui tient un petit capucin de bois* (S.A. II, fig 50) :

> Quelle vérité ! quelle variété de ton ! Et ces plaques de rouge qui est-ce qui ne les a pas vues sur le visage des enfants, lorsqu'ils ont froid, ou qu'ils souffrent des dents ? Et ces yeux larmoyants, et ces menottes engourdies et gelées, et ces couettes de cheveux blonds, éparses sur le front, tout ébouriffées ; c'est à les remettre sous le bonnet, tant elles sont légères et vraies (S.A. II, 150).

Le portrait du graveur Wille est également loué pour ses qualités expressives :

> Très-beau portrait. C'est l'air brusque et dur de Wille ; c'est sa raide encolure ; c'est son œil petit, ardent, effaré ; ce sont ses joues couperosées. Comme cela est coiffé ! que le dessin est beau ! que la touche est fière ! quelles vérités et variétés de tons ! (S.A. II, 153).

Quant aux toiles qui rassemblent plusieurs personnages et qui font la scène de genre à la Greuze par excellence, c'est toujours le détail, le mouvement et l'anecdote que Diderot relève et dont il se montre très friand. Il est nécessaire de signaler toutefois que les trois compositions qui tombent dans cette catégorie : *La Mère bien-aimée*, *Le Fils ingrat* et *Le Mauvais Fils puni*, sont toutes des esquisses. En guise de préface à ses remarques sur *La Mère bien-aimée*, Diderot met au net ses idées sur ce procédé dont nous venons d'indiquer

l'importance à propos du *St. Grégoire* de Carle Van Loo
(voir p. 148 *supra*) :

> Les esquisses ont communément un feu que le tableau n'a pas.
> C'est le moment de chaleur de l'artiste, la verve pure, sans aucun
> mélange de l'apprêt que la réflexion met à tout ; c'est l'âme du
> peintre qui se répand librement sur la toile. La plume du poëte,
> le crayon du dessinateur habile, ont l'air de courir et de se jouer.
> La pensée rapide caractérise d'un trait ; or, plus l'expression des
> arts est vague, plus l'imagination est à l'aise. Il faut entendre
> dans la musique vocale ce qu'elle exprime. Je fais dire à une
> symphonie bien faite presque ce qu'il me plaît ; et comme je sais
> mieux que personne la manière de m'affecter, par l'expérience que
> j'ai de mon propre cœur, il est rare que l'expression que je donne
> aux sons, analogue à ma situation actuelle, sérieuse, tendre ou
> gaie, ne me touche plus qu'une autre qui serait moins à mon choix.
> Il en est à peu près de même de l'esquisse et du tableau. Je vois
> dans le tableau une chose prononcée : combien dans l'esquisse y
> supposé-je de choses qui y sont à peine annoncées ! (S.A. II, 153-
> 154).

De nouveau, et cette fois-ci en parlant uniquement de la
technique picturale, Diderot insiste sur la valeur d'une grande
mesure de liberté pour l'individu, et dans l'expression et dans
l'interprétation de l'œuvre d'art.

Nous ne saurions quitter la peinture de genre sans parler
de Boucher et de Baudouin. Les critiques dont Diderot accable
le premier n'ont guère diminué depuis le *Salon* de 1763 :

> Je ne sais que dire de cet homme-ci. La dégradation du goût,
> de la couleur, de la composition, des caractères, de l'expression,
> du dessin, a suivi pas à pas la dépravation des mœurs. Que voulez-
> vous que cet artiste jette sur la toile ? ce qu'il a dans l'imagination ;
> et que peut avoir dans l'imagination un homme qui passe sa vie
> avec des prostituées du plus bas étage ? (S.A. II, 75).

Pour le second, qui était lié de parenté avec Boucher (voir
note de Grimm, A.-T., X, 337), et qui partageait très clairement l'inspiration « amorale » de son beau-père, Diderot est
moins sévère. Des sujets comme *Le Lever* (S.A. II, 138), une

Petite Idylle galante et *La Fille éconduite (ibid)* sont traités avec indulgence uniquement à cause de leur contenu anecdotique. Diderot avoue que

> Greuze s'est fait peintre, prédicateur des bonnes mœurs ; Baudoin, peintre, prédicateur des mauvaises ; Greuze peintre de famille et d'honnêtes gens, Baudoin peintre de petites-maisons et de libertins : mais heureusement il n'a ni dessin, ni génie, ni couleur ; et nous avons du génie, du dessin, de la couleur, et nous serons les plus forts (S.A. II, 140).

Le tableau qui a donné lieu à cette réflexion a pour titre, dans le livret, *Les Enfants trouvés dans l'église de Notre Dame.* Diderot, pour son compte-rendu, l'a changé en ajoutant des détails : *La Fille qui Reconnaît son enfant à Notre-Dame parmi les enfants trouvés, ou La Force du sang.* Le titre même est une tentative d'élaboration, et le compte-rendu devient rapidement un prétexte à digression romanesque. Vers la fin du récit, la toile de Baudouin est oubliée et Diderot se met à conter la petite scène du fiacre, du moine et des trois filles qu'il intégrera, dix années plus tard, dans *Jacques le fataliste* (voir A.-T., X, 336, n. 2, et cf A.-T., VI, 193).

L'anecdote, lorsqu'elle est exprimée avec vigueur, semble dégagée des strictes considérations de la morale. Plus exactement, l'anecdote, et nous pensons aussi à l'anecdote que Diderot compose lui-même au sujet de tel ou tel tableau, parvient à son propre moralisme. Le célèbre «tic moralisant» de Diderot est, dans sa critique d'art, bien plus qu'une insistance sur le bonheur de la Vertu un panégyrique constant du Bon. Il est subordonné bien souvent à l'expression qui, appuyée par des procédés techniques comme l'esquisse, est capable de le transformer en amoralisme explicite.

L'on ne saurait douter que la peinture en général est, pour Diderot, un moyen d'enseigner le Bon ; mais lorsque l'expression picturale atteint une certaine force, alors le canon rigide de la morale s'interprète d'une façon fort variable, suivant l'élan d'enthousiasme qui s'empare de notre auteur au moment même où il jette ses idées sur la feuille manuscrite.

En suivant le fil de l'expression à travers différentes catégories de tableaux, de la peinture d'histoire jusqu'aux scènes de genre, nous constatons que c'est la représentation de la figure humaine qui a fourni à notre étude sa matière de base. L'expression est avant tout la peinture d'un « état d'âme », mais l'un des buts de notre enquête est d'élargir ce principe et de trouver dans quelle mesure Diderot a su déceler dans sa critique d'art la place de l'expression par rapport à la peinture de l'objet inanimé.

Le peintre qui vient à l'esprit dans le contexte est naturellement Chardin. C'est Chardin qui a révélé à Diderot la « chimie » du pigment (voir supra, *Salon* de 1763) et qui, dans ses toiles, a soufflé à la Nature Morte une vérité qui dépasse celle que nous appellerions une vérité photographique. Dans le *Salon* de 1765, les éloges de Diderot portent toujours sur des questions de technique :

> Le faire de Chardin est particulier. Il a de commun avec la manière heurtée, que de près on ne sait ce que c'est, et qu'à mesure qu'on s'éloigne l'objet se crée, et finit par être celui de la nature même. Quelquefois aussi, il vous plaît presque également de près et de loin. Cet homme est au-dessus de Greuze de toute la distance de la terre au ciel, mais en ce point seulement. Il n'a point de manière ; je me trompe, il a la sienne. Mais puisqu'il a une manière sienne, il devrait être faux dans quelques circonstances, et il ne l'est jamais. Tâchez, mon ami, de vous expliquer cela. Connaissez-vous en littérature un style propre à tout ? Le genre de peinture de Chardin est à la vérité le plus facile ; mais aucun peintre vivant, pas même Vernet n'est aussi parfait dans le sien (S.A. II, 114).

Si nous mettons ce passage à côté d'un autre qui ouvre la section sur Chardin, nous croyons déceler ce que l'on pourrait nommer un trait d'expression «universalisante» :

> Chardin est si vrai, si vrai, si harmonieux, que quoiqu'on ne voie sur sa toile que la nature inanimée, des vases, des bouteilles, du

pain, du vin, de l'eau, des raisins, des fruits, des pâtés, il se soutient et peut-être vous enlève à deux des plus beaux Vernet, à côté desquels il n'a pas balancé de se mettre. C'est, mon ami, comme dans l'univers, où la présence d'un homme, d'un cheval, d'un animal, ne détruit point l'effet d'un bout de roche, d'un arbre, d'un ruisseau. Le ruisseau, l'arbre, le bout de roche intéressent moins sans doute que l'homme, la femme, le cheval, l'animal ; mais ils sont également vrais. (S.A. II, 111).

Dans l'extrême simplicité des compositions de Chardin, Diderot retrouve un genre d'expression qui s'adapte à toute circonstance, qui ne change pas suivant le point de vue du spectateur, et qui fait l'identité même du peintre qui l'a exécuté. Ce « faire » de Chardin n'a pourtant rien de théorique ni d'apprêté. Il est ancré très fermement dans le monde matériel qu'il semble imprégner de toutes parts et d'où, réciproquement, il tire sa substance. L'on ne saurait parler d'expressionnisme chez Chardin, sauf dans ce sens très particulier de la représentation qui vise non pas les apparences de l'objet mais la structure même de la matière.

L'expression de Chardin est fort éloignée de celle que nous avons pu relever chez Fragonard, par exemple ; comme Diderot l'a bien senti, elle est éloignée aussi de l'expression de Greuze. Au lieu du mouvement, des visages torturés, d'un amas de détails, Chardin isole sur la toile un petit nombre de formes qui semblent fixées à jamais et depuis toujours dans un « moment » de fraîcheur et d'actualité. C'est dans les toiles de Chardin, et à travers cette expression de l'objet inanimé, que Diderot reconnaît quelques traits les plus saillants de son propre *credo* philosophique.

Sur cette note, se terminera l'examen du *Salon* de 1765. L'expression « matérielle » de Chardin nous mène à une autre catégorie de tableaux — celle des paysages — que nous préférons considérer dans un contexte qui en fait ressortir toute l'importance. En rédigeant son *Salon* suivant, celui de 1767, Diderot prit conscience de l'expression qui ne dépend pas exclusivement de la représentation des passions humaines, mais qui agit de concert avec elle pour créer ce « monde où l'on peut aller » dont nous avons déjà parlé.

* * *

Les *Essais sur la peinture*

Autour de ce petit ouvrage que Diderot présente en guise d'appendice au *Salon* de 1765, il s'est créé une légende. Les idées esthétiques de notre auteur, et en particulier celles qui touchent à la peinture, sont diffuses, fort variables, souvent contradictoires. De plus, elles s'étalent sur toute son œuvre. Pour ces raisons, les *Essais sur la peinture* ont tôt fait de prendre aux yeux des commentateurs littéraires, les allures d'un acte de foi auquel s'ajoutait l'agrément d'une prétendue synthèse. A divers moments, l'importance des *Essais* a paru dépasser même les bornes des études diderotiennes pour aller combler une lacune dans le domaine général de la philosophie du Beau. Tourneux cite un long passage de la *Décade philosophique* (numéro du 30 janvier 1796, t. VIII) dont nous donnons à notre tour un extrait pour rappeler l'accueil que l'on fit aux *Essais* dès leur publication :

Il est évident qu'une bonne théorie de tous les beaux-arts, ou de tous les genres d'imitation, une fois trouvée, le *Traité du Beau* serait bien avancé. Mais ce qui n'est pas moins certain, c'est que ces deux sujets, sur lesquels la plupart des littérateurs n'ont dit que des choses vagues, et qui ne portent aucune lumière dans l'esprit, ne peuvent être approfondis que par un philosophe, qui réunisse à des connaissances très diverses et à une sagacité peu commune, un goût pur et sévère, un sentiment exquis du beau et une étude réfléchie des grands modèles comparés entre eux. Diderot, qui, depuis plusieurs années, avait tourné toutes ses observations, toutes ses pensées vers cette matière abstraite, me paraît l'avoir considérée sous son vrai point de vue et dans tous ses rapports (A.-T., X, 458).

Et du moment où Schiller a écrit à Goethe la lettre suivante, la réputation de l'œuvre était faite :

> Je suis tombé par hasard, hier, sur Diderot qui m'enchante vraiment et qui a mis en branle les profondeurs de mon esprit. Chacun de ses aphorismes, ou peu s'en faut, est un éclair qui illumine les secrets de l'art et ses observations découlent si bien de ce que l'art a de plus haut et de plus intime qu'elles valent également pour tout ce qui s'y rapporte et qu'elles constituent des indications aussi bien pour le poète que pour le peintre. Si l'ouvrage ne vous appartient pas personnellement et qu'il me soit impossible de le conserver plus longtemps ou de le ravoir, je vais me le commander (lettre du 12 décembre 1796, citée par Roland Mortier, *op. cit.* p. 309-310).

M. Roland Desné, dans son Introduction à l'édition la plus récente des *Essais* [1], relève les éloges de Goethe et de Schiller, en affirmant lui aussi que

> Les *Essais* se présentent comme un magistral traité de peinture et offrent l'exemple, unique ou tout au moins rarissime, d'un écrivain d'art capable, même lorsque l'émotion l'entraîne, d'aborder et d'étudier les problèmes plastiques d'un point de vue dialectique (*Essais sur la peinture*, édit. cit., p. 13).

Sans vouloir sous-estimer la valeur de cette dernière remarque, nous croyons nécessaire d'apporter des réserves à une réputation qui est, à notre avis, quelque peu surfaite.

Après une lecture des quatre *Salons* qui vont de 1759 à 1765, l'on arrive aux *Essais sur la peinture* avec un certain espoir. C'est ici que le lecteur compte trouver des définitions, qu'il s'attend à voir réduits à leurs traits essentiels les divers aspects de la technique picturale. La seule envergure de la critique manifestée dans le *Salon* de 1765 porte à croire que Diderot a acquis une expérience suffisante pour lui permettre de préciser ses idées sur la peinture. Malheureusement, il se révèle à l'analyse un décalage marqué entre Diderot critique

---

[1] *Essais sur la peinture*, introduction par Jean Pierre, textes établis et commentés par Roland Desné, Paris, Editions Sociales, 1955.

et Diderot théoricien des arts plastiques. Les *Essais* sont engageants, certes, par leur style décontracté et fluide. Il nous semble non moins vrai que pour une fois Diderot s'est laissé trahir par sa fantaisie et sa désinvolture. Nous sommes plus que conscients de l'attention que l'on doit prêter à son récit lorsque le ton philosophisant en est absent, mais à notre sens les *Essais* pèchent par un effort de synthèse qui est soutenu par un style *volontairement* léger. Les en-tête des chapitres indiquent clairement ce mélange curieux :

I   « Mes pensées bizarres sur le dessin »
II   « Mes petites idées sur la couleur »
III   « Tout ce que j'ai compris de ma vie du clair-obscur »
IV   « Ce que tout le monde sait sur l'expression, et quelque-chose que tout le monde ne sait pas » etc.

Il nous semble raisonnable de croire qu'en 1765, Diderot savait très bien que le dogme, et même le jugement stable et fixe, étaient profondément étrangers à son génie littéraire. De plus, et la rédaction du *Salon* de 1765 le lui avait certainement prouvé, il savait que l'expression de ses idées ne pourrait jamais se plier à la règle et à l'ordre. Si le compte-rendu d'un tableau l'avait mené des dizaines de fois à la digression, à la « substitution » picturale, au dialogue imaginaire, aux formes primitives du conte même, doit-on s'étonner que Diderot ait trouvé du mal à formuler nettement ses notions de la *théorie* esthétique ?

Les *Essais sur la peinture* ne sont en fait qu'un résumé approximatif des idées que Diderot exprime avec bien plus de force et souvent avec une conviction bien plus frappante dans les *Salons*. Nous ne croyons pas exagérer en affirmant que la pratique et la méthode expérimentale dans la critique d'art avaient rendu abstractions et formules non pas telle-ment superflues mais impossibles à exprimer. Les *Essais* se présentent comme une sorte de devoir agréable — ils sont même annoncés comme tel (voir supra p. 126) — que Diderot croyait nécessaire afin de donner une allure plus «respectable» à son travail de salonnier.

Ayant fait ces réserves, nous nous empressons d'ajouter que les *Essais* sont très loin d'être sans valeur aucune. Même s'ils ne fournissent pas une réponse à toutes les questions que pose l'esthétique de Diderot, nous ne pouvons pas ignorer que certaines idées sont un reflet fidèle des principes découverts par Diderot lors de ses visites à l'exposition. Chose plus importante encore pour notre étude, les *Essais* sont le seul ouvrage de Diderot où l'on trouve un chapitre consacré à l'expression en peinture.

Notre examen des *Essais* sera divisé en deux parties. Il nous paraît important de dégager en premier lieu les idées sur l'expression qui sont parsemées dans presque toute l'œuvre, et ensuite de faire une analyse détaillée du chapitre IV, « Ce que tout le monde sait sur l'expression, et quelque chose que tout le monde ne sait pas. » A ce chapitre nous ajouterons quelques détails tirés du chapitre V où Diderot parle de la composition, mais où il est question aussi de l'expression.

Diderot commence son traité par une considération du dessin qui est, en réalité, une tentative de fixer les principes de la représentation picturale. Dès le premier paragraphe, nous sommes frappés par un courant déterministe qui reparaîtra comme leitmotiv dans tout l'ouvrage :

La nature ne fait rien d'incorrect. Toute forme, belle ou laide, a sa cause ; et, de tous les êtres qui existent, il n'y en a pas un qui ne soit comme il doit être (A.-T., X, 461).

Encore, Diderot insiste sur le fait que

Si les causes et les effets nous étaient évidents, nous n'aurions rien de mieux à faire que de représenter les êtres tels qu'ils sont. Plus l'imitation serait parfaite et analogue aux causes, plus nous en serions satisfaits (A.-T., X, 462).

160

Toutefois, c'est en considérant la représentation de l'imperfection et de l'anormalité que Diderot trouve les exemples frappants qui soutiennent son hypothèse :

Tournez vos regards sur cet homme, dont le dos et la poitrine ont pris une forme convexe. Tandis que les cartilages antérieurs du cou s'allongeaient, les vertèbres postérieures s'en affaissaient ; la tête s'est renversée, les mains se sont redressées à l'articulation du poignet, les coudes se sont portés en arrière, tous les membres ont cherché le centre de gravité commun, qui convenait le mieux à ce système hétéroclite ; le visage en a pris un air de contrainte et de peine. Couvrez cette figure ; n'en montrez que les pieds à la nature ; et la nature dira, sans hésiter : — Ces pieds sont ceux d'un bossu (A.-T., X, 461-462).

L'expression en tant que libre jeu de l'imagination artistique ne semble pas trouver une grande place ici. C'est la vérité rigoureuse qui fera le critère du tableau, et afin d'y parvenir, le peintre doit scruter sans cesse les détails et les mouvements de la nature. La dernière partie du chapitre est consacrée à une dénonciation de ce que Diderot appelle la manière. Le faux et l'apprêté ne s'imitent que trop facilement : pour les éviter, l'artiste étudiera les détails de la vie, et surtout ses *mouvements* :

Cent fois j'ai été tenté de dire aux jeunes élèves que je trouvais sur le chemin du Louvre, avec leur porte-feuille sous le bras : — Mes amis, combien y a-t-il que vous dessinez là ? Deux ans. Eh bien ! c'est plus qu'il ne faut. Laissez-moi cette boutique de *manière*. Allez-vous-en aux Chartreux ; et vous y verrez la véritable attitude de la piété et de la componction. C'est aujourd'hui veille de grande fête : allez à la paroisse, rôdez autour des confessionnaux, et vous y verrez la véritable attitude du recueillement et du repentir. Demain, allez à la guinguette, et vous verrez l'action vraie de l'homme en colère. Cherchez les scènes publiques ; soyez observateurs dans les rues, dans les jardins, dans les marchés, dans les maisons, et vous y prendrez des idées justes du vrai mouvement dans les actions de la vie (A.-T., X, 465-466).

161

Si nous passons du chapitre du dessin à celui de la couleur, la part de l'expression devient plus grande. Nous avons déjà remarqué, en parlant du *Salon* de 1763 (voir supra p. 120 sqq.), que les qualités affectives de la couleur sont considérées par Diderot comme éléments servant d'appui à l'expression. Maintenant, ses jugements s'inscrivent dans une perspective plus large :

> C'est le dessin qui donne la forme aux êtres ; c'est la couleur qui leur donne la vie. Voilà le souffle divin qui les anime (A.-T., X, 468).

De plus, le rapport significatif est établi entre la couleur et l'expression poétique :

> On ne manque pas d'excellents dessinateurs ; il y a peu de grands coloristes. Il en est de même en littérature ; cent froids logiciens pour un grand orateur ; dix grands orateurs pour un poëte sublime (*ibid.*).

Quelques lignes plus loin, nous trouvons comme illustration cette petite scène d'un peintre qui s'exprime physiquement en appliquant des couleurs sur la toile :

> Celui qui a le sentiment vif de la couleur, a les yeux attachés sur sa toile ; sa bouche est entr'ouverte ; il halète ; sa palette est l'image du chaos. C'est dans ce chaos qu'il trempe son pinceau ; et il en tire l'œuvre de la création... (*ibid.*).

Dans une phrase isolée (et elles sont nombreuses dans les *Essais sur la peinture*), Diderot semble prêt à élaborer ses idées sur l'expression qui sert à identifier l'artiste :

> Soyez sûr qu'un peintre se montre dans son ouvrage d'autant et plus qu'un littérateur dans le sien (A.-T., X, 469).

Mais il en reste là, et traite ensuite des variations que subissent les couleurs d'un tableau, suivant les particularités de la vue ou du caractère du peintre :

L'artiste triste, ou né avec un organe faible, produira une fois un tableau vigoureux de couleur ; mais il ne tardera pas à revenir à son coloris naturel.

Encore un coup, si l'organe est affecté, quelle que soit son affection, il répandra sur tout les corps, interposera entre eux et lui une vapeur qui flétrira la nature et son imitation (*ibid.*).

De nouveau, un courant déterministe et une plaidoirie pour la représentation « vraie » s'emparent du récit :

En général donc, l'harmonie d'une composition sera d'autant plus durable que le peintre aura été plus sûr de l'effet de son pinceau ;...

Rien, dans un tableau, n'appelle comme la couleur vraie ; elle parle à l'ignorant comme au savant. Un demi-connaisseur passera sans s'arrêter devant un chef-d'œuvre de dessin, d'expression, de composition ; l'œil n'a jamais négligé le coloriste (A.-T., X, 470).

Diderot ne paraît guère disposé à faire grand cas des subtilités du coloris découvertes lors de ses visites au Salon. Il se contente de parler des difficultés qu'éprouve l'artiste qui cherche à rendre les effets subtils de la chair humaine (A.-T. X, 473), et nous fait savoir que tout artiste adopte en partie le coloris de ses maîtres. On s'attend à voir Chardin cité comme modèle idéal.

Voilà l'origine de tant de faux coloris ; celui qui copiera d'après La Grenée copiera éclatant et solide ; celui qui copiera d'après Le Prince sera rougeâtre et briqueté ; celui qui copiera d'après Greuze sera gris et violâtre ; celui qui étudiera Chardin sera vrai (A.-T. X, 470)

C'est à la fin du chapitre que Diderot réserve ses observations sur « la couleur de la passion » :

Mais j'allais oublier de vous parler de la couleur de la passion ; j'étais pourtant tout contre. Est-ce que chaque passion n'a pas la sienne ? Est-elle la même dans tous les instants d'une passion ? La couleur a ses nuances dans la colère. Si elle enflamme le visage, les yeux sont ardents ; si elle est extrême, et qu'elle serre le cœur au lieu de le détendre, les yeux s'égarent, la pâleur se répand sur le front et sur les joues, les lèvres deviennent tremblantes et blanchâtres (A.-T., X, 473).

Si chaque nuance de la passion humaine a sa propre couleur, alors la mise en image de cette passion exigera l'emploi d'une gamme chromatique infinie. Posé de cette façon, le problème de l'expression se révèle dans toute sa complexité. Diderot n'ose même pas formuler une réponse :

Ah ! mon ami, quel art que celui de la peinture ! J'achève en une ligne ce que le peintre ébauche à peine en une semaine ; et son malheur, c'est qu'il sait, voit et sent comme moi, et qu'il ne peut rendre et se satisfaire ; c'est que le sentiment le portant en avant, le trompe sur ce qu'il peut, et lui fait gâter un chef-d'œuvre : il était, sans s'en douter, sur la dernière limite de l'art (*ibid.*).

Le clair-obscur, comme la couleur, est un aspect de la technique picturale qui aide beaucoup à l'expression. Dans le second paragraphe du troisième chapitre des *Essais*, Diderot se réfère à une composition dont les qualités expressives ont fait naître une longue digression dans le *Salon* de 1765 (voir supra p. 140 sqq.). Il s'agit du *Corésus et Callirhoé* de Fragonard :

On appelle un effet de lumière, en peinture, ce que vous avez vu dans le tableau de *Corésus*, un mélange des ombres et de la lumière, vrai, fort et piquant : un moment poétique, qui vous arrête et vous étonne (A.-T., X, 474).

Et ce moment d'étonnement sera plus fort encore si les effets de la couleur viennent se joindre à ceux du clair-obscur :

Si, dans un tableau, la vérité des lumières se joint à celle de la couleur, tout est pardonné, du moins dans le premier instant. Incorrections de dessin, manque d'expression, pauvreté de caractères, vices d'ordonnance, on oublie tout ; on demeure extasié, surpris, enchaîné, enchanté (A.-T., X, 474-475).

Comme le dessin «vrai» et la couleur «vivante», le clair-obscur frappant ne peut être réussi qu'après une observation longue et minutieuse de la nature. Et Diderot lui-même, en tant que spectateur, sera bien plus disposé à participer à la composition si le clair-obscur y est employé pour donner une ambiance de mystère et, osons le dire, de romantisme :

> La vue d'un torrent, qui tombe à grand bruit à travers des rochers escarpés qu'il blanchit de son écume, me fera frissonner. Si je ne le vois pas, et que j'entends au loin son fracas, — C'est ainsi, me dirai-je, que ces fléaux si fameux dans l'histoire ont passé : le monde reste, et tous leurs exploits ne sont plus qu'un vain bruit qui m'amuse. — Si je vois une verte prairie, de l'herbe tendre et molle, un ruisseau qui l'arrose, un coin de forêt écarté qui me promette du silence, de la fraîcheur et du secret, mon âme s'attendrira ; je me rappellerai celle que j'aime : — Où est-elle ? m'écrierai-je ; pourquoi suis-je seul ici ? — Mais ce sera la distribution variée des ombres et des lumières qui ôtera ou donnera à toute la scène son charme général. Qu'il s'élève une vapeur qui attriste le ciel, et qui répande sur l'espace un ton grisâtre et monotone, tout devient muet, rien ne m'inspire, rien ne m'arrête ; et je ramène mes pas vers ma demeure (A.-T., X, 476).

Le chapitre des *Essais* qui touche à l'architecture n'intéresse pas notre étude de l'expression, et le « petit corollaire » que Diderot met à la fin de son ouvrage ajoute peu en effet à ce qu'il a dit ailleurs.

Nous passons donc au chapitre IV, où il nous semble possible de diviser les réflexions de Diderot sur l'expression en trois courants principaux. Nous voyons Diderot essayant de définir l'expression, de fixer le domaine où elle agit et où elle peut exister. Ensuite, l'expression est liée définitivement à l'art. Finalement, Diderot examine les manifestations techniques et matérielles de l'expression, les moyens par lesquels un sentiment peut se traduire en termes plastiques. Ces trois parties ne sont pas clairement séparées l'une de l'autre, et elles ne se présentent pas successivement dans le récit.

L'expression est en général l'image d'un sentiment (A.-T., X, 484).

La première phrase du chapitre énonce un principe qui n'a pas changé depuis la rédaction des *Pensées philosophiques*. La définition est liée aussitôt à l'esthétique par une autre phrase-dicton où l'on sent que Diderot est en train de formuler sa propre expression par le mouvement tâtonnant qui lui est habituel :

> Un comédien qui ne se connaît pas en peinture est un pauvre comédien ; un peintre qui n'est pas physionomiste est un pauvre peintre (*ibid.*).

Mais dans le brusque détour qui suit, nous voyons que la question de l'expression picturale a été abordée trop tôt. Diderot se croit obligé d'examiner l'expression dans son contexte le plus vaste :

> Dans chaque partie du monde, chaque contrée ; dans une même contrée, chaque province ; dans une province, chaque ville ; dans une ville, chaque famille ; dans une famille, chaque individu ; dans un individu, chaque instant a sa physionomie (*ibid.*).

L'expression est donc une chose omniprésente dans l'existence, non pas seulement de l'être humain, mais aussi de la matière. L'expression occupe chaque partie de la matière et s'insinue à chaque instant de la durée. Elle devient une représentation de l'élément qualitatif de tout objet dans le monde. Dans cette seule phrase le sens de l'expression « universalisante » devient plus clair, mais Diderot se rappelle qu'il parle de la peinture, que c'est l'expression humaine qui est de toute première importance. Son but est d'examiner la transformation des émotions en données perceptibles. Il se révèle ainsi que l'expression est un moyen de communication d'homme à homme, de communication entre l'être humain et son milieu :

> L'homme entre en colère, il est attentif, il est curieux, il aime, il hait, il méprise, il dédaigne, il admire, et chacun des mouvements

de son âme vient de peindre sur son visage en caractères clairs, évidents, auxquels nous ne nous méprenons jamais.
Sur son visage! Que dis-je? sur sa bouche, sur ses joues dans ses yeux, en chaque partie de son visage. L'œil s'allume, s'éteint, languit, s'égare, se fixe ; et une grande imagination de peintre est un recueil immense de toutes ces expressions. Chacun de nous en a sa petite provision ; et c'est la base du jugement que nous portons de la laideur et de la beauté (A.-T., X, 484-485).

L'expression est un moyen de communication : elle est aussi un moyen de former des jugements à la fois moraux et esthétiques :

Remarquez-le bien, mon ami ; interrogez-vous à l'aspect d'un homme ou d'une femme, et vous reconnaîtrez que c'est toujours l'image d'une bonne qualité, ou l'empreinte plus ou moins marquée d'une mauvaise qui vous attire ou vous repousse (A.-T., X, 485).
. . . .
Si l'âme d'un homme ou la nature a donné à son visage l'expression de la bienveillance, de la justice et de la liberté, vous le sentirez, parce que vous portez en vous-même des images ce ces vertus, et vous accueillerez celui qui vous annonce. Ce visage est une lettre de recommandation écrite dans une langue commune à tous les hommes (A.-T., X, 486).

Pourtant, les jugements et les goûts que nous dicte l'expression sont sujets aux vicissitudes de l'âge :

Qui est-ce qui a le bon goût? Est-ce moi à dix-huit ans? Est-ce moi à cinquante? La pression sera bientôt décidée. Si l'on m'eût dit à dix-huit ans ; — Mon enfant, de l'image du vice, ou de l'image de la vertu, qu'elle est la plus belle? Belle demande ! aurais-je répondu ; c'est celle-ci.
Pour arracher de l'homme la vérité, il faut à tout moment donner le change à la passion, en empruntant des termes généraux et abstraits. C'est qu'à dix-huit ans, ce n'était pas l'image de la beauté, mais la physionomie du plaisir qui me faisait courir (A.-T., X, 485-486).

Encore, l'expression est souvent déterminée par la nature ou bien par nous-mêmes :

167

On se fait à soi-même quelquefois sa physionomie. Le visage, accoutumé à prendre le caractère de la passion dominante, la garde. Quelquefois aussi on la reçoit de la nature ; et il faut bien la garder comme on l'a reçue. Il lui a plu de nous faire bons et de nous donner le visage du méchant ; ou de nous faire méchants et de nous donner le visage de la bonté (A.-T., X, 486).

Quelquefois c'est notre état dans la société qui impose son expression particulière :

J'ai vu au fond du faubourg Saint-Marceau, où j'ai demeuré longtemps, des enfants charmants de visage. A l'âge de douze à treize ans, ces yeux pleins de douceur étaient devenus intrépides et ardents ; cette agréable petite bouche s'était contournée bizarrement ; ce cou, si rond, était gonflé de muscles ; ces joues larges et unies étaient parsemées d'élévations dures. Ils avaient pris la physionomie de la halle et du marché. A force de s'irriter, de s'injurier, de se battre, de crier, de se décoiffer pour un liard, ils avaient contracté, pour toute leur vie, l'air de l'intérêt sordide, de l'impudence et de la colère (*ibid.*).

Diderot lui-même savait noter les petits détails de la vie, mais il a vite fait de les quitter et cède à une forte tentation de cataloguer les expressions :

Chaque état de la vie a son caractère propre et son expression.
. . . .
Dans la société, chaque ordre de citoyens a son caractère et son expression : l'artisan, le noble, le roturier, l'homme de lettres, l'ecclésiastique, le magistrat, le militaire (A.-T., X, 486-487).

Incapable d'étouffer son élan, Diderot pousse la liste des catégories à un point d'absurdité qui dépasse de loin celui qu'avait atteint Le Brun dans ses *Conférences*. Heureusement, on retombe sur un ton plus sensé lorsque Diderot explique comment l'artiste doit s'y prendre pour capter et à transformer en images ces multitudes d'expressions :

Il faut avoir étudié le bonheur et la misère de l'homme sous toutes les faces ; des batailles, des famines, des pestes, des inondations, des orages, des tempêtes ; la nature sensible, la nature inanimée, en convulsion (A.-T., X, 488).

Notons que l'artiste doit rechercher les incidents qui sont en eux-mêmes extraordinaires et expressifs. Au niveau du détail, et lorsqu'il s'agit de l'expression captée sur le visage, il faut que l'artiste choisisse une « belle tête » pour modèle :

Que votre tête soit d'abord d'un beau caractère. Les passions se peignent plus facilement sur un beau visage. Quand elles sont extrêmes, elles n'en deviennent que plus terribles. Les Euménides des Anciens sont belles, et n'en sont que plus effrayantes. C'est quand on est en même temps attiré et repoussé violemment qu'on éprouve le plus de malaises ; et ce sera l'effet d'une Euménide à laquelle on aura conservé les grands traits de la beauté (A.-T., X, 488).

Les effets maniérés, les « minauderies, la grimace, les petits coins de bouche relevés, les petits becs pincés » sont aussi néfastes pour l'expression que pour les autres aspects de la peinture, et le mot « académisme » est lancé par Diderot avec un point de mépris. (A.-T., X, 489).

Il nous semble important de suspendre ici notre analyse et de faire état de la dichotomie qui se manifeste si clairement dans les idées que Diderot formule à l'égard de l'expression picturale. D'une part il réclame l'étude du visage et de l'événement journalier, du détail qui exprime et qui détermine même la place de l'objet ou de l'être humain dans l'ordre *immuable* des choses. D'autre part, il exhorte l'artiste à puiser dans les recoins les plus mouvementés de son imagination, à s'inspirer des moments les plus turbulents de la vie et des vers les plus frappants du poète.

On serait tenté de faire appel au mot « naturel » pour établir une sorte de qualificatif commun aux deux tonalités expressives, si le naturel ne nous ramenait infailliblement à un jugement purement subjectif. L'idée géniale que Diderot met au début de son chapitre, là où il conçoit l'expression comme une identification de soi et de l'Autre, empêche le spectateur de faire un pas en arrière pour se dégager de l'expression picturale. L'expression, bien plus que le dessin, la couleur, le clair-obscur, la composition, s'interprète très diversement, selon le caractère individuel. En lisant le chapitre IV des *Essais,* nous ne pouvons faire que constater les deux tonalités expressives que Diderot entrevoyait dans la peinture, et dire qu'en général il préfère celle qui est mouvementée à celle qui est tranquille, l'effet extraordinaire à la représentation de l'événement journalier. Malgré les divisions, les catégories des expressions qu'il établit, c'est à une donnée assez insipide que l'on se voit obligé de réduire la théorie de notre auteur.

Heureusement, les théories paradoxales de Diderot ont une contre-partie bien plus significative au niveau de la pratique. Même si ses idées sur l'expression se contredisent, lorsque Diderot oublie le ton philosophisant pour « s'exprimer » au sujet de l'expression, nous décelons la forte note individuelle si caractéristique des *Salons.* Après cinq ou six pages consacrées à des idées disparates, le chapitre IV des *Essais* se ramasse et se consolide quand Diderot en vient à un sujet qui lui tient solidement à cœur :

Je ne saurais résister. Il faut absolument, mon ami, que je vous entretienne ici de l'action et de la réaction du poëte sur le statuaire ou le peintre ; du statuaire sur le poëte ; et de l'un et de l'autre sur les êtres tant animés qu'inanimés de la nature. Je rajeunis de deux mille ans pour vous exposer comment, dans le temps anciens, ces artistes influaient réciproquement les uns sur les autres ; comment ils influaient sur la nature même et lui donnaient une empreinte divine. Homère avait dit que Jupiter ébranlait l'Olympe du seul mouvement de ses noirs sourcils. C'est le théologien qui avait parlé ; et voilà la tête que le marbre exposé dans un temple avait à montrer à l'adorateur prosterné. La cervelle du sculpteur s'échauffait ; et il ne prenait la terre molle et l'ébauchoir que quand il avait conçu l'image orthodoxe (A.-T., X, 490).

170

La tâche de cataloguer chaque nuance de l'expression est peut-être impossible de par sa nature, mais selon Diderot il y a bien une autre façon de voir l'expression dans son rôle universalisant. L'expression peut toucher la conscience collective par la foi religieuse, par le sens d'une indentité commune à tous les hommes groupés dans une société :

Lorsque quelque circonstance permanente, quelquefois même passagère, a associé certaines idées dans la tête des peuples, elles ne s'y séparent plus ; et s'il arrivait à un libertin de retrouver sa maîtresse sur l'autel de Vénus, parce qu'en effet c'était elle, un dévot n'en était pas moins porté à révérer les épaules de son dieu sur le dos d'un mortel, quel qu'il fût. Ainsi, je ne puis m'empêcher de croire que, lorsque le peuple assemblé s'amusait à considérer des hommes nus aux bains, dans les gymnases dans les jeux publics, il y avait, sans qu'ils s'en doutassent, dans le tribut d'admiration qu'ils rendaient à la beauté, une teinte mêlée de sacré et de profane, je ne sais quel mélange bizarre de libertinage et de dévotion (A.-T., X, 491).

Les implications de ce passage sont grandes. Diderot veut faire de l'expression non pas un détail de l'art, un accessoire de la technique, mais la qualité qui relie l'homme à ses aspirations spirituelles les plus élevées. Par l'expression, l'homme accédera à la connaissance du Beau qui sera également le Bon et le Vrai. Le sentiment esthétique se met ainsi sur un pied d'égalité avec le sentiment religieux, et tout système de morale dicté par la religion sera formé en grande partie par l'expression artistique.

Naturellement, ce n'est pas à la religion chrétienne que Diderot pense, sauf avec un point de critique et d'amertume. C'était dans les civilisations antiques que l'expression pouvait atteindre son plein essor en s'intégrant à chaque partie de la conscience humaine :

C'étaient autant d'articles de la foi, autant de versets du symbole païen, consacrés par la poésie, la peinture et la sculpture. Lorsque nous voyons ces épithètes revenir sans cesse, si elles nous fatiguent et nous ennuient, c'est qu'il ne subsiste plus aucune statue, aucun temple, aucun modèle, auxquels nous puissions les rapporter. Le païen, au contraire, à chaque fois qu'il les retrouvait dans un poëte, rentrait d'imagination dans un temple, revoyait le tableau, se rappelait la statue qui les avait fournies (A.-T. X, 492).

Pour Diderot le monde antique représente un idéal, une sorte de rêve où morale et esthétique deviennent synonymes, où la pensée humaine et l'inspiration artistique sont manifestées dans toute leur vigueur sous des formes matérielles.

Le monde que Diderot connaissait en 1765 ne correspondait guère à son idéal :

> Si notre religion n'était pas une triste et plate métaphysique ; si nos peintres et nos statuaires étaient des hommes à comparer aux peintres et aux statuaires anciens (j'entends les bons ; car vraisemblablement ils en ont eu de mauvais, et plus que nous, comme l'Italie est le lieu où l'on fait le plus de bonne et de mauvaise musique) ; si nos prêtres n'étaient pas de stupides bigots ; si cet abominable christianisme ne s'était pas établi par le meurtre et par le sang ; si les joies de notre paradis ne se réduisaient pas à une impertinente vision béatifique de je ne sais quoi, qu'on ne comprend ni n'entend ; si notre enfer offrait autre chose que des gouffres de feux, des démons hideux et gothiques, des hurlements et des grincements de dents... etc. (A.-T., X, 492).

La tirade continue pour devenir de plus en plus animée. Diderot laisse couler son imagination en un flot de détails expressifs qui se cristallisent dans une image qui dépasse l'amoral pour toucher au blasphème :

> Si la vierge Marie avait été la mère du plaisir, ou bien, mère de Dieu, si c'eût été ses beaux yeux, ses beaux têtons, ses belles fesses, qui eussent attiré l'Esprit-Saint sur elle, et que cela fût écrit dans le livre de son histoire ; si l'ange Gabriel y était vanté par ses belles épaules ; si la Madeleine avait eu quelque aventure galante avec le Christ ; si, aux noces de Cana, le Christ entre deux vins, un peu non-conformiste, eût parcouru la gorge d'une des

172

filles de noce et les fesses de Saint Jean, incertain s'il resterait fidèle ou non à l'apôtre au menton ombragé d'un duvet léger : vous verriez ce qu'il en serait de nos peintres, de nos poëtes et de nos statuaites (A.-T., X, 493).

Avec ce moment de déchaînement, qui est bien plus fort que les moments iconoclastes des *Salons*, l'expressivité propre à Diderot dans les *Essais* est à son apogée. Aucun scrupule moral ne la retient plus : nous sentons que Diderot oublie même ses lecteurs pour s'abandonner complètement aux détails et aux mouvements frénétiques de sa harangue. Par la suite il retourne aux questions de technique, nouant quelques fils oubliés ailleurs dans le chapitre. Le détail expressif, par exemple, peut être multiplié et modifié de façon à le rendre clairement expressionniste :

L'expression se fortifie merveilleusement par ces accessoires légers, qui facilitent encore l'harmonie. Si vous me peignez une chaumière, et que vous placiez un arbre à l'entrée, je veux que cet arbre soit vieux, rompu, gercé, caduc, qu'il y ait une conformité d'accidents, de malheurs et de misère entre lui et l'infortuné auquel il prête son ombre les jours de fête (A.-T., X, 494).

Et ces détails s'arrangent et se composent pour créer dans l'imagination de Diderot une disgression romanesque qui fournit, à son tour, des réflexions philosophisantes et quasi-poétiques :

Presque tous les peintres de ruines vous montreront, autour de leurs fabriques solitaires, palais, villes, obélisques, ou autres édifices renversés, un vent violent qui souffle ; un voyageur qui porte son petit bagage sur son dos, et qui passe ; une femme courbée sous le poids de son enfant enveloppé dans des guenilles, et qui passe ; des hommes à cheval, qui conversent, le nez sous leur manteau, et qui passent. Qui est-ce qui a suggéré ces accessoires ? L'affinité des idées. Tout passe ; l'homme et la demeure de l'homme. ... C'est que les ruines sont un lieu de péril, et que la vie est un voyage, et le tombeau le séjour du repos ; c'est que l'homme s'assied où la cendre de l'homme repose (A.-T., X, 494-495).

173

Le chapitre V des *Essais* nous intéresse primordialement pour les idées qu'il contient sur l'expression et le «moment». Ce qui a déjà été énoncé dans la *Lettre sur les sourds et muets* ne change guère :

> Le peintre n'a qu'un instant ; et il ne lui est pas plus permis d'embrasser deux instants que deux actions. Il y a seulement quelques circonstances où il n'est ni contre la vérité, ni contre l'intérêt de rappeler l'instant qui n'est plus, ou d'annoncer l'instant qui va suivre (A.-T., X, 497).

Puisque Diderot a réussi lui-même à prolonger le moment expressif dans un sens littéraire, il conçoit une extension pareille sur la toile :

> Chaque action a plusieurs instants ; mais je l'ai dit, et je le répète, l'artiste n'en a qu'un dont la durée est celle d'un coup d'œil. Cependant, comme sur un visage où régnait la douleur et où l'on a fait poindre la joie, je retrouverai la passion présente confondue parmi les vestiges de la passion qui passe ; il peut aussi rester, au moment que le peintre a choisi, soit dans les attitudes, soit dans les caractères, soit dans les actions, des traces subsistantes du moment qui a précédé (A.-T. X, 499).

Mais l'essentiel pour l'expression dans la peinture, et après tant de détails nous nous trouvons obligés pour terminer cette analyse de réitérer une banalité gênante, est que la sensibilité de Diderot soit engagée au plus fort. Le problème de l'expression, sur le plan théorique qui est celui des *Essais sur la peinture*, se résume en quelques phrases :

> On peut, on doit en sacrifier un peu au technique. Jusqu'où ? je n'en sais rien. Mais je ne veux pas qu'il en coûte la moindre chose à l'expression, à l'effet du sujet. Touche-moi, étonne-moi, déchire-moi ; fais-moi tressaillir, pleurer, frémir, m'indigner d'abord ; tu récréeras mes yeux après si tu peux (A.-T., X, 499).

* * *

Le *Salon* de 1767 :

Le *Salon* le plus long de tous... et le plus riche [1].

Les *Salons* de 1765 et 1767 ont un caractère encyclopédique : Diderot se laisse emporter par la richesse de ses idées et déborde dans toutes les directions ; le sujet en question occupe parfois une place de troisième ordre [2].

Critiques et commentateurs sont unanimes pour trouver dans les *Salons* de 1765 et de 1767 l'expression la plus complète de la critique d'art de Diderot. Malheureusement, cette importance est trop souvent reconnue de façon automatique et aveugle. Les *Salons* de 1765 et de 1767 sont longs et riches, mais ils méritent plus que le rôle d'un fonds presque inépuisable de dictons et de phrases-clés. Nous ne devons pas oublier qu'ils sont le fruit d'une longue période de maturation dont les premiers *Salons* représentent une part considérable. Il importe de mentionner aussi que les *Salons* de 1765 et de 1767 ont chacun leur forme, leur dessein intérieur.

Lors de l'examen du *Salon* de 1765, ce dessein ne s'est pas montré facilement, et nous nous sommes permis d'en souligner les traits principaux en suivant les élans expressifs qui vont de pair avec les réactions d'un Diderot envers la hiérarchie des genres picturaux. L'on pourrait croire que, pour le *Salon* de 1767 notre tâche serait plus difficile encore. La nature diffuse de l'œuvre, les idées hétérogènes qu'elle renferme sont bien connues. Dans la rédaction de ses feuilles critiques, Diderot avait une année de retard [3], tellement il s'était laissé emporter par son sujet.

Dans ce *Salon*, Diderot s'est permis une grande liberté d'action. Nous avons souvent l'impression qu'il prolonge et

---

[1] *Salons*, édit. S. A., III, v.

[2] DIECKMANN, *Cinq Leçons sur Diderot, op. cit.*, p. 130.

[3] C'est dans une lettre à Sophie Volland, datée du 22 novembre 1768, que Diderot écrit : « Vous avez raison de regretter un peu la lecture de ce Sallon, car il y a, ma foi, d'assez belles choses, et d'autres moins sérieuses et plus amusantes » (ROTH, VIII, 230).

diversifie son récit avec la seule intention d'éviter un esprit de conformisme. Même en écrivant, il a tenu à garder une grande mesure de disponibilité envers les idées qui auraient pu lui venir à l'esprit, et c'est cette préoccupation, bien plus qu'un désir de commenter en détail chaque tableau de l'exposition, qui a donné à l'œuvre son envergure et sa puissance. Nous sommes tentés de croire que les *Essais sur la peinture* avaient donné une leçon à Diderot. En les rédigeant, il s'était débarrassé des formules, tout en restant conscient qu'il n'avait pas fait justice à son intention de « produire ses titres ». Bien au contraire, l'effort qu'il fait pour formaliser ses pensées en matière d'esthétique lui avait révélé les complexités et les profondeurs du problème. Nous avons vu comment cette réaction l'a conduit, dans les *Essais*, à des opinions relativistes ou déterministes qui ne sont en somme que des impasses.

Vers la fin du chapitre V des *Essais sur la peinture*, nous trouvons deux paragraphes qui semblent toucher, à première vue, uniquement à la question des genres en peinture, mais qui, à notre sens, annoncent clairement le nouvel esprit qui présidera à la réaction du *Salon* de 1767 :

Il me semble que la division de la peinture, en peinture de genre et peinture d'histoire, est sensée ; mais je voudrais qu'on eût peu plus consulté la nature des choses dans cette division. On appelle du nom de peintres de genre, indistinctement, et ceux qui ne s'occupent que des fleurs, des fruits, des animaux, des bois, des forêts, des montagnes, et ceux qui empruntent leurs scènes de la vie commune et domestique ; Téniers, Wouwermans, Greuze, Chardin, Loutherbourg, Vernet même, sont des peintres de genre. Cependant je proteste que le *Père qui fait la lecture* à sa famille, le *Fils ingrat*, et les *Fiancailles* de Greuze, que les *Marines* de Vernet, qui m'offrent toutes sortes d'incidents et de scènes, sont autant pour moi des tableaux d'histoires, que les *Sept Sacrements* du Poussin, la *Famille de Darius* de Le Brun, ou la *Suzanne* de Van Loo.

Voici ce que c'est. La nature a diversifié les êtres en froids, immobiles, non vivants, non sentants, non pensants, et en êtres qui vivent, sentent et pensent. La ligne était tracée de toute éternité : il fallait appeler *peintres de genre*, les imitateurs de la nature brute et morte ; *peintres d'histoire*, les imitateurs de la nature sensible et vivante ; et la querelle était finie (A.-T., X, 508).

Trois années plus tard, cette simple réflexion devient un principe, et le *Salon* de 1767 est conçu et exécuté dans une ambiance où la peinture sera considérée comme forme d'expression largement affranchie des considérations, auparavant bien lourdes, du sujet et du genre. Il serait vain de suggérer que dans le *Salon* de 1767, Diderot en vient aux prises pour la première fois avec l'essence de la peinture, mais il est certain qu'à cette date sa critique s'imprègne d'un esprit large auquel se joignent les remarques qu'un historien de l'art et d'un connaisseur formé. Dans le *Salon* de 1767, les idées esthétiques énoncées avec quelque peine dans les *Essais sur la peinture*, trouvent aisément leur place dans un récit qui coule, qui est naturel, qui est plus que jamais l'expression de Diderot lui-même.

Voilà le dessein général du *Salon* : sa forme particulière est celle que nous considérons typique de l'expression de Diderot à partir des *Pensées philosophiques*. Des réflexions philosophiques ou purement techniques mènent à une digression, à un dialogue, à un petit conte où l'image dramatique et romanesque sert de véhicule pour communiquer les idées les plus profondes de l'auteur.

De cette manière, un mouvement cyclique se fait sentir — mouvement qu'il nous semble possible de suivre à travers une dizaine de sections dans le récit. Comme d'habitude, Diderot s'adresse en premier lieu à Grimm pour introduire le texte et pour y établir le rapport personnel si nécessaire pour la libre expression des jugements qui vont suivre. Le *Salon* de 1767 a donc une Introduction (S.A. III, 52-65) à laquelle succède la première des sections critiques. A notre sens, chaque section se forme autour d'un noyau qui est invariablement un tableau ou un groupe de tableaux qui a laissé une forte impression sur la mémoire de Diderot. Rappelons que ce *Salon* fut écrit assez longtemps après l'exposition et dans des conditions particulières. Peu avant la fin de son récit, et au milieu d'une digression passionnante, Diderot s'écrie :

> Ah ! mon ami, le beau texte ! s'il m'était venu plus tôt ou que j'eusse eu le temps de m'espacer ; mais j'écris à la hâte. J'écris au milieu d'un troupeau d'importuns ; ils me troublent : ils m'empêchent de voir et de sentir ; ils s'impatientent, et moi aussi (S.A. III, 305).

Il s'est référé sans doute au livret de l'exposition, et il avait ses notes prises sur place, mais c'est le souvenir le plus vif de l'expérience picturale qui a dicté, en fin de compte, la forme expressive du *Salon*.

Sa première section est dominée par le *Saint Denis prêchant la foi en France*, de Vien [1], grande composition pleine de mouvement et de détails. (voir S.A. III, fig. 12). Ensuite, c'est le *Dauphin mourant* de La Grenée, qui donne lieu à une longue digression sur le thème *Ut pictura, poesis erit*. L'argument tourne au dialogue, puis à la polémique dans la *Satire contre le luxe à la manière de Perse* (A.-T., XI, 89-94). La troisième section du *Salon* est, pour notre étude, la plus importante et nous comptons l'examiner en détail. Elle est préfacée par une référence à Chardin et s'élabore dans la célèbre « promenade » de Vernet.

Entre cette section et celle qui sera consacrée à la seconde grande composition expressive, le *Miracle des Ardents* de Doyen, se trouve un entr'acte. Un coup d'œil superficiel jeté sur le texte de l'édition Assézat-Tourneux prouve clairement

---

[1] Il est intéressant de noter que les tableaux qui ont frappé le plus vivement Diderot sont souvent ceux qui étaient mis, à l'exposition, dans les positions les plus favorables. Les croquis de Saint-Aubin, qui montrent la dispositions des œuvres au Salon, nous fournissent à cet égard une indication fort utile. (Cf. S.A. III, figs. 1-4). Voir aussi E. DACIER, *Catalogues de ventes et livrets des Salons illustrés par Gabriel de Saint-Aubin*, Paris, 1909-21.

que Diderot arrange de plus en plus sa critique pour que celle-ci s'accorde au mieux avec ses propres goûts et avec son inspiration littéraire. La partie objective de son choix de peintres va toujours en s'affaiblissant, et il n'hésite pas à dire, à propos des œuvres de Francisque Millet :

Celui-ci, et la kyrielle d'artistes médiocres qui vont suivre, ne vous ruineront pas. On regrette le coup d'œil qu'on a jeté sur leurs ouvrages, la ligne qu'on écrit d'eux (S.A. III, 167).

Le *Miracle des Ardents* de Doyen fait pendant dans le *Salon* de 1767, comme à l'exposition, au *Saint Denis prêchant la foi en France* de Vien. De même, la description détaillée du tableau cède la place à une section où Diderot se sert du dialogue, du petit conte, d'un ton badin et léger (S.A. III, 191-221) avant d'en venir au sujet important. Celui-ci sera Hubert Robert, ses paysages et ses ruines (S.A. III, 221-249). Dix pages encore, celles-ci consacrées à une critique amusée des œuvres de Madame Therbouche, à des remarques sévères au sujet de Parrocel et de Brenet, et nous retrouvons Diderot en tête-à-tête passionné avec les paysages et les marines de Loutherbourg (S.A. III, 257-274).

A partir de ce point, le *Salon* de 1767 n'est guère plus qu'un catalogue, relevé par un petit recensement, l'*Etat actuel de l'Ecole française*, destiné à désennuyer le lecteur plutôt qu'à lui fournir des précisions utiles, et par un nouveau retour au thème du poète et du peintre (S.A. III, 301-306). Des artistes comme Deshays, Lépicié, Amand, Fragonard, Monnet, Restout et une foule d'autres, sont écartés à la légère ou bien avec quelques critiques dont le ton nous est déjà bien connu. Dans cette dernière section, il n'y a guère que Durameau (v. note historique, S.A. III, 39-40 et figs. 65 et 66) qui a su mériter les éloges de Diderot, et cela en raison de la vérité expressive que le peintre avait donnée à ses personnages.

179

Ces divisions dans le *Salon* de 1767 montrent que l'œuvre n'est pas un amas d'opinions critiques sans forme aucune. L'intérêt de Diderot se polarise autour des tableaux les plus expressifs qui, à leur tour, forment deux catégories bien distinctes.

Les compositions de Vien et de Doyen sont expressives dans la grande manière. Les sujets en sont élevés et il y a dans chaque tableau grand nombre de détails dont l'œil, l'imagination et les sentiments du spectateur peuvent se nourrir. Dans l'autre catégorie, et nous touchons ici au cœur du *Salon* de 1767, Diderot se montre préoccupé de paysages, de compositions où l'expression matérielle est tout aussi importante que l'expression humaine. Vernet, Loutherbourg et Hubert Robert sont les noms prééminents de ce *Salon*, et c'est dans la discussion de ces peintres que les débats esthétiques se poursuivent avec une vigueur intense.

Nous sommes fort conscients des dangers que l'on court en voulant trop simplifier la question de l'expression, et en mettant ce *Salon* sous l'égide de la synthèse, nous ne pensons aucunement affaiblir la portée des éléments constituants du problème qui se trouvent dans la critique des peintres autres que ceux dont nous faisons mention. Si le *Salon* de 1767 est long, il faut avouer que cela est souvent dû à des répétitions. Celles-ci ne font pas tort à Diderot — il faut tenir compte du fait que l'expérience esthétique était pour lui une expérience sans cesse renouvelée — mais nous avons préféré les passer sous silence et montrer ce que l'œuvre présente de neuf quant au problème de l'expression.

Considérons d'abord les remarques adressées à Grimm, qui servent d'Introduction. Le ton modeste qui ouvre le préambule (« Ne vous attendez pas, mon ami, que je sois aussi riche, aussi varié, aussi sage, aussi fou, aussi fécond cette fois que j'ai pu l'être aux Salons précédents » — S.A. III, 52) ne doit pas nous surprendre, mais une fois les politesses

terminées, Diderot fait une observation qui indique bien plus
sincèrement sa position vis-à-vis des peintres qu'il critique :

> Supposez-moi de retour d'un voyage d'Italie, et l'imagination
> pleine des chefs-d'œuvre que la peinture ancienne a produits dans
> cette contrée. Faites que les ouvrages des écoles flamande et
> française me soient familiers. Obtenez des personnes opulentes,
> auxquelles vous destinez mes cahiers, l'ordre ou la permission de
> faire prendre des esquisses de tous les morceaux dont j'aurai à les
> entretenir ; et je vous réponds d'un Salon tout nouveau. Les
> artistes des siècles passés mieux connus, je rapporterais la manière
> et le faire d'un moderne, au faire et à la manière de quelque
> ancien la plus analogue à la sienne ; et vous auriez tout de suite
> une idée plus précise de la couleur, du style et du clair-obscur
> (*ibid*).

Malgré la vaste expérience déjà acquise, Diderot se sent
limité dans ses observations. Il n'a point fait ce voyage
d'Italie, considéré comme indispensable à la connaissance des
arts au dix-huitième siècle [1] ; il ne fera la pleine découverte de
l'école hollandaise que cinq années plus tard, lors de son
voyage en Russie. Sur le plan pratique, il recule devant la
tâche de présenter des tableaux sans que les lecteurs puissent
en contempler une reproduction ; lacunes évidentes et presque
impossibles à combler, mais qui montrent un Diderot plus
que jamais soucieux de son métier de critique, plus que jamais
convaincu de la force expressive de l'image.

Jean Seznec a noté avec raison, que dans le *Salon* de 1767
Diderot propose en exemples les œuvres de Raphaël, de
Rubens, de Carrache, du Dominiquin, de Poussin, de Van
Dyck, de Teniers [2]. Ses connaissances en matière d'histoire

---

[1] Diderot ignorait presque totalement les peintres italiens de son
époque. De même, sa connaissance de la peinture italienne de la
Renaissance avait des lacunes sérieuses. Voir M. D. BUSNELLI,
Diderot et l'Italie, Paris, Champion, 1925, ch. VII, « Diderot et la
peinture italienne », pp. 197-213.

[2] Voir S.A. III, vii. Gita MAY, dans son *Diderot et Baudelaire,
critiques d'art*, Genève, Droz, 1957, donne une liste des maîtres anciens
qui reviennent le plus souvent sous la plume de Diderot. Voir *op. cit.*,
ch. III, p. 47.

de la peinture étaient sans doute développées autant et même plus que ne semblait le permettre une existence strictement parisienne [1].

En 1767, Diderot est conscient non seulement de la technique des arts plastiques, mais également de ses plus vastes implications. Dès 1766 s'engage la longue correspondance avec Falconet [2] qui sera riche en spéculations esthétiques mais qui aura pour thème principal la postérité et la façon de laquelle l'homme s'y inscrit.

L'amitié de Falconet a mené Diderot critique vers le métier plus prosaïque mais non moins passionnant d'antiquaire et de courtier en tableaux. Ses relations avec le prince Galitzin (voir S.A. III, vii), l'avaient mis au courant des achats de Catherine II, et en mai 1768 nous trouvons Diderot en train d'écrire à Falconet en Russie pour l'avertir que la collection Gaignat sera bientôt mise en vente. Diderot espère négocier lui-même l'achat des numéros qui pourraient intéresser l'Impératrice [3].

Ce contact permanent avec la peinture sous ses aspects historiques, sociaux et commerciaux ne manque pas d'influer sur l'expression de Diderot dans le *Salon* de 1767. Dès l'Introduction, il se montre sensible aux forces qui viennent entraver l'individualité de l'artiste. Il tonne contre la « maudite race des amateurs » (S.A. III, 55) qui faussent le libre jeu du talent en imposant un goût mesquin aux peintres ; il trouve fort injuste que l'artiste soit obligé de prendre une position subalterne dans l'ordre social :

L'art demande une certaine éducation ; et il n'y a que les citoyens qui sont pauvres, qui n'ont presque aucune ressource,

---

[1] Pour une liste des œuvres qui donnent une indication des galeries que Diderot a pu fréquenter, voir S.A. I, 18, n. 2.

[2] Voir *Le Pour et le Contre*, correspondance entre DIDEROT et FALCONET, édit. Yves BENOT, Paris, les Editeurs Français Réunis, 1958.

[3] Voir ROTH *Correspondance, op. cit.*, t. VIII, p. 28-29, aussi E. DACIER, *op. cit.* VI, pp. 29-42 et 37-38.

qui manquent de toute perspective, qui permettent à leurs enfants de prendre le crayon (S.A. III, 56).

Transposé sur le plan technique, cette connaissance intime de la peinture l'amène à formuler une plaidoirie pour une représentation qui sera à la fois individualisante et universalisante :

Mais s'il y a un portrait du visage, il y a un portrait de l'œil, il y a un portrait du cou, de la gorge, du ventre, du pied, de la main, de l'orteil, de l'ongle : car, qu'est-ce qu'un portrait, sinon la représentation d'un être quelconque individuel ? (S.A. III, 57).
. . . .
Convenez du moins que, sur cette multitude de têtes dont les allées de nos jardins fourmillent un beau jour, vous n'en trouverez pas une dont un des profils ressemble à l'autre profil ; pas une dont un des côtés de la bouche ne diffère sensiblement de l'autre côté ; pas une qui, vue dans un miroir concave, ait un seul point pareil à un autre point (S.A. III, 59).

Pour Diderot la critique d'art est devenue un sujet de vaste envergure, et il suffit en effet que de lire les premières pages du *Salon* de 1767 pour anticiper les digressions et les débats qui vont suivre.

Compte tenu des divisions que nous avons pu déceler dans le récit, nous abordons pour commencer les deux grandes toiles de Vien et de Deshays.

Le *Saint Denis prêchant la foi en France* est l'une de ces « grandes machines » que, plus tôt dans sa carrière de critique d'art, Diderot aurait accueillie avec des apostrophes et des cris d'enthousiasme. En 1767 il procède à un examen du tableau avec un esprit de calcul teinté de froideur. Il décrit la composition systématiquement, commençant par sa structure :

A droite, c'est une fabrique d'architecture, la façade d'un temple ancien, avec sa plate-forme au devant. Au-dessus de quelques marches qui conduisent à cette plate-forme, vers l'entrée du temple, on voit l'apôtre des Gaules prêchant (S.A. III, 74).

183

Il décrit les groupes de personnages, et nous voyons que l'expression donne un appui significatif au schéma de la composition :

Continuant de tourner dans le même sens, une foule d'auditeurs, hommes, femmes, enfants, assis, debout, prosternés, accroupis, agenouillés, faisant passer la même expression par toutes ses différentes nuances, depuis l'incertitude qui hésite, jusqu'à la persuasion qui admire ; depuis l'attention qui pèse, jusqu'à l'étonnement qui se trouble ; depuis la componction qui s'attendrit, jusqu'au repentir qui s'afflige (*ibid.*).

Ensuite, chaque personnage est examiné en détail, la longueur des observations critiques correspondant presque exactement à l'importance du personnage dans le tableau. Ces détails réglés, Diderot en vient à la critique comparative :

Vien est large, sage comme le Dominiquin ; de belles têtes, un dessin correct, de beaux pieds, de belles mains, des draperies bien jetées, des expressions simples et naturelles ; rien de tourmenté, rien de recherché ni dans le détail ni dans l'ordonnance ; c'est le plus beau repos. Plus on le regarde, plus on se plaît à le regarder ; il tient à la fois du Dominiquin et de Le Sueur (S.A. III, 16).

Mais pour en arriver à ce résumé succint, Diderot a suivi une méthode qui nous intéresse particulièrement :

Voici donc le chemin de cette composition, dit-il, ... ce chemin descendant mollement et serpentant largement depuis la Religion jusqu'au fond de la composition à gauche, où il se replie pour former circulairement et à distance, autour du saint, une espèce d'enceinte qui s'interrompt à la femme placée sur le devant, les bras dirigés vers le saint, et découvre toute l'étendue intérieure de la scène : ligne de liaison allant clairement, nettement, facilement, chercher les objets principaux de la composition, dont elle ne néglige que les fabriques de la droite et du fond... (S.A. III, 75).

Le tableau de Vien a donc une troisième dimension qui n'est pas seulement un effet de perspective, mais qui invite le regard à se promener et à explorer la composition.

Diderot n'a pas manqué de suivre cet appel, mais une fois la description du tableau faite, il ne peut pas s'empêcher de tomber dans de vieilles habitudes. Vien a fait un travail trop savant : il aurait du choisir un moment plus expressif (S.A. III, 77). La substitution qui en découle a un air de déjà vu, mais elle renferme néanmoins l'une des analyses les plus révélatrices du mouvement expressif :

Je prétends qu'il faut d'autant moins de mouvement dans une composition, tout étant égal d'ailleurs, que les personnages sont plus graves, plus grands, d'un module plus exagéré, d'une proportion plus forte, ou prise plus au delà de la nature commune. Cette loi s'observe au moral et au physique : au physique, c'est la loi des masses ; au moral, c'est la loi des caractères. Plus les masses sont considérables, plus elles ont d'inertie ... Les expressions, quelles qu'elles soient, les passions et le mouvement diminuent à proportion que les natures sont plus exagérées ; et voilà pourquoi nos demi-connaisseurs accusent Raphaël d'être froid, lorsqu'il est vraiment sublime ; lorsqu'en homme de génie il proportionne les expressions, le mouvement, les passions, les actions à la nature qu'il a imaginée et choisie (S.A. III, 79).

Nous ne saurions prétendre que Diderot a changé d'avis et que dorénavant le grand mouvement expressif sera évité et condamné. Cette découverte de l'expression qui est à la fois élevée et tranquille est bien plus un symptôme du sens de la mesure qui caractérise tout le *Salon*.

Si nous étions à l'exposition même, nous n'aurions qu'à tourner légèrement la tête pour contempler le *Miracle des Ardents* de Doyen. Comme celle de Vien, la composition de Doyen est vaste et construite d'une façon qui tient de l'architecture. Diderot trace en quelques mots l'historique du sujet, et procède à une exploitation de la toile. Il esquisse quelques détails, mais il trouve plus facile d'entrer dans le tableau et de s'y tracer un itinéraire :

Ainsi le spectateur qui se proposerait de sortir de sa place, d'aller à l'hôpital, monterait d'abord sur la terrasse ; rencontrant ensuite la face verticale et à pic du massif, il tournerait à gauche, trouverait l'escalier, monterait l'escalier, traverserait le parvis et entrerait dans l'hôpital dont la porte a son seuil de niveau avec ce parvis. On conçoit qu'un autre spectateur placé dans l'enfoncement du tableau ferait le chemin opposé et qu'on ne commencerait à l'apercevoir qu'à l'endroit où sa hauteur surpasserait la hauteur verticale de l'escalier qui va toujours en diminuant (S.A. III, 178-179).

Quelques pages plus loin, la description du tableau achevée, la notion d'itinéraire est rationalisée en ces termes :

Il y a dans toute composition un chemin, une ligne qui passe par les sommités des masses ou des groupes, traversant différents plans, s'enfonçant ici dans la profondeur du tableau, là s'avançant sur le devant. Si cette ligne, que j'appellerai ligne de liaison, se plie, se replie, se tortille, se tourmente ; si ses convulsions sont petites, multipliées, rectilinéaires, anguleuses, la composition sera louche, obscure ; l'œil irrégulièrement promené, égaré dans un labyrinthe, saisira difficilement la liaison. Si au contraire elle ne serpente pas assez, si elle parcourt un long espace sans trouver aucun objet qui la rompte, la composition sera rare et décousue : si elle s'arrête, la composition laissera un vide, un trou. Si l'on sent ce défaut et qu'on remplisse le vide ou trou d'un accessoire inutile, on remédiera à un défaut par un autre (S.A. III, 186).

Dans une grande mesure, alors, l'artiste peut modifier la réaction du spectateur en changeant le « chemin » de sa composition. La « ligne » que suit le regard contribue à la force affective de l'image et trouve ainsi une place dans l'armement expressif du peintre.

Le *Miracle des Ardents* est composé d'un grand nombre de détails frappants que Diderot juge avec une tranquillité d'esprit étonnante. Tout se passe comme si cette faculté de promener son regard lui a donné, dans sa critique, un sens de l'équilibre. En ce qui concerne l'expression, il se montre capable de condamner un détail :

La tête de la mère qui implore pour son fils, bien coiffée, cheveux bien ajustés, est désagréable de physionomie, sa couleur

n' a point assez de consistance il n'y a point d'os sous cette peau ;
elle manque d'action, de mouvement, d'expression (S.A. III, 182).

et puis de s'enthousiasmer pour un autre :

> Pour cette femme étendue morte sur de la paille avec son
> chapelet autour du bras, plus je la vois, plus je la trouve belle.
> O la belle, la grande, l'intéressante figure ! Comme elle est simple !
> comme elle est bien drapée ! comme elle est bien morte ! (S.A. III,
> 183-184).

D'ailleurs, ces points d'exclamation sont à peu près les
seuls qui viennent enflammer cette partie du récit. Au lieu
de s'abandonner à la digression fortuite, Diderot poursuit et
approfondit ces problèmes de l'expression qui s'étaient
manifestés pour la première fois dans la *Lettre sur les sourds
et muets*. Il demande dans quelle mesure l'effroyable, la représentation d'un cadavre dont une corneille arrache les yeux,
peut être considéré comme poétique :

> Quel doit donc être l'effet de l'ensemble d'un pareil tableau ?
> Divers, selon l'endroit auquel l'imagination s'arrêtera. Mais sur
> quel endroit ici l'imagination doit-elle se reposer de préférence ?
> sera-ce sur le cadavre ? Non ; c'est une image commune. Sur les
> yeux arrachés hors de la tête du cadavre ? Non, puisqu'il y a une
> image plus rare, celle de l'oiseau qui bat les ailes de joie. Aussi
> cette image est-elle présentée la dernière ; aussi, présentée la der-
> nière, sauve-t-elle le dégoût de l'image qui la précède ; aussi y
> a-t-il bien de la différence entre ces images rangées dans l'ordre
> qui suit : *Je vois les corneilles qui battent les ailes autour de ton
> cadavre et qui t'arrachent les yeux de la tête;* ou rangées dans l'ordre
> du poëte, *je vois les corneilles rassemblées autour de ton cadavre,
> t'arracher les yeux de la tête, en battant les ailes de joie.* ... Il y a donc
> un art inspiré par le bon goût, dans la manière de distribuer les
> images, dans le discours, et de sauver leurs effets ; un art de fixer
> l'œil de l'imagination à l'endroit où l'on veut (S.A. III, 185).

La citation démontre la netteté et la faculté de synthèse
dont Diderot est maintenant capable. Son exemple basé sur
la comparaison de deux phrases est convaincant ; la transi-

tion et les rapports entre l'expression picturale et l'expression verbale sont mis en relief sans détours. De l'analyse d'un tableau expressif naissent des considérations qui touchent à la nature de l'expression elle-même, et le tout est couché dans un style où Diderot mélange sciemment les instants de mouvement et de calme.

Il lui reste pourtant un point de doute, et en parlant de l'expression, il revient aux erreurs qui semblent guetter ses propres efforts. La nature approximative du langage ne cesse de remonter à la surface de son esprit :

> A tout moment je donne dans l'erreur, parce que la langue ne me fournit pas à propos l'expression de la vérité. J'abandonne une thèse, faute de mots qui rendent bien mes raisons. J'ai au fond de mon cœur une chose, et j'en dis une autre. Voilà l'avantage de l'homme retiré dans la solitude. Il se parle, Il s'interroge, il s'écoute, et s'écoute en silence. Sa sensation secrète se développe peu à peu ; et il trouve les vraies voix qui dessillent les yeux des autres, et qui les entraînent (S.A. III, 190).

Or il est certain que le problème de l'expression, et dans le domaine littéraire, et dans le domaine pictural, n'admet pas de réponse définitive. Diderot ne trouvera jamais d'exemple dans la littérature qui traduise les qualités expressives de la peinture et vice versa. Le fait de s'être lancé dans la critique d'art lui a prouvé maintes fois cette difficulté, mais il lui a donné en même temps la possibilité d'en venir aux prises avec la manifestation expressive de son propre tempérament de créateur littéraire. Ce tempérament, nous l'avons vu, est imaginatif au sens premier du terme, et dans le *Salon* de 1767, image et parole semblent agir de concert.

Dans les toiles de Vernet, Diderot trouve non seulement un « chemin » que son regard peut suivre et que ses facultés critiques peuvent admettre ou rejeter. Il y trouve aussi un appel à la « participation » qui coupe à travers l'illusion de la perspective et qui va au-delà des limitations techniques de la peinture.

188

Par la substitution expressive, par le dialogue imaginaire, par son identification avec tel ou tel personnage ou telle ou telle situation représentée sur la toile, Diderot a essayé de forger l'unité de l'expression picturale et de l'expression littéraire. Mais jusqu'ici il est resté à la surface de la toile, pour ainsi dire. Maintenant il lui arrive de *créer* plutôt que de trouver un « Monde Derrière le Miroir ». L'expression propre à Vernet est non pas écartée et dénigrée ; elle ne fournit pas non plus l'occasion d'un grand élan expressif. Elle est tout simplement assimilée à l'expression de Diderot comme un globule de mercure se fond dans un autre.

Diderot trouve possible de *se promener* dans les compositions de Vernet, d'imaginer qu'il vit et se meut dans le paysage que le peintre a mis sur la toile. Nous tenons ici à répondre à une question et à une objection possibles. Cette « promenade » de Diderot, ne pourrait-elle provenir tout simplement d'un effet du trompe l'œil dont le dix-huitième siècle s'est montré si friand ? Les tableaux de Vernet sont rendus avec un grand souci d'exactitude réaliste (voir S.A. I, figs. 47 et 85 ; t. II, figs. 34-37 ; t. III, fig. 21-23), et l'on pourrait croire que Diderot ne fait pas preuve d'un don extraordinaire en s'imaginant dans les lieux mêmes que Vernet a peints.

Cette explication serait largement suffisante si les compositions de Vernet étaient des œuvres purement réalistes, des copies aussi exactes que possible de la nature, et si le récit de Diderot décrivait tout simplement une promenade. La question est, croyons-nous, bien plus complexe.

Nous nous permettons de signaler une intéressante découverte faite par M. Seznec et signalée dans une note sur le texte du *Salon* de 1767. Il s'agit d'un nouveau manuscrit autographe que M. Seznec a pu consulter dans une collection parisienne :

Le manuscrit, entièrement de la main de Diderot, comporte 206 pages, écrites au recto et au verso, mais numérotées au recto seulement. Le *Salon* proprement dit va jusqu'à la page 197 ; viennent ensuite deux appendices : le *Traité de la manière* (pp. 198-201) et *Les Deux Académies* (pp. 201-6). Une particularité : tout le long passage relatif à Vernet porte une double pagination : une pagination normale, selon sa place dans le corps du manuscrit ; et une pagination commençant à 1 comme si ce passage constituait un épisode séparé, et détachable (S.A. III, 346).

Or ce manuscrit n'est certainement pas le premier brouillon que Diderot a fait d'après les notes prises à l'exposition, mais bien plus probablement une copie personnelle destinée à l'Académie des Arts de Saint-Pétersbourg (voir Seznec, *op. cit.* p. 350). Quoiqu'il en soit, les faits relevés par M. Seznec indiquent que Diderot attachait une importance particulière à l'article Vernet et, chose plus intéressante encore, qu'il l'avait retravaillé avec soin et en détail [1].

La promenade de Vernet ressort du texte du *Salon* de 1767 et par son style et par le nombre extraordinaire d'idées esthétiques qu'elle contient. Nous ne croyons pas exagérer en affirmant que dans cette cinquantaine de pages, Diderot a rassemblé l'essentiel de sa pensée sur la nature du Beau. Le démenti qu'il met à la fin de l'article en est une sorte de preuve au rebours :

> Adieu, mon ami. Bonsoir et bonne nuit. Et songez-y bien, soit en vous endormant, soit en vous réveillant, et vous m'avouerez que le traité du beau dans les arts est à faire, après tout ce que j'en ai dit dans les Salons précédents, et tout ce que j'en dirai dans celui-ci (S.A. III, 167).

S'il nous faut encore un exemple de la méthode heuristique de Diderot, ce paragraphe nous le fournit. Diderot ne met pas de conclusion à l'article Vernet : le dialogue et les débats

---

[1] M. Seznec donne en appendice de son édition du *Salon* de 1767 trois fragments que Diderot avait chargé Grimm d'intercaler dans le texte (voir S.A. III, 355 sqq.) Le troisième fragment (1c) est d'un intérêt particulier puisqu'il traite des émotions multiformes qui ont un dénominateur commun dans la pauvreté expressive des langues.

tourneront autour de l'esthétique tant qu'il y aura des interlocuteurs.

En ce qui concerne le problème particulier de l'expression, il est important de noter que Diderot s'est servi d'un point d'appui pour ses arguments. Un article de Mme Gita May [1] nous apprend que Diderot avait lu, peu avant la rédaction du *Salon* de 1967, un essai du philosophe anglais, Edmund Burke : *A Philosophical Enquiry into the Origin of our Ideas of the Sublime and Beautiful* dont la traduction française parut en 1765. Sans vouloir parcourir à nouveau le chemin si clairement tracé par Mme May, il nous suffira d'indiquer que Burke était dans son œuvre bien plus occupé à examiner la nature du Sublime qu'à chercher les canons du Beau. Pour Burke le Sublime est une qualité esthétique qui s'attache d'office à nos sensations, qui est conçu par elles dans l'imagination de l'artiste et qui touche à la sensibilité du spectateur par la représentation de scènes et d'émotions associées non pas avec l'agréable, mais avec l'horreur et l'effroi. Le Sublime se présente comme une forme extrême du Beau, tout comme l'expression, ou plus exactement l'expressionnisme vers lequel Diderot est de plus en plus attiré, se présente comme une forme extrême de la représentation picturale ou littéraire.

Comme l'affirme Mme May, Diderot ne pouvait manquer d'accueillir avec enthousiasme les idées de Burke, et le *Salon* de 1767 lui avait permis de les synthétiser et de les présenter dans un style qui est lui-même plus frappant, plus expressif que celui du philosophe anglais.

Si l'on consulte les tableaux de Vernet, desquels Diderot s'est inspiré pour la *forme* de son article, il est clair qu'une qualité expressionniste n'en est pas tout à fait absent. Ce sont des paysages où le détail extraordinaire, la cascade, l'effet de clair de lune, les falaises et les montagnes fortement découpées sont prédominants.

---

[1] Gita MAY, « Diderot and Burke : a Study in Aesthetic Affinity », *PMLA*, vol. LXXV (1960), pp. 527-539.

Ces détails sont utilisés par Diderot pour renforcer les thèmes de Burke : il y a donc influence réciproque entre forme, matière et inspiration dans le récit, un jeu de perspectives que Vernet lui-même aurait certainement applaudi.

L'article est divisé en six « sites » et un « tableau » qui correspondent approximativement aux compositions exposées par Vernet au Salon [1]. Diderot intercale ces paysages et les émotions qu'ils lui inspirent dans ce qui est, avant tout autre chose, un conte. Dès les premières lignes du récit, l'on est conscient que la critique d'art a subi une transformation. Il y a une recherche stylistique qu'on a soupçonné à diverses reprises auparavant mais qui est maintenant nette et claire :

> *Vernet.* J'avais écrit le nom de cet artiste au haut de ma page, et j'allais vous entretenir de ses ouvrages, lorsque je suis parti pour une campagne voisine de la mer, et renommée par la beauté de ses sites. Là, tandis que les uns perdaient autour d'un tapis vert les plus belles heures du jour, les plus belles journées, leur argent et leur gaieté ; que d'autres, le fusil sur l'épaule, s'excédaient de fatigue à suivre leurs chiens à travers champs ; que quelques-uns allaient s'égarer dans les détours d'un parc, dont, heureusement pour les jeunes compagnes de leurs erreurs, les arbres sont forts discrets ; que les graves personnages faisaient encore retentir à sept heures du soir la salle à manger de leurs cris tumultueux, sur les nouveaux principes des économistes, l'utilité ou l'inutilité de la philosophie, la religion, les mœurs, les acteurs, les actrices, le gouvernement, la préférence des deux musiques, les beaux-arts, les lettres et autres questions importantes, dont ils cherchaient toujours la solution au fond des bouteilles, et regagnaient, enroués, chancelants, le fond de leur appartement... (S.A. III, 129).

Particulièrement frappante ici est la compression de détails narratifs qui donne un effet concentré de mouvement. Un peu plus loin nous trouvons l'introduction d'un guide-interlocuteur qui va conduire Diderot dans le paysage qu'il

---

[1] Le livret ne donne pas le nombre exact des tableaux de Vernet. Voir S.A. III, 23-24.

visite, tout comme Chardin et Falconet l'avaient conduit au Salon. Plus tard, l'identité de ce *cicerone*, comme Diderot l'appelle, est établie :

> Je parcourais depuis les premiers personnages de la Grèce et de Rome, jusqu'à ce vieil abbé qu'on voit dans nos promenades, vêtu de noir, tête hérissée de cheveux blancs, l'œil hagard, la main appuyée sur une petite canne, rêvant, allant, clopinant. C'est l'abbé de Gua de Malves. C'est un profond géomètre, témoin son *Traité des courbes du troisième et quatrième genre*, et sa *solution, ou plutôt démonstration de la règle de Descartes sur les signes d'une équation.* Cet homme, placé devant sa table, enfermé dans son cabinet, peut combiner une infinité de quantités ; il n'a pas le sens commun dans la rue (S.A. III, 149).

Ce procédé romanesque qui met un fait ou un personnage historique dans un récit imaginé est bien cher à Diderot. Nous l'avons rencontré déjà dans la *Lettre sur les aveugles* dans le personnage de Saunderson ; nous le retrouverons dans le *Neveu de Rameau* au moment où Diderot présente le héros du dialogue :

> S'il lui prenait envie de manquer au traité, et qu'il ouvrît la bouche, au premier mot tous les convives s'écriaient : ô Rameau ! Alors la fureur étincelait dans ses yeux et il se remettait à manger avec plus de rage. Vous étiez curieux de savoir le nom de l'homme et vous le savez. C'est le neveu de ce musicien célèbre... etc. (A.-T., V, 389).

Ce goût du mystère qui multiplie les possibilités expressives de l'œuvre est d'une signification profonde et sur le plan stylistique et sur le plan philosophique. Dans le Premier Site, par exemple, Diderot décrit un paysage, puis il engage une conversation avec l'abbé lors de laquelle il laisse entendre qu'il *pouvait* s'agir d'une composition de Vernet :

> Quel est celui de vos artistes, me disait mon *cicerone*, qui eût imaginé de rompre la continuité de cette chaussée rocailleuse par une touffe d'arbres ?
> — Vernet, peut-être.

193

— A la bonne heure ; mais votre Vernet en aurait-il imaginé
l'élégance et le charme ? Aurait-il pu rendre l'effet chaud et piquant
de cette lumière qui joue entre leurs troncs et leur branches ?
. . . .
Eh bien ! dis-je à mon *cicerone*, allez-vous-en au Salon, et vous
verrez qu'une imagination féconde, aidée d'une étude profonde
de la nature, a inspiré à un de nos artistes précisément des rochers,
cette cascade et ce soin de paysage.
— Et peut-être avec ce gros quartier de roche brute, et le
pêcheur assis qui relève son filet et les instruments de son métier
épars à terre autour de lui, et sa femme debout, et cette femme
vue par le dos.
— Vous ne savez pas, l'abbé, combien vous êtes un mauvais
plaisant... (S.A. III, 130).

Trois pages plus loin, cet effet de mystère et de hasard est
retransposé sur le plan philosophique :

L'abbé, à l'application. Ce monde n'est qu'un amas de molécules pipées en une infinité de manières diverses. Il y a une loi de
nécessité qui s'exécute sans dessein, sans effort, sans intelligence,
sans progrès, sans résistance dans toutes les œuvres de Nature.
Si l'on inventait une machine qui produisît des tableaux tels que
ceux de Raphaël, ces tableaux continueraient-ils d'être beaux ?
(S.A. III, 132).

Ce passage rappelle fidèlement la tirade de Saunderson
dans la *Lettre sur les aveugles* (voir *supra*, p. 67, et cf. A.-T., I,
311). Pour ce qui est de l'expression romanesque de Diderot,
l'on ne saurait donner une place trop grande au thème du
hasard. Dans le Troisième Site, nous trouvons un passage qui
aurait pu être tiré tout droit de *Jacques le fataliste:*

Je vous raconte simplement la chose. Dans un moment plus
poétique j'aurais déchaîné les vents, soulevé les flots, montré la
petite nacelle tantôt voisine des nues, tantôt précipitée au fond des
abîmes ; vous auriez frémi pour l'instituteur, ses jeunes élèves, et
le vieux philosophe votre ami. J'aurais porté, de la terrasse à vos
oreilles, les cris des femmes éplorées. Vous auriez vu sur l'espla-
nade du château des mains levées vers le ciel ; mais il n'y aurait

pas eu un mot de vrai. Le fait est que nous n'éprouvâmes d'autre tempête que celle du premier livre de Virgile, que l'un des élèves de l'abbé nous récita par cœur ; et telle fut la fin de notre première sortie ou promenade (S.A. III. 138).

Cette épisode, où les détails expressifs sont en puissance, pour ainsi dire, et les passages où Diderot substitue un tableau expressif à celui que le peintre a manqué, ont entre eux une parenté. La grande différence est que, dans le domaine romanesque, Diderot peut jouir d'une liberté totale d'expression ; dans le domaine de la critique d'art, il se voit obligé de maintenir un point de contact avec le tableau qu'il commente. Et la promenade de Vernet est importante précisément parce qu'elle représente en quelque sorte un stade entre les deux genres.

Le rapport entre Diderot critique d'art et Diderot romancier et conteur est impossible à ignorer. Dans cette promenade de Vernet nous le retrouvons constamment. Dans le Cinquième Site, Diderot examine les différentes interprétations que l'on donne au mot « vertu », et plus particulièrement à la vertu par rapport au devoir social. Ce thème est un des leitmotivs du *Neveu de Rameau,* mais nous croyons *entendre* le dialogue entre *Moi* et *Lui* lorsque nous en venons aux phrases suivantes :

Me plierai-je à toutes les extravagances des nations ? couperai-je ici les testicules à mon fils ? là, foulerai-je aux pieds ma fille, pour la faire avorter ? ailleurs, immolerai-je des hommes mutilés, une foule de femmes emprisonnées, à ma débauche et à ma jalousie ?... Pourquoi non ? des usages aussi monstrueux ne peuvent durer, et puis, s'il faut opter, être méchant homme ou bon citoyen ; puisque je suis membre d'une société, je serai bon citoyen si je suis. Mes bonnes actions seront à moi ; c'est à la loi à répondre des mauvaises. Je me soumettrai à la loi, et je réclamerai contre elle... (S.A. III, 146).

Ce dialogue intérieur continue sur deux pages pour aboutir dans la question quintessentielle de l'identité de soi :

Dans cette recherche, quel est le premier objet à connaître?...
Moi... Que suis-je?... Qu'est-ce qu'un homme?... Un animal?...
sans doute; mais le chien est un animal aussi; le loup est un
animal aussi. Mais l'homme n'est ni un loup ni un chien... Quelle
notion précise peut-on avoir du bien et du mal, du beau et du laid,
du bon et du mauvais, du vrai et du faux, sans une notion préliminaire de l'homme?... Mais si l'homme ne peut se définir... tout est
perdu... (S.A. III, 148).

Et finalement, Diderot en arrive à une conclusion morale qui
sera celle du *Neveu de Rameau*, qui est celle du problème de
l'expression :

Je pensais que s'il y avait une morale propre à une espèce,
peut-être dans la même espèce y avait-il une morale propre à
différents individus, ou du moins à différentes conditions ou collections d'individus semblables ; et pour ne pas vous scandaliser par
un exemple trop sérieux, une morale propre aux artistes, ou à l'art,
et que cette morale pourrait bien être au rebours de la morale
usuelle. Oui, mon ami, j'ai bien peur que l'homme n'aille droit au
malheur par la voie qui conduit l'imitateur de la nature au sublime.
Se jeter dans les extrêmes, voilà la règle du poète. Garder en tout
un juste milieu, voilà la règle du bonheur (*ibid*).

Pour retourner aux questions de technique expressive, n'y
a-t-il pas dans le passage suivant une bonne dose de ce ton
âpre et cynique qui sera employé par *Lui* pour décrire les
méfaits du rénégat d'Avignon ou pour raconter l'histoire du
chien de Bouret? (cf. A.-T., V, 454 sqq, et 434 sqq.) :

Heureux, cent fois heureux, m'écriai-je encore, M. Baliveau,
capitoul de Toulouse ! c'est M. Baliveau, qui boit bien, qui mange
bien, qui digère bien, qui dort bien. C'est lui qui prend son café le
matin, qui fait la police au marché, qui pérore dans sa petite
famille, ... M. Baliveau est un homme fait pour son bonheur et
pour le malheur des autres. Son neveu, M. de l'Empirée, tout au
contraire. On veut être M. de l'Empirée à vingt ans, et M. Baliveau
à cinquante. C'est tout juste mon âge (S.A. III, 149-150).

Il serait possible d'établir une liste encore plus fournie des
moments où cette promenade de Vernet annonce d'autres

pages dans les contes et les romans de Diderot. L'essentiel pour notre étude est de constater que l'expression propre à Diderot dans les *Salons* n'est pas une chose fixe et qu'elle se modifie suivant l'évolution des idées et de l'inspiration de plus en plus romanesque de l'auteur.

Venons en à la forme générale de l'article Vernet. Ici, comme dans tout le *Salon* de 1967, il se révèle à l'analyse un dessein stylistique. La promenade est divisée en sept « tableaux », mais les événements racontés par Diderot durent trois jours successifs. La première journée se termine à la fin du Troisième Site, la seconde à la fin du Cinquième Site, la troisième à la fin du Sixième.

La septième partie de l'œuvre est intitulée « tableau » et non pas « site ». Car, si Diderot a pu entrer dans les compositions de Vernet avec une agilité impressionnante, il lui faut quand même sortir de ce « monde où l'on peut aller » afin que sa critique d'art puisse être continuée. C'est ainsi qu'à la fin du Sixième Site, Diderot dévoile exprès le mystère et rompt l'illusion romanesque qu'il a créée. La description d'un beau clair de lune se termine ainsi :

C'est ainsi que nous avons vu cent fois l'astre de la nuit en percer l'épaisseur. C'est ainsi que nous avons vu sa lumière affaiblie et pâle trembler et vaciller sur les eaux. Ce n'est point un port de mer que l'artiste a voulu peindre.
— L'artiste !
— Oui, mon ami, l'*artiste*. Mon secret m'est échappé ; et il n'est plus temps de recourir après : entraîné par le charme du *Clair de lune* de Vernet, j'ai oublié que je vous avais fait un conte jusqu'à présent, et que je m'étais supposé devant la nature (et l'illusion était bien facile), puis tout à coup je me suis retrouvé de la campagne au Salon (S.A. III, 158-159).

Le mot « artiste » est projeté en relief par cet artifice : il devient une espèce d'hiéroglyphe qui résume les idées et les arguments que nous venons d'entendre.

Sur le plan temporel la promenade à proprement parler (c'est à dire sans le dénouement que nous venons de citer) occupe trois journées dont la première et la troisième sont consacrées au dialogue entre Diderot et l'abbé. La seconde journée (Quatrième et Cinquième Site) est présentée sous la forme d'un dialogue intérieur. Diderot se promène tout seul, ayant laissé l'abbé et ses élèves au château, leur prétendu lieu de séjour.

Pendant ces trois journées de promenades, les paysages que Diderot commente ont tous une qualité commune, et dans chaque cas leur effet est le même. Ils sont tous grandioses et inspirent de l'étonnement. Devant chacun, Diderot est ébloui, ses facultés d'analyse sont suspendues :

> Arrêtés là, je promenai mes regards autour de moi et j'éprouvai un plaisir accompagné de frémissement (S.A. III, 133).

> Je ne vous dirai point quelle fut la durée de mon enchantement. L'immobilité des êtres, la solitude d'un lieu, son silence profond, suspendent le temps ; il n'y en a plus. Rien ne le mesure ; l'homme devient comme éternel (S.A. III, 134-135).

> Le spectacle des eaux m'entraînait malgré moi. Je regardais, je sentais, j'admirais, je ne raisonnais plus, je m'écriais : ' O profondeur des mers ! ' Et je demeurais absorbé dans diverses spéculations entre lesquelles mon esprit était balancé, sans trouver d'ancre qui me fixât (S.A. III, 147).

Le paysage expressif fait arrêter le temps, tout en ouvrant le chemin qui mène à ce « monde où l'on peut aller ». Devant les toiles de Vernet, Diderot est placé hors de tout sentiment de la durée, et ceci par une expression picturale qui est avant tout matérialisante. Il n'est plus question ici d'expressions humaines qui communiquent un sentiment et qui forment les bases d'un jugement individuel, moral ou social, mais d'une expression picturale qui s'engage dans la matière même et qui incite aux envolées les plus audacieuses l'imagination du spectateur. Dans la promenade de Vernet, l'expression en ton mineur et l'expression en ton majeur se rejoignent : le petit détail matériel, partie intégrante du vaste spectacle de la

Nature, est capable lui aussi de produire ce court-circuit hiéroglyphique qui fait que les choses sont « dites et représentées tout à la fois ».

Il est significatif que l'article Vernet est précédé de celui, bien court, sur Chardin, ce peintre par excellence de l'expression matérialisante en ton mineur. Diderot fait le rapport entre les deux sortes d'expression en terminant ainsi ses remarques sur Chardin :

> Eloignez-vous, approchez-vous, même illusion, point de confusion, point de symétrie non plus, parce qu'il y a calme et repos. On s'arrête devant un Chardin, comme d'instinct, comme un voyageur fatigué de sa route va s'asseoir, sans presque s'en apercevoir, dans l'endroit qui lui offre un siège de verdure, du silence, des eaux, de l'ombre et du frais (S.A. III, 128-129).

En examinant la forme de l'article Vernet, nous avons pu relever les idées de Diderot qui appartiennent à l'esthétique en général mais qui ont une portée spéciale en ce qui concerne le problème de l'expression. Il convient maintenant de regarder de plus près le rapport entre Diderot et son précurseur anglais. Il est difficile de considérer comme exactement synonymes la notion du Sublime selon Burke et l'idée de l'expression telle que la conçoit Diderot, mais les deux phénomènes sont clairement proches l'un de l'autre. A partir du Quatrième Site, Diderot se montre de plus en plus en faveur de la « verve », de la représentation picturale que l'artiste saisit sur le vif et qu'il rend aussi expressivement que possible. Tout de suite après s'être livré à la rêverie dans sa journée de solitude (au début du Quatrième Site), il s'adresse directement à Vernet :

> Que ces eaux qui rafraîchissent cette péninsule, en baignant sa rive, sont belles ! Ami Vernet, prends tes crayons, et dépêche-toi d'enrichir ton portefeuille de ce groupe de femmes. L'une, penchée vers la surface de l'eau y trempe son linge ; l'autre, accroupie, le tord ; une troisième, debout, en a rempli le panier qu'elle a posé sur sa tête. N'oublie pas ce jeune homme que tu

vois par le dos proche d'elles, courbé vers le fond, et s'occupant du même travail. Hâte-toi, car ces figures prendront dans un instant une autre position moins heureuse peut-être. (S.A. III, 140).

Lors du Sixième Site, son enthousiasme le porte à apostropher directement la Nature, et c'est la Nature qui imprime, sur le corps du spectateur, des effets expressifs :

O Nature ! que tu es grande ! O Nature ! que tu es imposante, majestueuse et belle ! C'est tout ce que je disais au fond de mon âme ; mais comment pourrais-je vous rendre la variété des sensations délicieuses dont ces mots répétés en cent manières diverses étaient accompagnés ? On les aurait sans doute toutes lues sur mon visage ; on les aurait distinguées aux accents de ma voix, tantôt faibles, tantôt véhéments, tantôt coupés, tantôt continus. Quelquefois mes yeux et mes bras s'élevaient vers le ciel ; quelquefois ils retombaient à mes côtés, comme entraînés de lassitude (S.A. III, 151-152).

La question de la verve est élaborée pour devenir une sorte de principe qui gouverne l'expressivité propre à différents groupes ethniques :

Plus de verve chez les peuples barbares que chez les peuples policés ; plus de verve chez les Hébreux que chez les Grecs ; plus de verve chez les Grecs que chez les Romains ; plus de verve chez les Romains que chez les Italiens et les Français ; plus de verve chez les Anglais que chez ces derniers. Partout décadence de la verve et de la poésie, à mesure que l'esprit philosophique a fait des progrès : on cesse de cultiver ce qu'on méprise. Platon chasse les poëtes de sa cité. L'esprit philosophique veut des comparaisons plus resserrées, plus strictes, plus rigoureuses ; sa marche circonspecte est ennemie du mouvement et des figures.
. . . .
L'esprit philosophique amène le style sentencieux et sec. Les expressions abstraites qui renferment un grand nombre de phénomènes se multiplient et prennent la place des expressions figurées (S.A. III, 153).

Il est nécessaire de rapprocher ces sentiments de ceux énoncés dans la *Lettre sur les sourds et muets* (voir *supra*,

p. 78, et cf. A.-T., I, 371-372). L'on constate sans difficulté que Diderot voyait une sorte de hiérarchie dans l'expressivité des langues et des peuples. Comme l'a noté M. Seznec, il s'éloigne « de plus en plus des notions classiques de la poésie et de l'art, (et) las du goût timoré d'une époque rationnelle et policée à l'extrême, s'oriente vers un type de beauté primitive et barbare. » (S.A. III, viii). Il est certain que le problème de l'expression dans son sens linguistique s'intercale à cette orientation. Les idées de Diderot sur l'expression nationale sont suivies de la remarque suivante :

Il n'y a dans un discours que des expressions abstraites qui désignent des idées, des vues plus ou moins générales de l'esprit, et des expressions représentatives qui désignent des êtres physiques. Quoi ! tandis que je parlais, vous vous occupiez de l'énumération des idées comprises sous les mots abstraits ; votre imagination travaillait à se peindre la suite des images enchaînées de mon discours ; vous n'y pensez pas, cher abbé ; j'aurais été à la fin de mon oraison, que vous en seriez encore au premier mot ; à la fin de ma description, que vous n'eussiez pas esquissé la première figure de mon tableau (S.A. III, 154-155).

Et le problème est résumé à nouveau dans l'une de ces phrases qui insistent sur l'individualité expressive :

La quantité des mots est bornée ; celle des accents est infinie ; c'est ainsi que chacun a sa langue propre, individuelle, et parle comme il sent ; est froid ou chaud, rapide ou tranquille ; est lui et n'est que lui, tandis qu'à l'idée et à l'expression il paraît ressembler à un autre (S.A. III, 157).

L'engouement de Diderot pour les paysages de Vernet établit une sorte de mnémonique qui se répète dans le reste du *Salon* de 1767, et particulièrement dans les articles Robert et Loutherbourg. Ces deux peintres sont peut-être plus « romantiques » encore que Vernet (voir S.A. III, fig. 51, 52, 54, 55, 56, 57) et devant leurs tableaux Diderot éprouve les mêmes sensations fortes et turbulentes.

Hubert Robert était au dix-huitième siècle le peintre par excellence des ruines. Au Salon de 1767, son premier, il expose un nombre impressionnant de tableaux, dessins, et esquisses qui font fureur (voir S.A. III, p. 33, note historique). Diderot s'enthousiasme pour presque toute sa production, mais puisqu'il sait que son compte-rendu sera laudatif, il se permet une assez longue digression avant d'en venir aux tableaux. L'article Robert s'ouvre donc sur un préambule qui rappelle la promenade de Vernet mais à laquelle les qualités expressives de celle-ci font défaut.

Le spectacle de la Nature met toujours dans l'esprit de Diderot l'idée du mouvement, et nous avons vu dans l'article Vernet que l'idée elle-même se meut et entraîne Diderot à la promenade au cours de laquelle il se livre aux élans les plus fertiles de son imagination. L'article Robert commence par un récit sur le thème du voyage et des voyageurs, mais il n'est pas question d'entrer dans les tableaux. Diderot se contente de parler en termes généraux qui soulignent le rapport esthétique entre le paysage et la nature éphémère de l'existence humaine :

C'est une belle chose, mon ami, que les voyages ; mais il faut avoir perdu son père, sa mère, ses enfants, ses amis, ou n'en avoir jamais eu, pour errer, par état, sur la surface du globe. Que diriez-vous du propriétaire d'un palais immense, qui emploierait toute sa vie à monter et à descendre des caves aux greniers, des greniers aux caves, au lieu de s'asseoir tranquillement au centre de sa famille ? C'est l'image du voyageur. Cet homme est sans morale, ou il est tourmenté par une espèce d'inquiétude naturelle qui le promène malgré lui. Avec un fond d'inertie plus ou moins considérable, Nature, qui veille à notre conservation, nous a donné une portion d'énergie qui nous sollicite sans cesse au mouvement et à l'action (S.A. III, 221).

N'est-ce pas l'image même de Jacques et de tout le roman-voyage ? Lorsqu'il commente les compositions mêmes de Robert, les réactions de Diderot sont bien plus directes.

Il frémit, il est emporté par la majesté d'un lieu jadis peuplé et maintenant laissé à l'abandon. A un instant donné, son enthousiasme est aiguillonné par le désir de posséder le tableau — sentiment nouveau et résultat sans doute de ses activités de courtier :

> O les belles, les sublimes ruines ! Quelle fermeté, et en même temps quelle légèreté. sûreté, facilité de pinceau ! Quel effet ! quelle grandeur ! quelle noblesse ! Qu'on me dise à qui ces ruines appartiennent, afin que je les vole : le seul moyen d'acquérir quand on est indigent (S.A. III, 227).

Mais en général, ce sont des notions du temps qui passe, de la gloire transitoire, de la nature éphémère des choses, qui reparaissent sous la plume de Diderot jusqu'au point où elles deviennent monotones :

> Les idées que les ruines réveillent en moi sont grandes. Tout s'anéantit, tout périt, tout passe. Il n'y a que le monde qui reste. Il n'y a que le temps qui dure. Qu'il est vieux ce monde ! Je marche entre deux éternités. De quelque part que je jette les yeux, les objets qui m'entourent m'annoncent une fin et me résignent à celle qui m'attend. Qu'est-ce que mon existence éphémère, en comparaison de celle de ce rocher qui s'affaisse, de ce vallon qui se creuse, de cette forêt qui chancelle, de ces masses suspendues au-dessus de ma tête et qui s'ébranlent? (S.A. III, 228-229).

Aucune théorie de l'expression n'est énoncée dans cette longue section, mais il s'y trouve un passage fort intéressant concernant une question de technique que nous avons abordée déjà dans le *Salon* de 1765. Robert avait envoyé à l'exposition un nombre d'esquisses, ce qui permet à Diderot d'élaborer ses idées sur cette forme particulière, et de la placer dans un contexte plus grand et plus philosophique. L'esquisse, forme pratique de l'hiéroglyphe, trouve maintenant une place dans les idées esthétiques qui se rattachent à l'évolution de l'espèce :

> Pourquoi une belle esquisse nous plaît-elle plus qu'un beau tableau ? c'est qu'il y a plus de vie et moins de formes. A mesure

203

qu'on introduit les formes, la vie disparaît. Dans l'animal mort, objet hideux à la vue, les formes y sont, la vie n'y est plus. Dans les jeunes oiseaux, les petits chats, plusieurs autres animaux, les formes sont encore enveloppées, et il y a tout plein de vie. Aussi nous plaisent-ils beaucoup (S.A. III, 241).

Les tableaux de Loutherbourg sont dans la même tradition que ceux de Vernet et de Robert, mais ils sont bien plus mouvementés. Les ruines de Robert avaient amené Diderot à considérer le passage du temps ; les paysages et les batailles de Loutherbourg lui indiquent comment la durée peut se meubler de détails et d'actions. Ils ne proposent pas d'échappatoire et ne mènent ni à la rêverie ni à la promenade : ils fixent l'attention du spectateur par un expressionnisme pur :

> Voilà un genre de peinture, où il n'y a proprement ni unité de temps, ni unité d'action, ni unité de lieu. C'est un spectacle d'incidents divers, qui n'impliquent aucune contradiction. L'artiste est donc obligé d'y montrer d'autant plus de poésie, de verve, d'invention, de génie, qu'il est moins gêné par les règles. Il faut que je voie partout la variété, la fougue, le tumulte extrême. Il ne peut y avoir d'autre intérêt. Il faut que l'effroi et la commisération s'élancent à moi de tous les points de la toile. Si l'on ne s'en tenait point à des actions communes (et j'appelle actions communes toutes celles où un homme en menace ou en tue un autre), mais qu'on imaginât quelque trait de générosité, quelque sacrifice de la vie à la conservation d'un autre, on éleverait mon âme, on la serrerait, peut-être même m'arracherait-on des larmes. ... Le genre bataille est celui de l'expression (S.A. III, 261).

Mais la partie critique de l'article Loutherbourg est préfacée, comme celle de Robert, par des remarques qui touchent à la théorie de l'expression. En tête de son compte-rendu, Diderot met le célèbre *Ut pictura, poesis erit*, et puis laisse errer ses pensées à leur guise. De nouveau il s'annonce partisan de l'expression la moins arrangée et la plus individuelle. L'expression devient un cri de la Nature, le mouvement ou le « rhythme » de nos sentiments et non pas de nos réflexions :

Vous avez senti la beauté de l'image, qui n'est rien : c'est le rhythme qui est tout ici ; c'est la magie prosodique de ce coin du tableau, que vous ne sentirez peut-être jamais. Qu'est-ce donc que le rhythme ? me demandez-vous. C'est un choix particulier d'expressions ; c'est une certaine distribution de syllabes ou pesantes lentes ou rapides, plaintives ou gaies, ou un enchaînement de petites onomatopées analogues aux idées qu'on a et dont on est fortement occupé ; aux sensations qu'on ressent et qu'on veut exciter ; aux phénomènes dont on cherche à rendre les accidents : aux passions qu'on éprouve, et au cri animal qu'elles arracheraient ; à la nature, au caractère, au mouvement des actions qu'on se propose de rendre. Cet art... est inspiré par un goût naturel, par la mobilité de l'âme, par la sensibilité. C'est l'image même de l'âme rendue par les inflexions de la voix (S.A. III, 258).

Pourtant, même le « rhythme » le plus effréné n'emporte pas Diderot sans quelques réserves. Il est grand admirateur de Loutherbourg, mais trouve Vernet toujours plus subtil dans ses effets. Et au-dessus de Vernet il y a un maître encore plus grand :

Cependant ce Vernet, tout ingénieux, tout fécond qu'il est, reste encore bien en arrière du Poussin du côté de l'idéal. Je ne vous parlerai point de l'*Arcadie* de celui-ci, ni de son inscription sublime : *Et ego in Arcadia*. « Je vivais aussi dans la délicieuse Arcadie. » Mais voici ce qu'il a montré dans un autre paysage plus sublime peut-être et moins connu. C'est celui-ci, qui sait aussi, quand il lui plaît, vous jeter du milieu d'une scène champêtre l'épouvante et l'effroi ! (S.A. III, 267).

L'exemple de Poussin nous semble corriger un peu la préoccupation de Diderot concernant les effets par trop frappants que des peintres comme Loutherbourg savaient produire avec tant de facilité. Dans cette étude de l'expression, nous avons rencontré des artistes que, pour la plupart, Diderot applaudit fort, mais qui ont mal supporté l'épreuve de la critique plus récente. Que Diderot se soit montré perspicace à l'égard de Poussin qui a superficiellement tout l'air d'un peintre « académisant », fournit un appui à notre théorie selon laquelle la tendance expressionniste du philosophe est tempérée par un sens de l'équilibre critique. Dans les premiers *Salons*, cette tendance prend souvent la forme d'un appel aveugle à l'autorité des Anciens, mais elle se modifie progressivement à la lumière d'une connaissance élargie des maîtres de la peinture. Poussin lui aussi s'était inspiré des Anciens mais il a su créer, et Diderot l'a reconnu, des œuvres qui, par leur technique consommée, sont d'une modernité qui ne risque point de pâlir [1].

Il n'y a nul doute qu'en ce qui concerne le problème de l'expression dans le *Salon* de 1767, les tableaux de Vernet, de Robert et de Loutherbourg sont, pour nous, les plus intéressants. Nous avons déjà noté que le *Salon* dégénère vers sa fin en catalogue. Il est nécessaire pourtant de faire état de ses interludes qui se situent entre les articles les plus importants et qui font, en grande partie, la continuité de l'œuvre.

Deux thèmes, ou plutôt un thème et un procédé stylistique les caractérisent. Sur le plan théorique, le débat sur l'expression dans la poésie et dans la peinture revient à plusieurs reprises. Le long article La Grenée est interrompu d'une façon qui nous est maintenant bien familière. Diderot veut montrer que, même à l'époque où il écrivait, il était connu pour la facilité avec laquelle il savait transposer l'image littéraire :

Chardin, La Grenée, Greuze et d'autres m'ont assuré (et les artistes ne flattent point les littérateurs) que j'étais presque le seul d'entre ceux-ci dont les images pouvaient passer sur la toile, presque comme elles étaient ordonnées dans ma tête (S.A. III, 109).

Mais les idées de Diderot à ce sujet sont toujours les mêmes : le peintre doit posséder une maîtrise absolue de la technique pour réussir dans un

art où le moindre intervalle mal ménagé fait un trou ; où une figure trop éloignée ou trop rapprochée de deux autres alourdit

---

[1] Les références à Poussin sont assez nombreuses dans l'œuvre de Diderot, et elles ne sont pas limitées aux *Salons*. Cf. A.-T., VII, 353 ; X, 308, 497 ; XI, 41, 161, 171 ; XII, 102, 115, 131 ; XIII, 38.

ou rompt une masse ; où un bout de linge chiffonné papillote ; ou un faux pli casse un bras ou une jambe ; ... où il ne s'agit pas de dire, mais où il faut faire ce que le poëte dit ; où tout doit être pressenti, préparé, sauvé, montré, annoncé, et cela dans la composition la plus nombreuse et la plus compliquée *(ibid)*.

A la fin du *Salon*, dans l'article Renou, il est encore question de l'expression poétique (la peinture est oubliée jusqu'à quelques lignes avant la fin du récit). Après avoir cité cinq ou six exemples tirés de Virgile, d'Homère, de Lucrèce et d'Ovide, Diderot se fixe, comme on aurait pu le prévoir, sur l'expression qui communique tout en un seul trait et qui laisse en même temps à l'imagination du lecteur toute la liberté possible :

Un trait seul, un grand trait ; abandonnez le reste à mon imagination. Voilà le vrai goût, voilà le grand goût (S.A. III, 303).

Le procédé stylistique qui reparaît constamment dans le *Salon* de 1767 et qui a une signification particulière dans ces passages qui séparent les grands articles l'un de l'autre, est celui de la digression. Sachant qu'il lui faut commenter un nombre de tableaux qui ne l'intéressent guère et qui ne méritent même pas une substitution expressive, Diderot s'amuse à construire des dialogues, à faire des contes, à composer même des petits traités comme la *Satire contre le luxe*.

Dans l'article La Grenée, le tableau le plus important, *Le Dauphin Mourant* (voir S.A. III, note historique p. 21) est résumé par Diderot en quelques lignes peu flatteuses. L'argument déjà cité sur l'expression picturale et l'expression poétique est présenté (S.A. III, 108 sqq.). puis le récit tourne en dialogue entre Diderot, Naigeon et Grimm (A.-T., XI, 19 sqq.).

---

[2] Cf. note de Naigeon dans l'édition de 1798 : « Je dois avouer ici que cette conversation entre Diderot et moi n'est point supposée : elle a eu lieu en effet telle qu'il la rapporte. »

De même, la section qui se situe entre l'article Doyen (le *Miracle des Ardents*) et les ruines d'Hubert Robert, prend la forme d'un jeu de cache-cache où Diderot quitte son compte-rendu des œuvres de Baudouin pour retourner à celles de Casanove. Cette disgression est même intitulée, *Petit Dialogue:*

> Mais, mon ami, à quoi pensez-vous? Il me semble que vous n'êtes pas trop à ce que vous lisez.
> ⸺ Il est vrai ; comme votre Baudoin ne m'intéresse aucunement, je revenais malgré moi sur Casanove.
> — Eh bien ! Casanove... est donc un artiste bien merveilleux ?
> — Bien merveilleux ! qui vous dit cela ? Il est aux bons peintres du siècle passé comme nos bons littérateurs aux écrivains du même siècle... etc. (S.A. III, 199-200).

De même, l'article Bellengé est interrompu pour faire place à une *Réponse à une Lettre de M. Grimm* où il est encore question des batailles de Casanove (S.A. III, 204 sqq.). En parlant de Le Prince, Diderot s'explique finalement en toute franchise :

> Je m'ennuie de faire, et vous, apparemment, de lire des descriptions de tableaux. Par pitié pour vous et pour moi, écoutez un conte (S.A. III, 210).

Nous revenons ainsi au thème qui s'est imposé à ce *Salon* de 1767. Dans une grande mesure, c'est moins la critique d'art qui nous a retenus que l'évolution de l'expression de Diderot vers le romanesque. Sur le plan biographique, il serait vain de prétendre que Diderot isolait les *Salons* dans un compartiment tout spécial de sa pensée ; l'on doit donc s'attendre à retrouver dans les feuilles destinées à la *Correspondance littéraire* des traces de *La Religieuse*, qui date de 1760, et du *Neveu de Rameau* dont les premières ébauches auraient pu être rédigées à partir de 1761 [1]. Retrouver les éléments romanesques de Diderot dans les *Pensées philosophiques* serait

---

[1] Voir *Neveu de Rameau*, éd. J. Fabre, Genève, Droz, 1950, p. xxxii sqq.

sans doute chose faisable. Notre but dans ce chapitre a été non pas de confronter des textes, mais de montrer comment l'éclosion de l'expression romanesque a lieu dans le contexte pictural qui lui fut profondément nécessaire ; de noter que cette éclosion est accompagnée d'une préoccupation constante, de la part de Diderot, de la théorie de l'expression et des problèmes qu'elle présente à l'artiste.

Le *Salon* de 1767 rejoint et complète la *Lettre sur les sourds et muets*. Dans la *Lettre*, Diderot était arrivé à la théorie la plus complète de l'expression : dans le *Salon* de 1767, après un immense effort de pratique et d'expérience, il en vient à la conclusion que l'expression ne se fixe point. Elle se conçoit, s'exécute, se comprend, selon des règles qui animent à la fois l'esprit individuel et la somme totale de la matière.

La *Lettre sur les sourds et muets* et le *Salon* de 1767 sont des œuvres qui résument le problème de l'expression et qui obligent Diderot à changer de direction. La *Lettre* l'avait mené à la pratique de la critique d'art ; le *Salon* de 1767 lui indique clairement que son dialogue avec le pictural ne peut continuer sans risque de stagnation. Le désir de « faire des contes » en est la preuve et en même temps le résultat le plus significatif.

Si Diderot continue à faire le compte-rendu de l'exposition biennale, c'est avec la résolution de changer de direction, et lorsque nous arrivons aux *Salons* qui viennent après celui de 1767, nous apercevons fort vite qu'il a déjà mis le point final à son exposition des problèmes de l'expression.

* * *

Les *Pensées détachées sur la peinture:*

Il nous a paru souhaitable de rompre pour ce court chapitre le fil chronologique de notre étude afin de rapprocher la dernière œuvre de théorie esthétique écrite par Diderot, et le dernier *Salon* où le problème de l'expression est présenté avec quelque force. Les *Pensées détachées sur la peinture, la sculpture, l'architecture et la poésie* furent publiées en 1798, rédigées selon toute probabilité autour de 1776 et destinées, comme l'indique Diderot lui-même, à « servir de suite aux *Salons* ». Elles sont le complément naturel des *Essais sur la peinture* [1], et comme c'est le cas pour cet ouvrage-là, il est par trop facile de les considérer comme les clés de l'esthétique diderotienne. A notre sens, elles montrent d'une façon probante la décadence de la critique de Diderot à partir du *Salon* de 1767.

En 1765 déjà, les *Essais sur la peinture* laissent voir les difficultés qu'éprouvait Diderot a systématiser ses idées sur les arts plastiques. Les *Pensées détachées* révèlent aussi cette gêne, mais en même temps elles témoignent d'un dégagement presque total sur le plan expressif. En 1776, lorsque Diderot est venu résumer pour la dernière fois ses idées sur l'art, le grand enthousiasme qu'il avait apporté autrefois au sujet semble lui manquer.

En principe, les *Pensées* doivent fournir une belle conclusion à une carrière de critique qui a été non seulement très honorable mais brillante. En réalité, elles prennent la forme d'un testament qui ne fait pas grand honneur à son auteur. Examinons rapidement le contexte historique et biographique de l'ouvrage. Les *Pensées* ont été rédigées après tous les *Salons*, exception faite du *Salon* de 1781 qui est de toute manière très pauvre. En 1771, Diderot négocie l'achat de la collection Crozat [2] ; en 1773 et 1774 il fait son grand voyage à la cour de Catherine II. Ce déplacement lui permet d'apprécier à La Haye la collection du prince Galitzine, courtier en tableaux pour l'Impératrice. A Leyde, chez un certain M. Hope, il parcourt « une immense collection de Rem-

---

[1] Roland DESNÉ *(op. cit.)* a groupé les deux ouvrages dans une même édition.

[2] Cf. Lettre à Falconet, 27 avril 1772 (A.-T., XVIII, 327-328).

brandt » [1]. En Russie même il a certainement le temps d'admirer les trésors de l'Ermitage, et en Allemagne il visite la galerie de l'Electeur palatin à Düsseldorf et la galerie royale de Dresde [2].

Ces expériences pratiques auraient dû provoquer un foisonnement descriptif, même si la tâche de classifier et de coordonner un grand nombre d'impressions était devenue pour Diderot chose profondément ennuyeuse. Les *Pensées détachées* ne ressemblent aucunement à l'espèce d'ouvrage à laquelle l'on s'attend.

Pour terminer ses écrits sur les arts plastiques, Diderot a choisi la voie de la facilité. Lors de son passage à Dresde, son guide fut certainement le directeur de la galerie royale, Christian Louis de Hagedorn, connaisseur de métier et auteur d'un important traité sur l'art intitulé *Betrachtungen über die Malerei*. Cet ouvrage fut traduit en français en 1775 sous le titre *Réflexions sur la peinture* [3], version qui a servi à Diderot lors de sa rédaction des *Pensées détachées*.

Mais il faut savoir que pour Diderot Hagedorn est bien plus qu'une « âme sœur » à la manière de Shaftesbury, qui a eu une influence si grande sur la forme expressive des *Pensées philosophiques* (v. supra, p. 43-44). Entre les mains de Diderot les *Réflexions sur la peinture* deviennent une véritable mine d'emprunts. MM. P. Vernière [4] et J. Koscziusko [5], dans deux articles différents, ont montré plus de soixante endroits où le texte des *Pensées détachées* est identique à celui des

---

[1] Cf. *Voyage en Hollande*, (A.-T., XVII, 415 et 430).

[2] Cf. DIECKMANN, *Inventaire du fonds Vandeul, op. cit.*, pp. 267-268.

[3] *Réflexions sur la peinture*, par M. de Hagedorn, traduites de l'allemand par M. Huber, à Leipzig, chez Gaspar Fritsch, 1775, 2 vol.

[4] P. VERNIÈRE, « Diderot et C. L. de Hagedorn ; une étude d'influence » *R.L.C.*, vol. 30, 1956, pp. 239-254.

[5] J. KOSCZIUSKO, « Diderot et Hagedorn » *R.L.C.*, vol. 16, 1936, pp. 635-669.

Réflexions. De plus, Diderot a adopté le plan de l'œuvre allemande :

> Le plan des *Betrachtungen* se retrouve presque intact dans les *Pensées détachées.* Les trois livres de Hagedorn : *Du goût, De la composition* et *Du coloris* sont repris par Diderot, qui cependant fait du chapitre du goût un simple préambule et annexe à son chapitre de la composition une grande part du Livre I de Hagedorn (Vernière, *art. cit.,* p. 252).

L'on voit ici la situation bizarre d'un Diderot qui a composé des centaines de feuilles critiques pour la *Correspondance littéraire,* qui semble avoir fait son possible pour élargir ses connaissances en peinture lors de son voyage en Russie, mais qui a préféré annexer les idées d'autrui, lorsqu'il est venu pour la dernière fois « présenter ses titres ».

Etant donné que cette étude de l'expression est fondée sur une conception de l'*individualité* créatrice chez Diderot, nous avons du mal à tirer grande consolation du propos de M. Vernière lorsqu'il dit que

> Diderot use de Hagedorn comme il a usé, quelques années auparavant, d'Helvétius dans son commentaire suivi de l'*Homme.* C'est une confrontation d'esprit, nullement un plagiat (Vernière, art. cit., p. 253).

A l'exception d'une référence fugitive à Hagedorn, Diderot ne fait aucune mention de l'œuvre dans laquelle il a puisé si abondamment :

> Cependant Percellis demeurait immobile et pensif, mais l'on vit bientôt que le temps de la méditation n'avait pas été perdu. Il exécuta une marine qui enleva les suffrages. Ses rivaux n'avaient pensé qu'en faisant ; Percellis avait pensé avant de fuir. J'ai lu ce trait dans Hagedorn (A.-T., XII, 128).

Plus importante que la question des emprunts et du plagiat est celle de la tonalité expressive des *Pensées.* Même si Diderot

s'est servi des idées de Hagedorn qu'il trouvait pareilles aux siennes (et tout laisse croire qu'une vive curiosité en matière d'esthétique était commune aux deux hommes) [1]. il aurait dû les énoncer sous une forme qui visait à l'originalité.
A cet égard, il est possible de disculper légèrement notre auteur. Par moments, son récit s'anime ; le dialogue fait son apparition ; même si les idées doivent quelque chose à Hagedorn, nous reconnaissons les traits caractéristiques de Diderot :

Avez-vous vu la sublime composition où Raphaël lève avec la main de la Vierge le voile qui couvre l'Enfant Jésus, et l'expose à l'adoration du petit saint Jean qui est agenouillé à côté d'elle ? Je disais à une femme du peuple :
— Comment trouvez-vous cela ?
— Fort mal.
— Comment, fort mal ? mais c'est un Raphaël.
— Eh bien, votre Raphaël n'est qu'un âne.
— Et pourquoi, s'il vous plaît ?
— C'est la Vierge que cette femme-là ?
— Oui, voilà l'Enfant-Jésus ?
— Cela est clair. Et celui-là ?
— C'est saint Jean.
— Cela l'est encore. Quel âge donnez-vous à cet Enfant-Jésus ?
— Mais, quinze à dix-huit mois.
— Et à ce saint Jean ?
— Au moins quatre à cinq ans.
— Eh bien, ajouta cette femme, les mères étaient grosses en même temps... (A.-T., XII, 89-90).

De même, lorsque Diderot se sert de l'expérience et du souvenir personnels, le ton est plus vif :

Voulez-vous que je vous raconte un fait qui m'est personnel ? Vous connaissez ou vous ne connaissez pas la statue de Louis XV placée dans une des cours de l'Ecole-Militaire ; elle est de Le Moyne. Cet artiste faisait, un jour, mon portrait. L'ouvrage et moi, la jambe droite pliée et la main gauche appuyée sur la hanche, non du même côté, du côté gauche.

---

[1] Cf. VERNIÈRE, *art. cit.*, p. 240.

— Mais, lui dis-je, monsieur Le Moyen, êtes-vous bien ?

— Fort bien, me répondit-il.

— Et pourquoi votre main n'est-elle pas sur la hanche du côté de votre jambe pliée ?

— C'est que par sa pression je risquerais de me renverser ; il faut que l'appui soit du côté qui porte tout ma personne.

— A votre avis, le contraire serait absurde ?

— Très-absurde.

— Pourquoi donc l'avez-vous fait à votre Louis XV de l'Ecole-Militaire ?... (A.-T., XII, 95).

M. Koscziusko, critique plus sévère que M. Vernière, est prêt à concéder que par endroits, Diderot est « assez personnel », mais si l'on prend le soin d'examiner les passages cités, l'on constate que rien n'est ajouté à ce que nous avons lu à maintes reprises dans les *Salons:*

Ces yeux d'émail, ces cheveux dorés et tous ces riches ornements des statues anciennes me paraissent une invention de prêtres sans goût ; invention qui est sortie des temples pour infecter la société.

Néron fit dorer et gâter la statue d'Alexandre. Cela ne me déplaît pas ; j'aime qu'un monstre soit sans goût. La richesse est toujours gothique (A.-T., XII, 112-113) (Cf. Koscziusko, *art. cit.*, p. 651).

Ce qui manque avant tout à l'œuvre est un sens de la continuité. Nous avons pu constater en examinant les *Essais sur la peinture* une fragmentation de la pensée de Diderot qui est bien loin de la technique expressive de la digression et qui indique plutôt un style volontairement léger (voir *supra* p. 159). Dans les *Pensées détachées* cet effet est encore plus marqué. Tout esprit de système est abandonné, et bien que Diderot emprunte à Hagedorn la plupart des en-têtes de ses chapitres (voir plan de Vernière, *art. cit.* pp. 242-251), ceux-ci ne correspondent que vaguement aux sujets qu'ils désignent.

Le résultat, c'est que les *Pensées détachées* ressemblent exactement à ce qu'indique leur titre. Ce sont des boutades, en grande partie puisées chez Hagedorn, que Diderot a jetées pêle-mêle sur la feuille à un moment où son intérêt pour les arts est toujours éveillé, mais où les forces expressives déployées auparavant pour communiquer cet intérêt sont absentes.

Plutôt que d'élargir ses théories de l'art, Diderot parsème son récit d'anecdotes, des noms de peintres dont les œuvres lui sont connues soit personnellement soit par l'intermédiaire de Hagedorn. En guise d'excuse, l'on est tenté de croire que les *Pensées* étaient destinées à servir d'aide-mémoire au critique et à ses lecteurs. Car Diderot ne fait jamais une longue analyse des maîtres qu'il cite en exemple : il en rappelle quelques détails parfois saillants, souvent banaux :

> Carle Van Loo modelait en argile les figures de ses groupes, afin de les éclairer de la manière la plus vraie et la plus piquante. Lairesse peignait ses figures, les découpait et les assemblait de la manière la plus avantageuse pour le groupe. J'approuve l'expédient de Van Loo ; j'aime à le voir promener sa lumière autour de son groupe d'argile. Je craindrais que le moyen de Lairesse ne rendît l'ensemble, sinon maniéré, du moins froid (A.-T., XII, 99).
>
> . . . .
> Ah ! si le Titien eût dessiné composé comme Raphaël ! Ah ! si Raphaël eût colorié comme le Titien !... C'est ainsi qu'on rabaisse deux grands hommes.
>
> Je l'ai vu ce *Ganymède* de Rembrandt : il est ignoble ; la crainte a relâché le sphincter de sa vessie ; il est polisson : l'aigle qui l'enlève par sa jaquette met son derrière à nu ; mais ce petit tableau éteint tout ce qui l'environne. Avec quelle vigueur de pinceau et quelle furie de caractère cet aigle se peint ! (A.-T., XII, 106).

Il nous semble raisonnable de penser que l'expérience picturale de Diderot était arrivée à un point où l'esprit d'analyse, maintenu consciencieusement en éveil pendant tant d'années, n'avait plus cours. Les *Pensées* deviennent ainsi une sorte de sténographie personnelle qui ne permet pas d'élaboration et qui répète quelques traits d'une vérité découverte ailleurs.

Si l'on dégage de cet amas de réflexions qui touchent de près la question de l'expression (et elles ne sont pas nombreuses), cette hypothèse devient plus claire :

Le sentiment est difficile sur l'expression ; il la cherche, et cependant, ou il balbutie, ou il produit d'impatience un éclair de génie. Cependant cet éclair n'est pas la chose qu'il sent ; mais on l'aperçoit à sa lueur.

Un mauvais mot, une expression bizarre m'en a quelquefois plus appris que dix belles phrases (A.-T., XII, 77).

Par instants, le souvenir de tel ou tel tableau revient brusquement et avec force. Le passage suivant, par exemple, confirme exactement notre analyse de l'expression dans la *Chaste Suzanne* de Carle Van Loo (*Salon* de 1765, voir *supra* p. 147) :

Je regarde *Suzanne;* et loin de ressentir de l'horreur pour les vieillards, peut-être ai-je désiré d'être à leur place (A.-T. XII, 84).

Dans une autre *Pensée,* la peinture de genre et le paysage sont rapprochés d'une façon succincte :

La peinture de genre n'est pas sans enthousiasme ; c'est qu'il y a deux sortes d'enthousiasme : l'enthousiasme d'âme et celui du métier. Sans l'un, le concept est froid ; sans l'autre, l'exécution est faible ; c'est leur union qui rend l'ouvrage sublime. Le grand paysagiste a son enthousiasme particulier ; c'est une espèce d'horreur sacrée. Ses antres sont ténébreux et profonds ; ses rochers escarpés menacent le ciel ; les torrents en descendent avec fracas, ils rompent au loin le silence auguste de ses forêts (A.-T., XII, 88).

La question du « moment » expressif est rappelée ainsi :

L'unité de temps est encore plus rigoureuse pour le peintre que pour le poëte ; celui-là n'a qu'un instant presque indivisible.

Les instants se succèdent dans la description du poëte, elle fournirait à une longue galerie de peinture. Que de sujets depuis l'instant où la fille de Jephté vient au-devant de son père, jusqu'à celui où ce père cruel lui enfonce un poignard dans le sein (A.-T., XII, 89).

Et dans une assez longue section du chapitre consacré aux « Différents caractères des peintres », un détail technique (l'existence du huit cent dix-neuf teintes de la palette que Diderot avait apprise chez Hagedorn — voir VERNIÈRE *art. cit.* p. 252) est assimilé à un petit dialogue pour affirmer de nouveau la présence d'une vaste gamme de formes expressives dans la peinture et dans la poésie :

> Quoiqu'il n'y ait qu'une nature, et qu'il ne puisse y avoir qu'une bonne manière de l'imiter, celle qui la rend avec le plus de force et de vérité, cependant on laisse à chaque artiste son faire ; on n'est intraitable que sur le dessin. — Il n'y a qu'une bonne manière de l'imiter. Est-ce que chaque écrivain n'a pas son style ? — D'accord. — Est-ce que ce style n'est pas une imitation ? — J'en conviens ; mais cette imitation, où en est le modèle ? dans l'âme, dans l'esprit, dans l'imagination plus ou moins vive, dans le cœur plus ou moins chaud de l'auteur. Il ne faut donc pas confondre un modèle intérieur avec un modèle extérieur. — Mais n'arrive-t-il pas aussi quelquefois que le littérateur ait à peindre un site de nature, une bataille ; alors son modèle n'est-il pas extérieur ? — Il l'est ; mais son expression n'est pas physiquement de la couleur ; ce n'est ni du bleu, ni du vert, ni du gris, ni du jaune ; sans quoi l'expression ne serait aucunement à son choix ; sans quoi, si la richesse de la langue s'y prêtait, et qu'elle possédât huit cent dix-neuf mots correspondant aux huit cent dix-neuf teintes de la palette, il faudrait qu'il employât le seul qui rendrait précisément la teinte de l'objet, sous peine d'être faux (A.-T., XII, 128-129).

Mais même en tenant compte de ces petits résumés, l'on est obligé de constater que l'œuvre qui aurait dû faire pendant aux *Essais sur la peinture* souligne tout simplement ses défauts. La pratique de la critique d'art et l'expérience de la peinture travaillent progressivement et très sûrement à l'encontre de la formulation esthétique chez Diderot. Dans les *Pensées détachées*, la présence écrasante de Hagedorn

217

obscurcit la véritable identité de l'auteur, et aux rares moments où il s'engage dans le problème de l'expression, l'on assiste à une pâle répétition de thèmes et d'idées déjà vus.

* * *

Les derniers *Salons* : 1769 ; 1771 ; 1775 ; 1781.

Après l'éclat et la richesse des *Salons* de 1765 et 1767, il est assez décevant de constater qu'en 1769, l'intérêt que manifeste Diderot à l'égard de la critique d'art est en train de décroître. Que les deux *Salons* encyclopédiques aient occasionné un ralentissement d'effort de la part du salonnier est compréhensible, mais le lecteur est mal préparé au brusque décalage entre les trois cent quatre-vingts pages du *Salon* de 1767 et les soixante-seize pages de celui qui le suit.

Si la régression était d'ordre quantitatif seulement, l'on suivrait avec profit le problème de l'expression dans les *Salons* de 1769, 1771, 1775 et 1781. Il serait tentant même de voir en ces *Salons* la contre-partie de ceux de 1759, 1761 et 1763. Vue ainsi, la critique d'art de Diderot présenterait une agréable symétrie — Introduction hésitante, mais suivie d'une rapide acquisition de confiance ; Exposition longue et riche ; Conclusion succincte avec pleine utilisation d'un grand fonds d'expérience.

Malheureusement, la courbe se dessine tout autrement. Les *Pensées détachées sur la peinture* ont témoigné éloquemment du déclin des théories esthétiques de Diderot vers la fin de sa carrière. Les derniers *Salons* ne font qu'ajouter leur note assez triste sur le plan pratique. Les détails qu'ils fournissent à la question de l'expression sont maigres, et en tout cas insuffisants pour mériter un examen détaillé de chaque œuvre.

En groupant les derniers *Salons*, nous ne croyons pas faire tort à Diderot. Tout au début du *Salon* de 1769, il précise exactement ses sentiments qui, pour une fois, ne doivent rien aux exigences de la politesse. Diderot s'adresse à Grimm, comme d'habitude :

> Vous désirez que je sois court. Je suis devenu vieux et paresseux j'ai vidé mon sac ; ce qui reste d'observations à faire sur l'art est si peu de chose qu'il me sera facile de vous contenter (S.A. IV, 66).

De pareilles marques de déférence ont servi de préambule aux *Salons* de 1765 et 1767 ; en 1769, Diderot se montre peu dispos à les démentir par l'excellence de sa critique.

En partie, ce changement d'attitude peut être interprété comme une mesure d'économie. Les grands *Salons* avaient coûté cher à Grimm en délais et en copistes, et tout laisse supposer qu'il avait prié son ami de raccourcir dans la mesure du possible ses observations. A plusieurs reprises, Diderot laisse apercevoir cette contrainte :

> Miséricorde ! quelle multitude de tableaux de M. La Grenée ! Mon ami, pour peu que je m'en occupe, vous êtes ruiné (S.A. IV, 75).

Et au lieu d'analyser les toiles de ce peintre, il en donne une liste de laquelle il tire quatre ou cinq sujets pour les traiter en plus grand détail. Dans un assez long article sur Casanove (S.A. IV, 91-94), les reproches de Grimm sont anticipés, et le récit est mené à une rapide conclusion par les mots :

> Allons, mon ami, gagnons pays ; passons à un autre artiste (S.A. IV, 94).

Des tableaux de Robert, auxquels il a consacré une trentaine de pages du *Salon* de 1767, Diderot se plaint ainsi :

> Si je vous faisais passer en revue toutes les compositions de Robert, je ne finirais pas (S.A. IV, 98).

Ici encore il donne une liste suivie de quelques détails critiques fort sommaires.

On ne trouve pas d'éléments qui permettent de dire que l'amitié Grimm-Diderot s'était refroidie et que ceci influait sur la genèse des derniers *Salons*. M. Smiley [1] note que Grimm, séjournant en Allemagne, fut absent de mai jusqu'en octobre 1769, mais Diderot avait l'habitude de « garder le tablier de la boutique littéraire », lorsque les missions diplomatiques appelaient son ami hors de Paris.

Toujours dans le courant des faits biographiques, il faut noter des passages du *Salon* de 1769 dans lesquels Diderot se montre préoccupé d'affaires domestiques et professionnelles. A la fin de l'article Lépicié, il se lance dans une tirade sur le mariage et les soucis qu'occasionnent les enfants à ceux qui veillent à leur bonheur et à leur futur état dans la société :

O la sotte condition des hommes ! Mariez-vous, vous courez le risque d'une vie malheureuse ; ne vous mariez pas, vous êtes sûr d'une vie dissolue et d'une vieillesse triste. Ayez des enfants, ils sont plats, sots, méchants, et vous commencez par vous en affliger et finissez par ne plus vous en soucier. N'en ayez point, vous en désirez. Ayez-en d'aimables, le moindre accident qui leur survient vous trouble la tête ; vous vous levez du matin, vous vous asseyez à votre bureau pour travailler, rien ne vous vient ; et voilà précisément le rôle que je fais (S.A. IV, 102).

Il pense sans aucun doute à sa fille Angélique qui, en 1769, avait seize ans et qui allait se marier en 1772 avec Caroillon de Vandeul. Le sujet de l'éducation revient d'ailleurs dans la *Seizième Lettre* sous la forme d'une anecdote où il est question du dressage des princes (S.A. IV, 112-113).

En plein milieu de l'article Robert, Diderot intercale les détails des affaires de l'édition qui le tracassent :

J'allais entamer Loutherbourg, mais je n'en ai ni le temps ni la place. Un bout de page n'est pas assez pour celui-ci ; et ma fille, qui se trouvera mal tout à l'heure, de son dîner, ne veut pas attendre plus longtemps. Mais après dîner ? me direz-vous. Après

---

[1] J. R. SMILEY, *Diderot's Relations with Grimm*, op. cit., p. 87.

dîner je vais chez Briasson pour tâcher d'accommoder le procès de Luneau de Boisjermain avec les libraires, et empêcher que cet homme, dans les affaires duquel ils ont mis le feu, ne mette à son tour le feu dans les leurs. Savez-vous bien que ce diable d'homme vient de faire un tableau de frais, dépenses et conditions de l'*Encyclopédie* dont le résultat est que les librairies ont volé 174 livres à chaque souscripteur, somme pour laquelle ils vont être assignés, ce qui les mènerait à une restitution générale d'environ six cent mille francs? (S.A. IV, 98-99).

Grimm avait peut-être mis un frein à l'enthousiasme de Diderot, mais la pauvreté des observations que nous constatons dans les derniers *Salons* est bien plus le résultat d'une subordination des arts plastiques à d'autres intérêts plus pressants. En septembre 1769, Diderot est en train d'achever *Le Rêve de d'Alembert* ; l'année suivante il compose *Les Deux Amis de Bourbonne* et l'*Entretien d'un père avec ses enfants*. En 1771, il y a un retour au genre théâtral avec la représentation du *Fils naturel* et la première ébauche de ce qui va devenir la pièce, *Est-il bon? est-il méchant?* L'année 1772 voit la composition du *Supplément au Voyage de Bougainville* ; 1773 celle de *Jacques le Jataliste*, ou tout au moins des premières ébauches de ce roman. Cette même année il y avait les préparatifs de départ et le voyage en Russie [1].

Dans un tel complexe d'entreprises nouvelles, le compte-rendu du Salon biennal se réduit à un devoir d'amitié entrepris par habitude et exécuté d'une façon presque mécanique.

Notre jugement est sans doute sévère, mais nous comptons le justifier. Notons d'abord que dans les quatre *Salons* que nous considérons, Diderot n'entreprend pas une seule fois ce mouvement réflexe qu'est la définition de l'expression. Les thèmes du mouvement expressif, de la comparaison entre l'expression poétique et l'expression picturale, les ana-

---

[1] Les principaux faits biographiques relatifs à Diderot sont bien résumés par Charly GUYOT: *Diderot par lui-même*, Editions du Seuil, Paris, 1959, pp. 5-23.

lyses de ses propres difficultés dans ce domaine, Diderot laisse tomber tous ces sujets après 1767. Il reste la forme de sa critique et les jugements qu'il fait des tableaux.

Le *Salon* de 1769 est divisé en dix-sept « lettres » qui renferment chacune le compte rendu d'au moins un peintre, et, au maximum, de dix. De prime abord l'on pourrait croire que ce procédé est destiné à rendre le *Salon* plus intéressant, que Diderot vise à un effet plus intime et personnel. Mais l'on est obligé de constater que dans ce contexte particulier, la forme épistolaire est un cadre que Diderot a cru bon de s'imposer, soit pour limiter ses observations sur un peintre tel que Greuze, par exemple, qui occupe deux lettres bien courtes *(Treizième et Quatorzième Lettres)*, soit pour traiter un bon nombre de tableaux de manière concise. La *Quinzième Lettre* contient les observations sur Deshays, Jollain, Olivier, Renou, Caresme, Beaufort, Duplessis, Pasquier, Hall.

Le *Salon* de 1771 commence sur une note de déception attribuée à Grimm, mais qui est bien de Diderot lui-même :

> Vous êtes heureux, monsieur, de n'avoir point encore vu le Salon. Comme tout n'est que comparaison dans ce monde, je ne doute pas que la grande quantité de tableaux qui s'y trouvent ne vous eût embarrassé beaucoup. ...On trouve encore des morceaux où il y a du dessin, de la couleur ; pas un où il y ait de la poésie, de l'imagination, de la pensée. Dans le dessin de vous épargner de l'incertitude, vous avez exigé de mon amitié que je vous ferais part de tout ce que j'y verrais, et que je joindrais à ce récit mon sentiment sur chaque ouvrage ; je vous l'ai promis, et je me fais un plaisir et un devoir de vous tenir parole, quoique l'étendu de ma promesse passe de beaucoup celle de mes lumières (S.A. IV, 165).

La dernière phrase indique parfaitement, par sa froideur, que la tâche jadis agréable devient maintenant corvée. Pourtant, ce *Salon* est légèrement plus vivant que le précédent. Diderot l'a rédigé en ajoutant à presque chaque commentaire ses notes et ses réflexions prises sans doute à l'exposition même (voir note de Tourneux, A.-T., XI, 464). De cette manière, le ton banal et les platitudes critiques sont souvent relevés d'une note d'humour ou l'on ressent la présence du véritable Diderot. Quelques exemples servirent à éclaircir un procédé qui se répète tout le long de ce *Salon*. *La Métamorphose d'Alphée et d'Aréthuse* de La Grenée est présentée ainsi (les notes ajoutées sont mises entre parenthèses) :

On ne peut s'empêcher de reprocher quelquefois à l'auteur de manquer d'expression ; et quelques incorrections ou négligences souvent répétées nuisent toujours au succès, même du meilleur. Celui-ci est dans le cas. Le chasseur Alphée est un gros garçon à barbe blanche sous la forme du fleuve Alphée... La chaste déesse, qui sait qu'entre l'arbre et l'écorce il ne faut pas mettre le doigt, ne se met guère en frais pour les séparer ; et d'ailleurs la taille ou la corpulence d'Alphée rassure contre la vivacité de son entreprise sur la prétendue beauté d'Aréthuse. Il y a cependant du pinceau dans ce tableau ; mais il manque d'étude et de composition plus que de couleur.

(Quelle figure strapassée ! c'est une convulsive. Quel écart de cuisse ! quelle raideur de corps ! Draperie mal amenée) (S.A. IV, 170).

La Nymphe Echo amoureuse de Narcisse du même peintre rappelle à Diderot un fait menu du clabaudage contemporain qu'il cite en guise de compte rendu :

Sale, vilain, vieux. Femme ajustée de la tête aux pieds du plus mauvais goût. Ah quel cul ! Il est plus gros que ce baigneur, et les eaux d'un bleu ! C'est l'*Abbé Vert* en action... au bleu. Au sortir de là il sera teint en bleu...) [1].

Même le « sublime » Vernet est présenté sur une note froide et formelle, et les cris d'enthousiasme, fort réduits en volume maintenant, sont réservés aux notes en appendice :

C'est encore un chef-d'œuvre de M. Vernet. Un vaisseau brisé par la tempête contre un vaste rocher est coulé bas ; on n'en

---

[1] Il s'agit de l'abbé Anne Bernod de Fortia qui a été plongé dans une cuve de teinture verte à la suite d'une aventure galante, v. note de Tourneux, A.-T., XI, p. 474.

aperçoit que les agrès. L'orage, à peine éloigné, tient encore le ciel en désordre ; les éclairs brillent au loin et la foudre tombe. Ici le précepte d'Horace est bien observé en maître : tout est tiré du sujet, tout court à l'action. ... Loin de se relâcher, M. Vernet s'est, je crois, surpassé dans ce morceau, qui est du plus grand effet et de la plus grande vérité. Il règne dans tout ce tableau un certain air humide qui prouve qu'en peinture chaque genre a sa magie propre pour rendre la nature dans tous ses points de vérité. (Quel ciel ! quelles eaux ! quelles roches ! quelle profondeur ! comme cette lumière éclaire ces eaux ! Il se répète un peu dans les scènes de naufrage ; mêmes figures, monotonie d'attitude et de situations. Perdu dans les petits sujets ; alors paysages sans âme et sans vérité, arbres sans tons ni nuances) (S.A., IV, 178).

Comme si Diderot s'ennuyait profondément et désirait à tout prix varier la forme de son devoir, le *Salon* de 1775, écrit, ne l'oublions pas, après le voyage en Russie, est présenté entièrement sous forme de dialogue. Les deux interlocuteurs sont Diderot lui-même et un jeune peintre qui se montre bien sévère dans ses critiques [1]. Ce personnage fait penser vaguement au neveu de Rameau, surtout par son introduction dans le récit :

Sous la protection spéciale du concierge, M. Phelipot, j'étais entré de bonne heure au Salon. Je m'y croyais seul, et je me disposais à examiner tranquillement les chefs-d'œuvre que nos artistes avaient exposés cette année ; mais il n'en fut pas tout ainsi que je l'avais espéré. J'avais été précédé par un jeune homme fougueux jetant sur tout un coup d'œil rapide et sévère et très résolu de ne rien approuver. ...Il m'aborde, car je ne lui étais pas inconnu. « Vous venez ici pour admirer, me dit-il, mais vous aurez peu de chose à faire (S.A. IV, 274).

---

[1] Tourneux préface le *Salon* de 1775 d'une courte référence à Jacques Philippe Joseph SAINT-QUENTIN que Diderot a sans doute connu, mais qui a laissé peu de traces biographiques. Des renseignements plus fournis, mais qui ne font pas mention de Diderot, se trouvent dans E. BÉNÉZIT, *Dictionnaire critique et documentaire des Peintres, Sculpteurs, Dessinateurs et Graveurs*, 8 vol., Paris, Gründ, 1957, vol. VII, p. 476.

Lorsque l'entretien est interrompu, puis recommencé dans l'article Amédée Van Loo, l'on croit apercevoir encore quelques traits du dialogue entre *Moi* et *Lui* :

Ma première envie fut de manquer au rendez-vous. En général la critique me déplaît, elle suppose si peu de talent ! Cependant je me ravisai ; je pensai qu'en réduisant à la moitié, aux trois quarts le mal qu'il disait de nos artistes, je pourrais recueillir quelques bonnes observations qui ne lui échappaient, ou qu'opposant des éloges mérités ou non mérités aux flots amers de sa bile, j'aurais du moins, sans qu'il s'en aperçut, l'avantage de lui rendre son rôle pénible (S.A. IV, 279).

Mais ces ressemblances se révèlent, par la suite, toutes superficielles. Saint-Quentin contrarie sans relâche les opinions de Diderot avec le seul but de faire ressortir les mauvaises qualités des tableaux exposés. Il n'y a pas échange d'opinions, persuasions et changement d'avis. Le seul avantage que Diderot gagne à employer le dialogue est de distraire ses lecteurs et de leur présenter rapidement les titres d'un grand nombre de toiles.

Ce qui donne précisément un *effet* d'importance aux derniers *Salons*, c'est un certain scrupule de conscience qui a poussé Diderot à citer les noms de presque tous les peintres exposants. Un simple recensement laisse supposer que les derniers *Salons* sont aussi « riches » que ceux de 1765 et 1767.

Comme l'on pouvait bien s'y attendre, le manque de qualités expressives dans le style de Diderot est aussi évident dans les jugements qu'il fait des tableaux. Même en 1769, un peintre comme Chardin n'attire pas d'éloges plus chaleureux que ceux-ci :

Je devrais vous indiquer les morceaux de Chardin et vous renvoyer à ce que j'ai dit dans les salons précédents ; mais j'aime à me répéter quand je loue : je cède à ma pente naturelle. ... Chardin n'est pas un peintre d'histoire, mais c'est un grand homme. C'est le maître à tous pour l'harmonie, cette partie si rare dont tout le monde parle et que très-peu connaissent. Arrêtez-vous longtemps devant un beau Teniers ou un beau Chardin ; fixez-en bien dans votre imagination l'effet ; rapportez ensuite à ce modèle tout ce que vous verrez, et soyez sûr que vous aurez trouvé le secret d'être rarement satisfait (S.A. IV, 82).

Vernet, qui avait fourni le cœur même du *Salon* de 1767 est victime de la lassitude d'esprit que Diderot veut attribuer aux artistes, mais qui est aussi la sienne :

Il semble que tous nos artistes se soient cette année donné le mot pour dégénérer. Les excellents ne sont que bons, les bons sont médiocres et les mauvais sont détestables. Vous aurez de la peine à deviner à propos de qui je fais cette observation ; c'est à propos de Vernet, oui, de ce Vernet que j'aime, à qui je dois de la reconnaissance et que je me plais tant à louer, parce que je satisfais mon penchant sans tomber dans l'adulation (S.A. IV, 87).

Les ruines de Robert étaient nombreuses (Diderot en met une quinzaine sur sa liste), mais c'est leur nombre précisément qui décourage un critique à court d'inspiration :

C'est un peintre assurément que ce Robert ; mais il fait trop facilement, ses morceaux sentent la détrempe ; leur mérite principal est d'offrir des points de vue et des fabriques antiques. Il n'excelle pas pour la figure ; ses arbres sont lourds, et en général le choix de ses accessoires pourrait être meilleur (S.A. IV, 98).

Pour être juste, il faut dire que Diderot donne une place honorable à Greuze qui, en 1769 avait envoyé enfin son morceau de réception à l'Académie. Le *Septime Sévère* est bien analysé, mais n'est-ce pas le scandale causé par la réception de Greuze comme peintre de genre et non comme peintre d'histoire qui constitue le but même de l'article ? (Cf. note historique S.A. IV, 42). D'ailleurs, l'engouement de Diderot pour le style typique de Greuze n'a pas changé. Une *Petite Fille en camisole, qui tient entre ses genoux un chien noir,*

Est sans contredit le morceau le plus parfait qu'il y eût au Salon ; depuis le rétablissement de la peinture, on n'a rien fait de mieux que la tête et le genou de cet enfant ; ce sont les artistes même qui le disent ; c'est le chef-d'œuvre de Greuze (S.A. IV, 107).

En dernier lieu, et pour apprécier jusqu'à quel point les facultés critiques de Diderot s'étaient affaiblies au cours de cette dernière période, nous avons l'exemple de Jacques-Louis David, agréé membre de l'Académie en 1781 et qui exposa pour la première fois au Salon de cette année. Or, il n'y a guère d'audace à dire qu'en 1765, Diderot aurait été fort enthousiasmé par les œuvres d'un peintre qui savait aborder les grands thèmes avec élan, mais qui était en même temps maître d'une technique consommée.

Certes, Diderot applaudit les toiles de David, mais voyons dans quels termes il les présente à ses lecteurs :

> Ce jeune homme montre de la grande manière dans la conduite de son ouvrage ; il a de l'âme ; ses têtes ont de l'expression sans affectation ; ses attitudes sont nobles et naturelles ; il dessine ; il sait jeter une draperie et faire de beaux plis ; sa couleur est belle sans être brillante. Je désirerais qu'il y eût moins de raideur dans ses chairs ; ses muscles n'ont pas assez de flexibilité dans quelques endroits. Rendez par la pensée son architecture plus sourde et peut-être que cela fera mieux (S.A. IV, 377).

L'accueil, juste mais expressivement tiède, nous ramène à ce qui fut notre point de départ dans cette analyse de tous les *Salons*. Car les œuvres de David, par l'appel qu'ils font d'une part à l'intelligence, et d'autre part aux émotions, correspondent exactement aux critères d'excellence artistique que Diderot a réclamé dès le *Salon* de 1759. Mais David est arrivé trop tard, et l'on ne peut que conjecturer ce qu'auraient été les opinions de Diderot si le peintre était entré plus tôt sur la scène artistique. Si seulement le compte-rendu de Diderot était plus détaillé, il serait possible de rapprocher les toiles de David de cette œuvre « néo-classique » de Diderot lui-même, les *Essais sur les règnes de Claude et de Néron* qui datent de 1779.

Notre but est de tracer l'expression dans la critique d'art de Diderot, et de telles spéculations ne peuvent reposer sur de pures conjectures. Ce qui est certain, ce que nous espérons avoir démontré, c'est que les derniers *Salons* ajoutent fort peu à la formulation et aux solutions possibles du problème de l'expression. Tout ce que Diderot avait à dire à ce sujet se résume dans le *Salon* de 1767, et c'est à partir de cette date que les formes expressives de la critique d'art, et le problème de l'expression lui-même se transforment en problèmes de l'expression romanesque.

CONCLUSION

Bien qu'il nous ait paru nécessaire d'examiner le problème de l'expression en suivant une méthode chronologique, nous ne saurions rester fidèle à Diderot au point d'imiter son engouement pour les répétitions. Il convient toutefois de revenir sur quelques détails qui serviront de dernière mise au net pour cette étude.

Il n'y a guère besoin d'insister sur le fait que le problème de l'expression n'évolue pas dans le sens de la simplicité et d'une solution définitive. Même dans les premiers ouvrages où nous sommes allés retrouver ses sources, il s'est montré complexe et multiforme. Dans un sens, la seule *Lettre sur les sourds et muets*, qui n'est que partiellement une œuvre de critique d'art, résume tout ce que Diderot élabore par la suite dans les *Salons*.

L'on n'éprouve aucune difficulté pourtant, à suivre les deux grands courants du problème. Malgré leur action conjuguée, il est possible de séparer en théorie l'expression littéraire et l'expression picturale. Considéré au niveau le plus simple, il faut constater que pour les deux catégories Diderot ne fournit aucune définition exacte du mot « expression ». Au fur et à mesure qu'il découvre les complexités de la technique picturale, le problème de l'expression des émotions humaines par l'intermédiaire des mots et des phrases lui paraît plus vaste et le touche d'une manière plus personnelle. Là où il essaie de fixer sa pensée et d'en venir à des définitions — dans les *Essais sur la peinture* par exemple — un manque de spontanéité expressive, une tendance à suivre les dogmatismes initiés par LeBrun, indiquent, avec une clarté parfois brutale, la gêne qu'il éprouvait devant les systèmes et les formules.

Mais en se rendant compte des ramifications du problème de l'expression, du fait que les infimes nuances des émotions dépendent pour leur communication dans la vie comme dans la représentation picturale, de la conscience individuelle, Diderot insuffle sa passion d'encyclopédiste à ses principes de philosophe. La gamme infinie des expressions n'est autre chose qu'un reflet des molécules innombrables qui composent l'univers. Et c'est la conscience de soi, fruit du hasard, conjonction fortuite de circonstances matérielles, qui rend possible la reconnaissance des états de l'âme.

De toutes les découvertes que fait Diderot à propos de l'expression, celles qui touchent à la durée et aux éléments matériels de l'existence sont certainement les plus importantes. En essayant de dégager la forme possible d'un langage qui fait que les choses sont « dites et représentées tout à la fois », le caractère instantané de la vérité expressive devient apparent. Nous nous reconnaissons, nous reconnaissons les autres, et l'artiste nous convainc de la vérité de sa composition dans un moment qui semble indivisible mais qui s'étend en avant et en arrière en une éternité de temps.

Le *hic et nunc* de l'expression est sa véritable essence, la qualité qui la rattache à l'identité de l'individu qu'il soit artiste ou spectateur. Son complément nécessaire, surtout dans les arts plastiques, est la matière. Dans cette étude, nous n'avons pas cherché à tracer l'évolution du matérialisme dans la critique d'art de Diderot, mais il est aisé de constater sa préoccupation grandissante en ce qui concerne l'expression dans ses rapports avec la représentation de l'objet inanimé. Dans le *Salon* de 1767, cette préoccupation est mise en relief lorsque Diderot vient affronter les paysages de Vernet et de Loutherbourg. Dès le début de sa carrière de critique il admire et connaît intimement l'art de Chardin, mais c'est dans le plus grand des *Salons* qu'il reconnaît pleinement les qualités expressives de la matière. L'expression semble envahir chaque particule des choses qui nous entourent, chaque coup de pinceau de l'artiste, et ceci jusqu'au point où l'individu et la conscience de soi, risquent d'être engloutis.

C'est à ce moment, quand sa critique d'art est à son apogée, que Diderot change de direction. Le commentaire des tableaux semble entraver cette liberté d'expression qu'il avait toujours recherchée chez les peintres et qu'il réclame maintenant pour lui-même. Il ne se contente plus de « refaire » les tableaux par des digressions expressives, moins encore d'en donner un simple compte rendu. Il s'en sert tout simplement pour créer un monde à part dans lequel son imagination peut errer à sa guise en créant d'autres réalités, une autre morale.

Si l'on considère l'œuvre romanesque de Diderot comme l'un des indices les plus révélateurs de son génie, alors nous espérons avoir prouvé que le problème de l'expression en est un élément formateur de toute première importance. Dans la genèse de *La Religieuse,* du *Neveu de Rameau,* de *Jacques le fataliste,* la critique d'art de Diderot ne saurait être négligée. Nous avons tenu à souligner ces passages des *Salons* où la technique romanesque de notre auteur se présente avec la plus grande clarté, mais nous ne voulons pas nier que cet aspect de nos recherches reste à l'état embryonnaire. Il serait fort intéressant, par exemple, d'examiner de près les qualités expressives des trois grandes œuvres romanesques de Diderot afin d'élaborer et d'affirmer en détail ce qui ne peut être, dans ce contexte-ci qu'une indication de recherches possibles.

Les tableaux de *La Religieuse,* les gestes souvent exagérés des personnages, les scènes qui dépendent pour leur force affective, des effets du clair-obscur, seraient à rapprocher de certains articles des *Salons. La Religieuse* est sans doute le roman le plus « achevé » que Diderot ait composé, mais il est également le plus passionnel, le plus directement expressif. Le mouvement, dans l'action comme dans le style, est l'une de ses qualités dominantes, et c'est un mouvement qui s'allie à une grande économie dans sa technique narrative.

Dans le *Neveu de Rameau*, le thème du mouvement se diversifie et devient une sorte d'orchestration pour le dialogue entre *Moi* et *Lui*. Nous avons mentionné brièvement l'expressivité des moments où *Lui* se lance dans une frénésie de gesticulations et de mimique, mais dans une analyse plus fournie, l'on étudierait la place de ces moments dans la structure de l'œuvre entière. Les questions morales et esthétiques qu'engendre la liberté d'expression réclamée par *Lui* auraient aussi leur place, ainsi que le problème de l'expression dans ses rapports avec le monstre-génie, thème que nous avons rencontré pour la première fois bien avant les *Salons*, dans la *Lettre sur les aveugles*.

En élaborant ainsi le problème de l'expression et en le poursuivant par esprit de spéculation dans le genre romanesque, nous ne pensons aucunement imposer une réponse définitive. Ce n'est même pas notre dessein d'établir une hiérarchie de l'expression dans l'œuvre romanesque de Diderot. Mais il nous semble pourtant admissible de dire que c'est dans *Jacques le fataliste* que les qualités expressives relevées dans les *Salons* sont reflétées de la façon la plus complète. *La Religieuse* est sans doute un roman composé de tableaux expressifs ; le *Neveu de Rameau* pourrait être considéré comme un traité de morale expressive. C'est dans *Jacques le fataliste* que tableaux, morale, dialogue, digression, anecdote, mouvement, description, sont mélangés dans un récit qui fait fi de toutes les règles de la composition littéraire. Diderot abandonne la critique d'art pour serrer de plus près, dans le roman, sa propre identité d'artiste, mais la question de l'expression, sans cesse posée sous des formes diverses, le poursuit inlassablement. Le roman lui a donné l'occasion de créer ses propres tableaux, de guider les émotions que son inspiration lui a dictées, de construire un monde où l'ordre moral est réglé au gré de celui qui tient la plume.

Cette liberté se révèle pourtant insuffisante. Diderot renie même l'ordre chronologique en racontant les aventures de Jacques et de son maître, et les faits de l'histoire qui sont à la fois réels et imaginaires, qui ont lieu en un instant et qui ne répondent pourtant à aucune notion de la durée, sont dessinés par une sorte d'expressionnisme pur.

Pour ce qui est de l'expression dans la peinture que Diderot a commentée, nous nous devons d'être circonspects. Cette étude s'est attachée avant tout à Diderot homme de lettres ; un examen fourni des arts picturaux au dix-huitième siècle reste en dehors de nos compétences. De même, l'orientation de notre travail a laissé inexploités certains aspects des *Salons*. Afin de donner une pleine signification à l'expression imagée, nous n'avons pas touché à la sculpture, à la gravure, à la tapisserie — genres représentés à l'exposition mais qui tiennent toujours la dernière place dans les comptes rendus de Diderot et qui manquent de cette spontanéité de technique qu'il recherchait dans la peinture.

Mais même si quelques aspects du problème de l'expression nous ont parus plus dignes d'attention que d'autres, l'on est tenté de faire des conjectures sur un plan assez large et de se demander quelle était la place de l'expression dans les arts picturaux au moment où Diderot rédigeait les *Salons*. Saurait-on parler, par exemple, d'une époque ou d'un mouvement expressionniste ? Oserait-on faire mention du baroque, terme omniprésent dans la critique et les commentaires d'aujourd'hui et que l'on applique au hasard à tout phénomène artistique qui échappe aux « règles » établies par l'usage et la tradition ?

Rien en effet ne laisse supposer que les opinions de Diderot différaient profondément de celles du public qu'il côtoyait au Salon. Et le « tic » moralisateur qu'il manifeste en parlant de peintres comme Boucher et Baudouin est bien faible à côté de l'emportement que suscitent chez lui Greuze, Chardin, Loutherbourg — emportement que les amateurs de l'époque partageaient très certainement. Il ne faut pas oublier non plus qu'en dépit des opinions de Diderot, les toiles de Boucher trouvaient toujours preneur.

Sans vouloir enfreindre les droits de l'historien de l'art, nous croyons pouvoir affirmer que la critique de Diderot reflète une tendance qui est non pas anti-classique et anti-académique, mais qui fait un appel direct aux sens et aux émotions. Les grands sujets historiques et mythologiques dominent toujours la peinture, mais celle-ci se désintellectualise. C'est une note affective et expressive qui attire le regard du public, qui s'érige en valeur esthétique, et que Diderot fait valoir par ses observations. Dans les tableaux dits de goût « moderne » — la scène de genre, la nature morte, le paysage — cette note est accentuée davantage et Diderot y répond avec la ferveur que nous lui connaissons.

Tout se passe comme si les peintres du milieu du dix-huitième siècle se permettaient le luxe de s'adresser (dans bien des cas à voix basse, il faut l'avouer), aux émotions intimes, au goût individuel. Ils s'étaient débarrassés en grande partie des principes du Grand Siècle, et avant que les événements de 1789 ne viennent imposer un nouvel engagement, cette fois néo-classique et annoncé par David dans le *Salon* de 1781, ils se sont exprimés avec une liberté et une diversité qui ont animé la plume de notre auteur.

Lorsque Diderot parle de la supériorité expressive de certaines langues, de certains peuples même, l'on est tenté de rapprocher ses opinions de celles où il professe son engouement pour Teniers et Wouwermans d'une part, pour la sensualité « spirituelle » de Raphaël et des Carrache de l'autre. De cette manière, l'on pourrait faire valoir une sorte d'orientation géographique de l'expression qui aiderait à son tour à fixer les influences étrangères sur la critique d'art de Diderot.

De telles questions ne sont pas de simples objets de curiosité, et nous nous sommes permis de les poser afin de montrer que les *Salons* ne sont pas tout simplement une collection

234

d'observations portant sur des tableaux que l'on garde dans les réserves des musées. Notre but dans ces pages a été de faire valoir la réaction conjuguée de l'expression picturale et de l'expression littéraire, mais derrière ce problème particulier reste le fait si souvent oublié, que sans la critique d'art, l'image que l'on se fait de la pensée, du caractère, du génie de Diderot, présenterait de très sérieuses lacunes.

APPENDICE A

Diderot et l'expression dramatique

Dans les chapitres précédents, nous avons parlé souvent en termes qui laissent supposer une parenté étroite entre l'expression et les théories de Diderot sur le théâtre. C'est ainsi que, dans la *Lettre sur les aveugles*, il a été question de « l'image dramatique » à propos du dialogue entre Saunderson et Holmes, et que dans la *Lettre sur les sourds et muets*, le geste dramatique a une place importante dans l'évolution de l'expression-hiéroglyphe.

D'aucuns jugeraient imprudent de toucher à l'esthétique de Diderot sans examiner en détail ses traités dramatiques. M. Belaval, n'a-t-il pas cru trouver dans ces œuvres la clé de tous les problèmes posés par l'esthétique diderotienne ? [1]

Or, nous sommes fort conscient d'avoir revendiqué dans notre étude de l'expression un rôle prépondérant pour les arts plastiques. Si nous mettons en doute l'importance que l'on a voulu attribuer à Diderot, homme de théâtre, nous ne songeons nullement à écarter à la légère ses pièces, les *Entretiens*, et le *Paradoxe sur le comédien*. Nous devons en effet nous demander comment ces ouvrages touchent et à la théorie et à la pratique de l'expression chez Diderot critique d'art.

Rappelons l'un des principes de la mise en œuvre de cette étude. La recherche de l'expression propre à Diderot est considérée comme la recherche d'une identité (voir *Introduction, supra,* p. 17) qui ne donne ses résultats les plus probants que sous des conditions spéciales — c'est-à-dire

---

[1] Y. BELAVAL : *L'Esthétique sans paradoxe de Diderot*, Paris. N.R.F., 1950.

dans les seuls écrits où Diderot se livre pleinement au démon de la création littéraire, sans avoir au tout premier plan de sa pensée quelque théorie ou quelque idée morale préconçue. Pour ce qui est de la théorie de l'expression que Diderot essaie de formuler, la question se présente exactement de la même façon, sauf dans de rares ouvrages comme la *Lettre sur les sourds et muets* et le chapitre IV des *Essais sur la peinture,* où le problème de l'expression est affronté directement.

Il est donc utile d'envisager à la lumière de ces réflexions la place de l'art dramatique dans l'inspiration de Diderot. Est-ce que ses pièces et les discours qui les accompagnent se caractérisent par leur spontanéité, par l'expression qui s'oublie dans le mouvement qui lui est naturel ? Il nous paraît inévitable de fournir une réponse négative à ces questions.

La légende veut que Diderot ait été un comédien manqué. Jeune encore, et après avoir terminé ses études au Collège Louis-le-Grand, il

allait en hiver, par la saison la plus rigoureuse, réciter à haute voix des rôles de Molière et de Corneille dans les allées solitaires du Luxembourg [1] (*Paradoxe*, A.-T., VIII, 398).

En 1773 encore, il éprouve toujours un sentiment de nostalgie avec une pointe d'amertume en songeant aux entraves que lui avaient imposé les circonstances de sa vie, notamment son mariage :

Le hasard et plus encore les besoins de la vie disposent de nous à leur gré ; qui le sait mieux que moi ? C'est la raison pour laquelle pendant environ trente ans de suite, contre mon goût, j'ai fait l'*Encyclopédie*, et n'ai fait que deux pièces de théâtre (*Réfutation d'Helvétius*, A.-T., II, 312).

---

[1] L. H. Nicolay, qui a connu Diderot vers 1761, rapporte ce détail dans des termes presque identiques, ce qui laisse supposer que Diderot a fait de sa « carrière théâtrale manquée » une anecdote qui lui était bien chère et qu'il répétait souvent. Voir E. HEIER : *L. H. Nicolay (1737-1820) and his contemporaries*, Nijhoff, La Haye, 1965, ch. V, « Nicolay's *Erinnerungen* », pp. 76-84.

Il nous semble probable que le théâtre, pour Diderot, n'était qu'une échappatoire.

Considérons la question d'abord sur le plan personnel. En parlant du dialogue chez Diderot, on souligne un jeu perpétuel auquel ne manquent qu'une scène et quelques interlocuteurs pour être transformé en représentation théâtrale. Mais le dialogue du comédien et celui de l'homme de lettres diffèrent profondément. Pour réussir complètement son art — et nous voyons ici une des leçons principales du *Paradoxe* — le comédien se voit obligé de se tenir en disponibilité totale envers le personnage qu'il crée, envers chaque nuance de la situation dramatique qu'il revit par l'aliénation de sa propre personnalité. L'homme de lettres, lui, se tient disponible seulement envers lui-même. Il peut avoir quelquefois l'illusion de s'aliéner dans le rêve de son imagination créatrice, mais les êtres nouveaux qu'il y découvre ne sont que des reflets d'une identité constante.

Quelles que soient les différentes étiquettes que l'on a attachées au génie multiforme de Diderot, il reste qu'il fût avant tout homme de lettres. Nous savons que sa conversation était parfois tumultueuse, que la vie sociale, nécessaire pour la fructification de ses idées, avait l'effet d'un stimulant non seulement intellectuel, mais physiologique. Pourtant, le mouvement caractéristique de Diderot est un mouvement *intérieur* qui ne vise pas le dédoublement de la personnalité. A tout moment, Diderot est profondément lui-même, et ceci aux moments les plus « dramatiques » du *Neveu de Rameau*, par exemple, même là où les deux pôles du caractère diderotien semblent avoir une existence autonome [1]. Certes, le *Paradoxe* insiste sur la nécessité d'une séparation nette entre

---

[1] L'on ne saurait mettre en doute le dédoublement de personnalité inhérent au dialogue entre MOI et LUI. Notons toutefois ces moments de calme qui succèdent aux « crises d'égarement » de LUI et qui laissent apercevoir un Diderot analyste de sa conscience la plus intime. La scène du proxénète, par exemple (A.-T., V, pp. 405-406), donne lieu à la réflexion suivante :

la sensibilité du comédien et le personnage qu'il crée, mais nous le trouvons difficile d'étendre ce principe hors d'un domaine qui est, somme toute, théorique.

Car, est-ce que l'on peut considérer le *Paradoxe sur le comédien* autrement que comme l'imposition d'un certain ordre au genre théâtral ? Si nous laissons de côté pour un instant l'intérêt, les passions même, que le *Paradoxe* a provoqués et provoque toujours chez les gens de théâtre ; si l'on accepte, sans vouloir le sous-estimer, le mouvement de réforme que l'œuvre a sollicité, il est non moins vrai que le *Paradoxe sur le comédien* est le fruit d'une réaction psychologique. Diderot essayait continuellement de dominer l'effusion de ses propres sentiments, de les transmuer de telle sorte qu'ils s'accommodassent au dessein voulu par le « jeu » de la société humaine.

Dans ce sens, le contrôle des sentiments qu'il souhaitait voir chez le comédien n'est que le reflet d'un moralisme personnel. Diderot aimait le théâtre d'une manière qui allait jusqu'à engager non seulement le sensualisme mais une stimulation sexuelle bien explicite :

Il y a quinze ans que nos théâtres étaient des lieux de tumulte. Les têtes les plus froides s'échauffaient en y entrant, et les hommes sensés y partageaient plus ou moins le transport des fous. On entendait d'un côté : *Place aux dames* ; d'un autre côté : *Haut les bras, Monsieur l'abbé* ; ailleurs : *A bas le chapeau* ; de tous côté : *Paix-là, paix la cabale !* On s'agitait, on se poussait ; l'âme était mise hors d'elle-même. Or, je ne connais pas de disposition plus favorable au poëte. La pièce commençait avec peine, était souvent

---

« Je l'écoutais, et à mesure qu'il faisait la scène du proxénète et de la jeune fille qu'il séduisait, l'âme agitée de deux mouvements opposés, je ne savais si je m'abandonnerais à l'envie de rire, ou au transport de l'indignation. Je souffrais. Vingt fois un éclat de rire empêcha ma colère d'éclater ; vingt fois la colère qui s'élevait au fond de mon cœur se termina par un éclat de rire » (A.-T., V, 407).

Voir aussi la suite de l'histoire du chien de Bouret (A.-T., V, p. 434 sqq.) :

« A votre place je jetterais ces choses-là sur le papier. Ce serait dommage qu'elle se perdissent (A.-T., V, 436).

interrompue ; mais survenait-il un bel endroit ? C'était un fracas incroyable, les *bis* se redemandaient sans fin ; on enthousiasmait de l'auteur, de l'acteur et de l'actrice. L'engoûment passait du parterre à l'amphithéâtre, de l'amphithéâtre aux loges. On était arrivé avec chaleur, on s'en retournait dans l'yvresse ; les uns allaient chez des filles, les autres se répandaient dans le monde... (Lettre à Mme Riccoboni, 27 nov. 1758. ROTH, II, 92-93).

Cette excitation porte en elle les germes d'une censure qui touche à tout aspect de la représentation théâtrale, mais plus particulièrement au comédien. Il est certain que Diderot considérait le comédien comme un être doué de certaines facultés qui le situent en marge de la morale commune. Le comédien entre dans une catégorie qui embrasse le poète, le musicien et le peintre — celle des génies [1]. Il y a cependant, une sorte de flétrissure qui s'attache à la profession théâtrale et que même Diderot, avec tout son enthousiasme pour les arts dramatiques, n'arrivait point à surmonter. Le comédien est une espèce de monstre, un « monstre » sacré, un être à plusieurs visages qu'il n'hésite pas à déployer au milieu des hommes ordinaires qui, eux, n'osent ou ne peuvent se permettre qu'une seule identité.

Diderot connaissait bien le monde théâtral de son temps, et bien qu'il ait été séduit par lui, il restait sensible aux inconséquences d'un milieu dont il avait eu à essuyer les affronts. Le *Fils naturel* et le *Père de famille* souffrirent de la négligence dédaigneuse des comédiens [2]. Déjà dans les

---

[1] Voir l'excellent article de Herbert DIECKMANN : « Diderot's conception of genius », *J.H.I.*, 1941, 2, pp. 151-182.

[2] Grimm, faisant le compte rendu du *Fils naturel* pour sa *Correspondance littéraire*, note que Préville et sa femme « s'occupent fort peu du succès d'une sorte d'ouvrage qui leur déplaît et mettent beaucoup de négligence dans l'étude de leur rôle. » (A.-T., VII, 8).

Mme de Vandeul rappelle, sur un ton mordant, la première du *Père de famille* : « Préville jouait le père de famille, mademoiselle Gaussin, Sophie ; ces deux acteurs hors de leur genre, devaient refroidir une pièce plus intéressante par la chaleur et la sensibilité qui y règnent que par les incidents. » (A.-T., I, xlvi).

Bijoux indiscrets, nous relevons cette critique piquante d'un métier qui foulait aux pieds les sentiments notoirement délicats de l'homme de lettres :

Le génie des auteurs était obligé de se prêter à la médiocrité du grand nombre ; et l'on ne pouvait se flatter qu'une pièce serait jouée avec quelque succès, si l'on n'avait eu l'intention de modeler ses caractères sur les vices du comédien... Jadis les acteurs étaient faits pour les pièces ; alors l'on faisait les pièces pour les acteurs : si vous présentiez un ouvrage, on examinait, sans contredit, si le sujet en était intéressant, l'intrigue bien nouée, les caractères soutenus, et la diction pure et coulante ; mais n'y avait-il point de rôle pour Roscius et pour Amiane, il était refusé (A.-T., IV, 276-277).

Pour Diderot le « génie de l'auteur » différait profondément du génie du comédien. Il s'attachait volontiers au premier, mais le second était certainement teinté de cet amoralisme qu'il retrouvait trop souvent dans ses propres sentiments. Et l'amoralisme du comédien ne peut être contenu par les pages d'un livre ni par le cadre d'un tableau, car il se manifeste par l'entremise du corps humain qui est toujours visible, mouvementé, vivant, et qui engage inlassablement notre attention et nos émotions.

Diderot était fasciné par le masque, mais il le craignait aussi, tout comme il se méfiait du mensonge de l'art en général. Ses écrits sur le théâtre prennent ainsi un caractère qui indique tout autant la catharsis que la spontanéité. Ils représentent une direction expressive que l'inspiration diderotienne était appelée à prendre, mais qu'un moralisme puissant façonnait à son propre gré.

Le résultat du conflit ainsi engendré est que l'œuvre théâtrale de Diderot manque des qualités mêmes qu'elle était destinée à imposer. Par un tour ironique du sort, Diderot voulait que ses pièces fussent proprement expressives. C'était avant tout le dynamisme du naturel qu'il souhaitait y créer et nous voyons (quoiqu'il n'en fût jamais directement question) que l'hiéroglyphe avait aussi sa place sur la scène. Le style haché, les « petits mouvements imperceptibles », les nœuds et les perspectives mobiles des intrigues que déploie Diderot sont tous destinés à rendre plus intense et plus rapide notre intelligence de la situation dramatique.

Malheureusement, ces efforts n'aboutissent pas à ce « moment sublime » qui doit toucher profondément le spectateur : ils n'ont pas cette faculté toute puissante « d'arrêter le temps ». Certes, il est devenu trop facile de passer vite sur l'œuvre théâtrale de Diderot et d'oublier qu'il s'y trouve une pièce d'une valeur incontestable — *Est-il bon ? est-il méchant ?* — et que certaines scènes du *Père de famille* méritent plus que la curiosité du lecteur.

Il reste une observation importante à faire sur la réforme matérielle que Diderot souhaitait imposer au théâtre. Si l'on a souvent attribué l'échec de ses pièces à des causes psychologiques et morales, on n'a jamais fait grand cas des rapports qu'il établit entre le théâtre, tel qu'il l'envisageait, et la peinture. Nous nous permettons donc de faire appel à quelques témoignages biographiques. Dans la *Lettre sur les sourds et muets* (1751), nous rencontrons la phrase suivante :

Je fréquentais jadis beaucoup les spectacles, et je savais par coeur la plupart de nos bonnes pièces (A.-T., I, 359).

Dans la lettre à Mme Riccoboni, celles-ci :

Tenez, mon amie, je n'ai pas été dix fois au spectacle depuis quinze ans. Le faux de tout ce qui s'y fait me tue (ROTH, II, 92).

Il est vraisemblable que, jusqu'à son mariage en 1743, Diderot a été fort assidu aux spectacles, mais qu'entre 1743 et 1758 les soucis domestiques et ceux de l'*Encyclopédie* lui enlevèrent une bonne partie de ses loisirs. Nous nous rallions à cette hypothèse, tout en ajoutant qu'un homme comme Diderot, qui savait trouver du temps pour toutes ses entreprises, ne serait guère porté à relâcher une habitude agréable. S'il n'allait pas au théâtre, c'est qu'il n'y trouvait pas ce qu'il cherchait. Le *Paradoxe* a certainement des racines dont on n'a fait que soupçonner la profondeur.

Revenons à la citation tirée de la *Lettre sur les sourds et muets*. La phrase continue dans ces termes :

> Les jours que je me proposais un examen des mouvements et du geste, j'allais aux troisièmes loges ; car plus j'étais éloigné des acteurs, mieux j'étais placé. Aussitôt que la toile était levée, et le moment venu où tous les autres spectateurs se disposaient à écouter, moi je mettais mes doigts dans mes oreilles... (moi un insensé) qui ne venait à la comédie que pour ne la pas entendre (A.-T., I, 359).

Cette expérience curieuse révèle une tendance à envisager le spectacle théâtral comme un genre de composition graphique. Diderot voulait se tenir loin de la scène afin que celle-ci fît « tableau ». Et lorsqu'il parle du théâtre, de ses propres pièces, combien de fois ce mot ne revient-il pas à son esprit ! Il explique à Mme Riccoboni son *Père de famille* (il s'agit de l'acte II, scène iv) :

> Si un père dit à sa fille : « Ma fille avez-vous réfléchi ? » Je ne souffrirai jamais qu'ils soient debout, et l'acteur qui ne se lèvera pas machinalement à l'endroit qui convient, est un stupide qu'il faut envoyer à la culture des champs. Ou je n'y entends rien ou ce seroit pour moi un tableau charmant dans une salle décorée à ma manière, qu'une jeune enfant sur le devant assise à côté d'un homme respectable, les yeux baissés, les mains croisées, la contenance modeste et timide, interrogée, et répondant de son père, de sa mère, de son état, de son pays, tandis que sur le fond, une bonne vieille travaillerait à outiller un morceau de toile grossière qu'elle aurait attachée avec une épingle sur son genou (ROTH, II, 97-98).

Dans la même lettre quelques pages plus haut, nous retrouvons les éléments d'une autre scène de genre à la Greuze :

> Imaginez un père qui expire au milieu de ses enfans, ou quelque autre scène semblable. Voyez ce qui se passe autour du lit : chacun

est à sa douleur, en suit l'impression, et celui dont je n'aperçois que certains mouvemens qui mettent en jeu mon imagination, m'attache, me frappe et me désole plus peut-être qu'un autre dont je vois toute l'action. Quelle tête que celle du père d'Iphigénie sous le manteau de Timante !... Van Loo n'y a pas pensé (ROTH, II, 91).

S'adressant directement au comédien, Diderot ne ménage pas ses propos :

> Vous vous résoudrez donc toute votre vie à n'être que des mannequins? La peinture, la bonne peinture, les grands tableaux, voilà vos modèles ; l'intérêt et la passion, vos maîtres et vos guides. Laissez-les parler et agir en vous de toute leur force (*ibid.*, 94).

Dans le premier des *Entretiens sur le Fils Naturel*, la « différence... entre un coup de théâtre et un tableau » est examinée en détail (A.-T., VII, 94 sqq.) et c'est Dorval qui arrive à la conclusion suivante :

> Il faut que l'action théâtrale soit bien imparfaite encore, puisqu'on ne voit sur la scène presque aucune situation dont on pût faire une composition supportable en peinture. Quoi donc ! la vérité y est-elle moins essentielle que sur la toile? Serait-ce une règle, qu'il faut s'éloigner de la chose à mesure que l'art en est plus voisin, et mettre moins de vraisemblance dans une scène vivante, où les hommes mêmes agissent, que dans une scène colorée, où l'on ne voit, pour ainsi dire, que leurs ombres?
> Je pense, pour moi, que si un ouvrage dramatique était bien fait et bien représenté, la scène offrirait au spectateur autant de tableaux qu'il y aurait dans l'action de moments favorables au peintre (A.-T., VII, 95).

Et si nous désirons connaître plus exactement les tableaux que Diderot veut encadrer sous le manteau d'arlequin, nous n'avons qu'à prendre note de cette confession :

> Savez-vous quels sont les tableaux qui m'appellent sans cesse? — Ceux qui m'offrent le spectacle d'un grand mouvement? —

Point du tout ; mais ceux où les figures tranquilles me semblent prêtes à se mouvoir. J'attends toujours. Voilà le caractère des compositions de Raphaël et des ouvrages anciens (ROTH, p. 98).

Nous ne saurions trouver un exemple plus probant de l'illusion picturale que Diderot impose à la scène. Ce n'est point le mouvement continu et extériorisé, la présence, admettons-le, intimidante, du comédien-monstre, qui est le plus acceptable au philosophe, mais un mouvement *imminent*, aménagé et « naturalisé ». Il va sans dire qu'il y entre l'effet de supra-réalité, issu de l'hiéroglyphe expressif.

Il serait vain de prétendre que Diderot espérait voir au spectacle une série de tableaux déhumanisés. La question dépasse en complexité la substitution grossière d'un genre artistique à un autre.

S'il nous est permis de soulever un parallèle moderne, nous croyons pouvoir identifier les idées de Diderot à l'art dramatique tel qu'il se présente au cinéma. Le rouleau de pellicule est composé de « tableaux » dont chacun représente un instant figé, individuel, mais par lui-même imperceptible, d'une action continue. C'est par une succession très rapide d'images que le cinéma donne l'illusion parfaite de la réalité visuelle — illusion que Diderot aurait très certainement applaudi.

Nous n'avons pas l'intention d'élaborer davantage ce qui est quelque peu en marge de notre étude. L'esthétique théâtrale de Diderot comporte des ramifications très diverses — surtout sur le plan psychologique — qui restent largement inexplorées et qu'il n'entrait pas dans notre dessein d'examiner. Nous avons seulement voulu appuyer le fait que dans une grande mesure, l'expérience dramatique de Diderot a été conçue dans le cadre de l'art pictural. Là où il parle du jeu, de la composition dramatique ou de la mise en scène, c'est le vocabulaire de l'atelier de peinture qui est fort souvent employé.

Dans une perspective biographique, le théâtre de Diderot partage, avec les *Salons*, l'expérience acquise et surtout les techniques notées, dans la rédaction de l'*Encyclopédie*. Et parmi ces techniques, celles qui utilisaient une image ou un tableau exerçaient une grande puissance mnémonique. Elles déforment, pour ainsi dire, la spontanéité propre aux dons théâtraux de Diderot, en lui imposant un ordre et un moralisme qui, par le fait d'être transposées à la scène, semblent d'autant plus rigides.

« La croyance *a priori* qu'avait Diderot en des principes communs aux deux modes d'expression, théâtral et pictural »[1], le conduisait donc par des voies sinon stériles du moins peu propices à l'essor vraiment spontané de son inspiration. En toute instance c'est l'expression picturale qui l'emporte sur l'expression théâtrale ; l'image assimile le geste et le transmue en une forme concrète, durable et indirectement personnelle — ce qui lui donne une valeur morale et esthétique au-dessus de celle conférée par l'artifice trop direct du jeu dramatique.

---

[1] La phrase est de Philippe VAN TIEGHEM dont l'article, « Diderot à l'école des peintres » Actes du Congrès de la I.F.M.L.L., Florence, Valmartina, 1955), nous a servi d'appui précieux dans cette hypothèse que le théâtre de Diderot est subordonné à une forte influence picturale.

APPENDICE B

Diderot et l'expression musicale

Si un court examen de Diderot et l'art dramatique nous a semblé indispensable à cause des questions de l'expression-identité et du geste expressif, un autre portant sur Diderot et la musique pourrait avoir tout l'air d'outrepasser les bornes d'une étude où la critique d'art a été proposée comme cheville ouvrière. Nous avons été tenté de le joindre à cet appendice afin d'appuyer le rapport qui s'établit de toute nécessité, nous semble-t-il, entre certaines qualités inhérentes à la musique et l'idée de l'hiéroglyphe qui a joué un rôle si considérable dans l'orientation de Diderot vers le monde pictural.

Malheureusement, aucune étude de fond sur Diderot et la musique n'a encore paru ; il est donc impossible de renvoyer le lecteur à un ouvrage qui indiquerait clairement ce que le philosophe comprenait par *l'expression* dans un art dont toute la valeur dépend d'un ébranlement subtil et complexe des émotions. Dans les œuvres où Diderot parle de la musique il y a certainement des questions techniques qui découragent les non-spécialistes. On est impressionné par les problèmes d'acoustique abordés dans les *Mémoires sur les différents sujets de mathématiques* (1748), et, dans les *Leçons de clavecin* (1771), on passe rapidement et à regret sur des douzaines de pages qui témoignent fort éloquemment du savoir de Diderot en matière de théorie musicale.

Ensuite, on se souvient de certains passages des *Bijoux indiscrets*, des *Entretiens sur « Le Fils naturel »* et, bien sûr, du *Neveu de Rameau*. Là au moins les dièses et les modulations relatives cèdent la place à des opinions et à des critiques qui, si elles se rapportent souvent à des compositions aujourd'hui oubliées ou mal connues, sont bien compréhensibles pour les incultes.

Même si l'on a une connaissance imparfaite des questions techniques on peut affirmer que la musique a influencé d'une façon vive et continue la sensibilité de Diderot et donc de ses idées esthétiques [1]. Pourtant, la musique ne semble pas l'avoir touché de la même façon que la peinture et la poésie. On ne peut nulle part trouver dans son œuvre un équivalent musical aux *Salons*. On est obligé de constater aussi que pour Diderot la musique est devenue très rapidement un sujet de polémique où ses opinions personnelles ont été inextricablement liées à celles d'un clan. La Querelle des Bouffons commence en 1752 ; par conséquent on peut dire que dès la composition de son pamphlet *l'Arrêt rendu à l'amphithéâtre de l'Opéra*, les pensées de Diderot sur la musique sont teintées du sectarisme italianisant que les Encyclopédistes ont adopté et qu'ils ont tissé comme leitmotif pour tous les articles qu'ils consacrent à la musique dans le grand dictionnaire.

Il est difficile de juger de l'originalité et de l'importance des idées de Diderot dans la volée de critiques qui s'est déclenchée contre l'opéra français vers le milieu du siècle. Oliver (*op. cit.*, p. 93) considère le pamphlet *Au petit prophète de Boehmischbroda et au grand prophète Monet* le document le plus sensé et le plus constructif de toute la querelle avant la publication de la *Lettre sur la musique française* (novembre 1753) de Rousseau. Jean Fabre, dans l'Introduction de son édition du *Neveu de Rameau* est plus sévère. En parlant des « zones anciennes » du *Neveu*, c'est-à-dire la partie musicale de l'œuvre, il proteste qu'

---

[1] On pourra se reporter notamment à A. R. OLIVER, *The Encyclopedists as Critics of Music*, Columbia University Press, New York, 1947, pp. 71-72, n. 12. G. SNYDERS, « Une révolution dans le goût musical au XVIIIe siècle : l'apport de Diderot et de J.-J. Rousseau. » *Annales*, 18e année, n° 1, pp. 20-43.

en dépit de la véhémence du ton, les idées y sont banales et courtes. Le cri animal de la passion, la mélodie toute simple qu'elle dicte, le *bel canto* préconisé, faute de mieux, pour liquider la musique aristocratique et savante, non sans quelque nostalgie secrète des émouvantes réussites que celle-ci avait permis d'atteindre, le pressentiment du vérisme à l'italienne et, dans le lointain, du roman musical de Charpentier, la *Traviata* et *Louise*, tout ne représente guère que la liquidation de ce que Diderot avait à dire, lors de la Querelle des Bouffons où, au fond, il n'y avait pas grand-chose à dire (édit. cit. p. xl).

La contribution de Diderot au grand débat est certainement moins significative que celle de Rousseau, peut-être moins importante du point de vue de la propagande que celle de Grimm. Néanmoins, les énoncés de Diderot sur la nature de la musique sont suffisamment nombreux pour nous permettre de tracer les courants principaux de sa pensée. Pour ce qui est du problème de l'expression nous voudrions attirer l'attention en premier lieu sur les *Additions* à la *Lettre sur les sourds et muets* où Diderot reprend plusieurs des thèmes qu'il a abordés dans l'ouvrage principal.

Comme la peinture et la poésie, la musique ne se livre qu'au tempérament particulier, à une élite sensible, car

en musique, le plaisir de la sensation dépend d'une disposition particulière, non seulement de l'oreille, mais de tout le système des nerfs. S'il y a des têtes sonnantes, il y a aussi des corps que j'appellerais volontiers harmoniques ; des hommes en qui toutes les fibres oscillent avec tant de promptitude et de vivacité, que, sur l'expérience des mouvements violents que l'harmonie leur cause, ils sentent la possibilité de mouvements plus violents encore, et atteignent à l'idée d'une sorte de musique qui les ferait mourir de plaisir (A.-T., I, 408).

De par sa nature la musique pose des problèmes subtils :

Son hiéroglyphe est si léger et si fugitif ; il est si facile de le perdre ou de le mésinterpréter, que le plus beau morceau de symphonie ne ferait pas un grand effet, si le plaisir infaillible et subit de la sensation pure et simple n'était infiniment au-dessus de celui d'une expression souvent équivoque. La peinture montre l'objet même, la poésie le décrit, la musique en excite à peine une idée ; elle n'a de ressource que dans les intervalles et la durée des sons... (*ibid.*).

Evidemment, la qualité matérielle qui est si importante pour Diderot dans son appréciation de l'expression picturale — cette qualité manque à la musique. Mais par contre, la notion de l'hiéroglyphe le conduit vers ce qui serait une seconde conclusion du problème de l'expression tel qu'il s'est présenté dans la *Lettre sur les sourds et muets*. Car la musique, bien qu'elle ne mette pas devant nous « l'objet même », est toute seule un hiéroglyphe expressif par excellence. Les sons, harmoniques et fondamentaux, éveillent les passions, transmettent directement l'inspiration de l'artiste sans limiter trop l'imagination de l'auditeur. La musique pourrait être considérée comme un équivalent de l'esquisse en peinture ; elle déclencherait ce même état d'excitation que Diderot a manifesté devant ses tableaux préférés. Cette solution n'est pas formulée directement par Diderot : elle se présente comme la réponse naturelle à une série de questions qui suivent les deux passages que nous venons de citer :

Comment se fait-il donc que des trois arts imitateurs de la nature, celui dont l'expression est la plus arbitraire et la moins précise parle le plus fortement à l'âme ? Serait-ce que, montrant moins les objets, il laisse plus de carrière à notre imagination ; ou qu'ayant besoin de secousses pour être émus, la musique est plus propre que la peinture et la poésie à produire en nous cet effet tumultueux ? (A.-T., I, 408-409).

En prenant ces réflexions comme point de départ, on peut très bien les élaborer en précisant les différents degrés d'importance que Diderot attachait aux genres musicaux de son époque. Par la même occasion on pourra décider de la valeur expressive qu'il voyait dans l'opéra, dans la musique instrumentale. Pour un tel examen, point n'est besoin de suivre dans ses moindres détours l'incompréhension que pût avoir Diderot à l'égard des œuvres de Duni ou de Lulli. Pour le dix-huitième siècle, la musique est avant tout l'opéra et c'est à l'opéra, français ou italien, que Diderot a trouvé un art qui réunit dans un même endroit et dans un même instant la déclamation poétique, le drame, le tableau.

Malheureusement, ces éléments, qui doivent se combiner dans une forme artistique des plus expressives, se placent sous l'égide du fragile hiéroglyphe musical. D'autre part, ils sont obligés de se mettre de concert pour que l'opéra réussisse. Et c'est justement dans la répartition de ces éléments que les opinions de Diderot ont tendance à se brouiller. L'aspect multiforme de l'opéra l'a sans doute fasciné, mais il l'a confondu en même temps. L'hiéroglyphe poétique est déjà difficile à saisir et à comprendre, mais dans l'opéra, la poésie devient aussi déclamation, elle engage le geste dramatique, la composition scénique. Le compositeur est obligé de coordonner les différents aspects de son travail en tenant compte des qualités expressives de la voix humaine et des instruments de l'orchestre.

Si l'on considère la partie essentielle de l'opéra, le chant, on constate que Diderot reste fidèle aux idées de son siècle en liant indissolublement chant et déclamation :

Il faut considérer la déclamation comme une ligne, et le chant comme une autre ligne qui serpenterait sur la première. Plus cette déclamation, type du chant, sera forte et vraie ; plus le chant qui s'y conforme la coupera en un plus grand nombre de points ; plus le chant sera vrai ; et plus il sera beau (*Neveu*, A.-T., V, 459).

Rien n'indique ici que le chant ait un pouvoir autonome et expressif, une façon de faire vibrer les passions sans les paroles qui elles ont une puissance intellectuelle d'abord, émotive par la suite.

Dans le troisième des *Entretiens sur « Le Fils naturel »*, Diderot va plus loin dans son analyse. Il considère ce qu'il appelle les « deux styles » en musique : « l'un simple, et l'autre figuré » (A.-T., VII, 162). Comme démonstration il imagine quelques vers de l'*Iphigénie* de Racine qui seraient chantés par Mlle Dumesnil. Elle en fera, pour le style, simple, « le cri de la nature », tout plein de « désordre ». Par contre, le compositeur qui adopte le style figuré

fera exécuter, par la voix, ce que l'autre a réservé pour l'instrument ; il fera gronder la foudre, il la lancera, il la fera tomber en éclats ; il me montrera Clytemnestre effreyant les meurtriers de sa fille, par l'image du dieu dont ils vont répandre le sang (A.-T., VII, 164).

Diderot envisage même une troisième catégorie qui

tentera la réunion des avantages des deux styles ; il saisira le cri de la nature lorsqu'il se produit violent et inarticulé ; et il en fera la base de sa mélodie (*ibid.*).

Ce qui est frappant dans tout ce passage est l'incapacité où se trouve Diderot de préciser l'élément qui doit prédominer dans l'expression musicale. Il veut être ému à l'opéra tout comme il cherche l'expression forte en peinture ; mais est-ce la beauté des vers ou les accents du chant qui produiront l'effet d'extase ? La différence entre « le style simple » et « le style figuré » n'est pas très claire. Dans le premier, il a certains préparatifs à observer :

(le musicien) se remplira de la douleur, du désespoir de Clytemnestre ; il ne commencera à travailler que quand il se sentira pressé par les images terribles qui obsédaient Clytemnestre (A.-T., VII, 163).

Pour illustrer l'effet voulu, Diderot intercale dans son argument un long passage où sont indiquées les pauses et les répétitions de certains mots dans les vers de Racine. Ce procédé est destiné à rendre plus réel pour le lecteur le chant de

Mlle Dumesnil *tel que Diderot le conçoit*. Ce serait donc un
« chant-substitution », un équivalent pour la musique de ce
que nous avons trouvé à maintes reprises dans les *Salons*.
On ne saurait douter que Diderot entend ce qu'il essaie
d'expliquer. La mélodie du chant, le son des instruments,
la scène, les gestes des chanteurs — tout lui est présent
comme une symphonie qui lui revient continuellement à
l'esprit. Et que l'on choisisse le style simple ou le style figuré,
c'est l'image frappante, l'objet même que la musique doit
peindre.

Pour ce qui est de l'opéra et de son élément principal,
le chant, il nous semble impossible de donner aux opinions de
Diderot une orientation qui laisserait voir une théorie de
« la musique pure ». Le chant a certainement toutes les qualités
d'un langage expressif où des considérations de grammaire et
de syntaxe ne nuisent en rien à l'expérience purement émo-
tionnelle de l'auditeur. Seulement, Diderot ne fait pas le pas
qui affranchirait le chant de la déclamation et tout ce qui s'y
rattache. Par moments, une formule semble bien proche.
On a cité le passage suivant, tiré encore du troisième des
Entretiens sur « Le Fils naturel », afin de décerner à Diderot
le titre de précurseur des réformes de Gluck [1] :

Qu'il se montre, cet homme de génie qui doit placer la véritable tragédie, la véritable comédie sur le théâtre lyrique. Qu'il
s'écrie, comme le prophète du peuple hébreu dans son enthousiasme :
Adducite mihi psaltem (ÉLISÉE, *Regum* lib. IV, cap. III, 15) ;
« Qu'on m'amène un musicien, » et il le fera naître.

Le genre lyrique d'un peuple voisin a des défauts sans doute,
mais beaucoup moins qu'on ne pense. Si le chanteur s'assujettis-
sait à n'imiter, à la cadence, que l'accent inarticulé de la passion
dans les airs de sentiment, ou que les principaux phénomènes de
la nature, dans les airs qui font tableau, et que le poète sût que
son ariette doit être la péroraison de sa scène, la réforme serait
bien avancée (A.-T., VII, 157).

---

[1] Voir OLIVER, *op. cit.*, p. 114.

Vers la fin du *Neveu de Rameau*, on trouve une tirade contre la déclamation classique et son vocabulaire restreint. Après un résumé des malheurs de l'opéra français, le Neveu propose les mesures suivantes :

On nous accoutumera à l'imitation des accents de la passion ou des phénomènes de la nature, par le chant et la voix, par l'instrument, car voilà toute l'étendue de l'objet de la musique, et nous conserverons notre goût pour les voles, les lances, les gloires, les triomphes, les victoires ? Va-t-en voir s'ils viennent, Jean (A.-T., V, 461).

Il faut avouer que les indications de cet ordre sont rares. A l'oreille de Diderot, le chant doit *dire* quelque chose ; même quand il imagine le « cri de la nature » dans la bouche de Mlle Dumesnil, il construit instinctivement, avec le son qu'il entend, un tableau, une série d'événements.

C'est sans aucun doute dans la musique instrumentale que Diderot a trouvé un langage qui est non-figuratif et qui parle, sans appui, aux passions. Dans la *Lettre sur les sourds et muets*, il y a un passage où cette idée est tout à fait explicite. Diderot est en train d'imaginer le monde d'un sourd-muet :

Il crut que la musique était une façon particulière de communiquer la pensée, et que les instruments, les vielles, les violons, les trompettes étaient, entre nos mains, d'autres organes de la parole. C'était bien là, direz-vous, le système d'un homme qui n'avait jamais entendu ni instrument ni musique. Mais considérez, je vous prie, que ce système, qui est évidemment faux pour vous, est presque démontré pour un sourd et muet. Lorsque ce sourd se rappelle l'attention que nous donnons à la musique et à ceux qui jouent d'un instrument, les signes de joie ou de tristesse qui se peignent sur nos visages et dans nos gestes, quand nous sommes frappés d'une belle harmonie, et qu'il compare ces effets avec ceux du discours et des autres objets extérieurs, comment peut-il imaginer qu'il n'y a pas de bon sens dans les sons, quelque chose que ce puisse être, et que ni les voix ni les instruments ne réveillent en nous aucune perception distincte ? (A.-T., I, 357-358).

La notion d'un langage musical est très claire ici, mais l'évidence ne manque pas pour montrer que ces opinions étaient bien avancées pour leur époque. Dans le *Discours préliminaire* de l'*Encyclopédie*, d'Alembert insiste non seulement que « la musique, qui parle à la fois à l'imagination et aux sens, tient le dernier rang dans l'ordre de l'imitation », mais aussi que « toute musique qui ne peint rien n'est que du bruit ». Cahusac est tout aussi dogmatique :

> La musique est une imitation, et l'imitation n'est et ne peut être que l'expression véritable du sentiment qu'on veut peindre. La poésie exprime par les paroles, la peinture par les couleurs, la musique par les chants ; et les paroles, les couleurs, les chants doivent être propres à exprimer ce qu'on veut dire, peindre ou chanter. (*Encyclopédie*, article « Expression » [Opéra]).

A vrai dire, Diderot semble avoir été le seul des Encyclopédistes qui ait apprécié la musique instrumentale pour les qualités expressives qui lui sont propres. Par un tour assez agaçant pour nous mais bien compréhensible dans le contexte du dix-huitième siècle, le philosophe s'est fait critique de musique en se référant presque toujours à l'opéra et donc à des opinions déjà rabâchées. Ce qu'il apporte de vraiment neuf, nous sommes obligés de le déduire : des *Leçons de clavecin* qui étaient adaptées de l'allemand de Bemetzrieder et inspirées visiblement par l'éducation musicale d'Angélique Diderot ; des articles et des planches de l'*Encyclopédie* qui décrivent en grand détail les instruments de musique. Diderot leur a apporté un soin tout particulier. Sur ce fond personnel, professionnel et non-engagé se détachent des idées comme celle du langage musical que nous venons de citer de la *Lettre sur les sourds et muets*, une autre qui est du *Salon* de 1765 : « il faut entendre dans la musique vocale ce qu'elle exprime ; je fais dire à une symphonie bien faite presque ce qui me plaît » (A.-T., X, 351).

255

Voici la véritable solution du problème de l'expression musicale chez Diderot — une solution qui se trouve au cœur de la musique même et non pas dans un autre genre que la musique suggère. La peinture a proposé à Diderot le monde romanesque : la musique, et surtout la musique instrumentale, l'a invité à écouter simplement et à suivre avec assiduité ses subtiles harmonies expressives.

BIBLIOGRAPHIE

ŒUVRES DE DIDEROT UTILISÉES POUR CETTE ÉTUDE

Œuvres complètes, éd. par J. Assézat et M. Tourneux. 20 vol. (Paris, Garnier, 1875-1877).

Encyclopédie ou Dictionnaire raisonné des sciences, des arts et des métiers. 35 vol. (Paris, Briasson, etc., 1751-1765).

Salons, éd. par J. Seznec et J. Adhémar. Vol. 1 : *Salons* de 1759, 1761, 1763 ; Vol. 2 : *Salon* de 1765 ; Vol. 3 : *Salon* de 1767 ; Vol. 4 : *Salons* de 1769, 1771, 1775, 1781 (Oxford, Clarendon Press, 1957 *et seq.*).

Correspondance, éd. par Georges Roth (Paris, Les Editions de Minuit, 1955 *et seq.*).

Lettres à Sophie Volland, éd. par A. Babelon. 2 vol. (Paris, Gallimard, 1938).

Essais sur la peinture et *Pensées détachées sur la peinture*, éd. par J. Pierre et R. Desné (Paris, Editions Sociales, 1955).

Salons (extraits), éd. par R. Desné (Paris, Editions Sociales, 1955).

Pensées philosophiques, éd. par R. Niklaus (Genève, Droz, 1950).

Lettre sur les aveugles, éd. par R. Niklaus (Genève, Droz, 2e édit., 1963).

Lettre sur les sourds et muets, éd. commentée et présentée par Paul Hugo Meyer in *Diderot Studies VII* (Genève, Droz, 1965).

Œuvres philosophiques, éd. par Paul Vernière (Paris, Garnier, 1956).

Le Rêve d'Alembert, éd. par P. Vernière (Paris, Didier, 1951).

Œuvres romanesques, éd. par Henri Bénac (Paris, Garnier, 1951).

Œuvres esthétiques, éd. par Paul Vernières (Paris, Garnier, 1959).

Le Neveu de Rameau, éd. par Jean Fabre (Genève, Droz, 1950).

Jacques le fataliste, éd. par Y. Belaval (Paris, Club Français du Meilleur Livre, 1955).

La Religieuse, édit. critique de J. Parrish (Genève, *Studies on Voltaire and the Eighteenth Century*, 1963).

Contes, éd. par H. Dieckmann (London University Press, 1963).

257

ŒUVRES D'AUTRES AUTEURS, ÉTUDES CRITIQUES,
OUVRAGES GÉNÉRAUX

Nous tenons à mentionner en premier lieu des revues et collections qui renferment un nombre d'articles sur Diderot et qui ont retenu particulièrement notre attention. Il va sans dire que nous ne citons que les articles qui intéressent directement cette étude.

Diderot Studies, Vols. I-XII.

>vol. I, éd. par Otis E. Fellows et Norman L. Torrey, Syracuse University Press, 1949.
>
>vol. II, mêmes éditeurs et lieu de publication, 1952.
>
>vol. III, éd. par Otis Fellows et Gita May, Genève, Droz, 1961.
>
>vols. IV-VII, éd. par Otis Fellows, Genève, Droz, 1963-1965.
>
>vols. VIII-XII, éd. par Otis Fellows et Diana Guiragossian, Genève, Droz, 1966-1969.

— BELAVAL, Yvon, « Les protagonistes du *Rêve de d'Alembert* », vol. III, pp. 27-55.

— COMMAILLE, Anne-Marie de, « Diderot et le symbole littéraire », vol. I, pp. 94-121.

— CROCKER, Lester G., « *Jacques le fataliste*, an « expérience morale », vol. III, pp. 73-101.

— DIECKMANN, Herbert, « The Presentation of Reality in Diderot's Tales », vol. III, pp. 101-129.

— DOOLITTLE, James, « Hieroglyph and Emblem in Diderot's *Lettre sur les sourds et muets* », vol. II, pp. 148-168.

— FABRE, Jean, « Actualité de Diderot », vol. IV, pp. 17-41.

— FELLOWS, Otis E., « The Theme of Genius in Diderot's *Neveu de Rameau* », vol. II, pp. 168-200.

— FELLOWS, Otis E., et O'GORMAN, D., « Another Addition to the *Salon de 1767* ? », vol. III, pp. 215-219.

— FUNT, David, *Diderot and the Esthetics of the Enlightenment*, vol. XI.

— GILMAN, Margaret, « Imagination and Creation in Diderot », vol. II, pp. 200-221.

— GREEN, Alice G., « Diderot's Fictional Worlds », vol. I, pp. 1-26.

— HILL, Emita, « Materialism and Monsters in *Le Rêve de d'Alembert* », vol. X, pp. 67-93.

— LANG, Paul Henry, « Diderot as Musician », vol. X, pp. 95-107.

— LAUNAY, Michel, « Sur les intentions de Diderot dans le *Neveu de Rameau* », vol. VIII, pp. 105-117.

— LEWINTER, Roger, « L'exaltation de la vertu dans le théâtre de Diderot », vol. VIII, pp. 119-169.

— MAY, Georges, « L'angoisse de l'échec et la genèse du *Neveu de Rameau* », vol. III, pp. 285-309.

— MEYER, Paul H., « The *Lettre sur les sourds et muets* and Diderot's Emerging Concept of the Critic », vol. VI, pp. 133-155.

— NAHON, Albert, « Le comique de Diderot dans les *Salons* », vol. X, pp. 121-132.

— NIKLAUS, Robert, « Présence de Diderot », vol. VI, pp. 13-28.

— OUSTINOFF, Pierre C., « Notes on Diderot's Fortunes in Russia », vol. I, pp. 121-143.

— SACALUGA, Servando, « Diderot, Rousseau, et la querelle musicale de 1752. Nouvelle mise au point », vol. X, pp. 133-173.

— TROUSSON, Raymond, « Diderot et l'Antiquité grecque », vol. VI, pp. 215-245.

— TROUSSON, Raymond, « Diderot et Homère », vol. VIII, pp. 185-216.

— TROUSSON, Raymond, « Diderot helléniste », vol. XII, pp. 141-326.

— VARTANIAN, Aram « Diderot and the Phenomenology of the Dream », vol. VIII, pp. 217-253.

— WALDAUER, Joseph L., *Society and the Freedom of the Creative Man in Diderot's thought*, vol. V.

— WARTOFSKY, M., « Diderot and the Development of Materialist Monism », vol. II, pp. 279-329.

Cahiers de l'Association Internationale des Etudes Françaises, No. 13, Juin 1961.

— DIECKMANN, Herbert, « Le thème de l'acteur dans la pensée de Diderot », pp. 157-172.

— Grimsley, Ronald, « L'ambiguïté dans l'œuvre romanesque de Diderot », pp. 189-202.

— Mortier, Roland, « Diderot et le problème de l'expressivité : de la pensée au dialogue heuristique », pp. 283-298.

— Niklaus, Robert, « Diderot et le conte philosophique », pp. 299-316.

— Proust, Jacques, « Diderot et la physiognomonie », pp. 317-330.

— Seznec, Jean, « L'autographe du *Salon de 1767* », pp. 331-338.

— Vartanian, Aram, « Erotisme et philosophie chez Diderot », pp. 367-390.

Revue *Europe*, numéro de janvier-février 1963 consacré entièrement à Diderot.

— Dupeyron, G., « L'imagination de Diderot », p. 198.

— Fournier, Albert, « Les logis de Diderot à Paris », p. 48.

— Guyot, Charly, « L'homme du dialogue », p. 153.

— Niklaus, Robert, « Diderot et la peinture », p. 231.

— Roelens, M., « L'art de la digression », p. 172.

— Varloot, Jean, « Le poète Diderot », p. 203.

— Wais, K., « Melchior Grimm et Diderot », p. 95.

— Waisbord, B., « La conversation de Diderot », p. 163.

* * *

Alciati, Andrea, *Emblematum liber* (Paris, 1534).

Batteux, l'Abbé, *Les Beaux-arts réduits à un seul principe* (Paris, 1747).

Behets, André, *Diderot: critique d'art* (Collection Lebègue, Bruxelles, 1944).

Belaval, Yvon, *L'Esthétique sans paradoxe de Diderot* (Paris, Gallimard, 1950).

Belaval, Yvon, « Nouvelles recherches sur Diderot », *Critique*, 1956, Nos 100-101, 107, 108, 109.

Bénézit, Emmanuel, *Dictionnaire critique et documentaire des Peintres, Sculpteurs, Dessinateurs et Graveurs*. 8 vol. (Paris, Gründ, 1957).

BERENSON, Bernard, *The Italian Painters of the Renaissance* (Londres, Phaidon Press, 1952).

BOUTET DE MONVEL, A., «Diderot et la notion de style», RHLF, 1951, 3.

BRUNETIÈRE, Ferdinand « Les *Salons* de Diderot », *Etudes critiques sur l'histoire de la littérature française*, deuxième série, 3me édit., 1889, pp. 295-321.

BUFFON, Georges Leclerc de, *Histoire naturelle, générale et particulière*, 36 vol. (Paris, Imprimerie royale, 1749-1788).

BUSNELLI, Manlio D., *Diderot et l'Italie* (Paris, Champion, 1925).

CABEEN, David C. (éd.) *A Critical Bibliography of French Literature*, vol. IV, The 18th century, (Syracuse University Press, 1951).

CASSIRER, Ernst, *The Philosophy of the Enlightenment* (Princeton University Press, 1951).

CAYLUS, Anne Claude Philippe de, *Vies d'artistes du dix-huitième siècle*, introd. par A. Fontaine (Paris, Laurens, 1910).

CHESELDEN, William, *Philosophical Transactions*, No 402, avril-juin (Londres, 1728).

COUSIN, Jean, *L'Art de dessiner* (Paris, 1685).

CROCKER, Lester G., *Diderot, the Embattled Philosopher* (Londres, Neville Spearman, 1955).

— *Two Diderot Studies: Ethics and Aesthetics* (Baltimore, John Hopkins Press, 1953).

— *An Age of Crisis. Man and World in Eighteenth Century French Thought* (Baltimore, John Hopkins Press, 1959).

— *Nature and Culture. Ethical Tought in the French Enlightenment* (Baltimore, John Hopkins Press, 1963).

— " Aspects of Diderot's Aesthetic Theory " RR, 1939, no. 30, pp. 244-259.

— " The Problem of Truth and Falsehood in the Age of Enlightenment " JHI, 1953-4.

CROZAT, Baron de Thiers *Recueil d'Estampes d'après les plus beaux Tableaux... qui sont dans le Cabinet du Roi, dans celui de Mgr. le Duc d'Orléans, et dans d'autres cabinets* (Paris, 1763).

CRU, R. Loyalty, *Diderot as a Disciple of English Thought* (New York, Columbia, 1913).

DESCARTES, René, *Les Passions de l'âme*, éd. par Geneviève Rodis-Lewis (Paris, Vrin, 1955).

DACIER, Emile, *Catalogues de ventes et livrets des « Salons » illustrés par Gabriel de Saint-Aubin* (Paris 1909-21).

DIECKMANN, Herbert, "Bibliographical Data on Diderot" in *Studies in Honour of Frederick W. Shipley* (St. Louis, Washington University Studies, New series, no. 14, 1942).

— *Cinq Leçons sur Diderot* (Genève, Droz, 1959).

— *Inventaire du Fonds Vandeul et inédits de Diderot* (Genève, Droz, 1951).

— " Diderot's Conception of Genius ", *JHI*, 1941, 2, pp. 151-182.

DOOLITTLE, James, " Criticism as Creation in the Work of Diderot" *Yale French Studies*, 1949, vol. 2, no. 1, pp. 14-23.

— " The Creative Process in Art and Criticism According to Diderot " *Dissertation Abstracts*, 1955, 5.

DUBOS, Jean-Baptiste, abbé, *Réflexions critiques sur la poésie et sur la peinture* (Paris, 1719).

DULAURE, Jacques-Antoine, *Histoire physique, civile et morale de Paris* (Paris, 1855).

DURKIN, T. J., " Three Notes to Diderot's Aesthetic " *JAAC*, mars 1957, vol. XV, no. 3.

FÉLIBIEN, André, *Entretiens sur la vie et les ouvrages des plus excellents peintres* (Paris, 1728).

FOCILLON, Henri, *Vie des formes* (Paris, P.U.F., 4me édit., 1955).

FOLKIERSKI, Wladyslaw, *Entre le Classicisme et le romantisme; étude sur l'esthétique du dix-huitième siècle* (Paris, Champion, 1925).

FONTAINE, André, *Les Doctrines d'art en France, peintres, amateurs, critiques, de Poussin à Diderot* (Paris, Laurens, 1909).

FOSCA, François, *De Diderot à Valéry; les écrivains et les arts visuels* (Paris, Albin Michel, 1960).

GAIFFE, Félix, *Etude sur le drame en France au dix-huitième siècle* (Paris, A. Colin, 1910).

GILBERT, Katherine G., et KUHN, Helmut, *A History of Aesthetics* (New York, Macmillan, 1939).

GILLOT, Henri, *Denis Diderot: l'homme, ses idées philosophiques, esthétiques et littéraires* (Paris, Courville, 1937).

GILMAN, Margaret, " The Poet According to Diderot " *RR*, 1946, no. 37, pp. 37-54.

GOHIN, Ferdinand, *Les Transformations de la langue française pendant la deuxième moitié du dix-huitième siècle* (Paris, 1908).

GOMBRICH, Ernest H., *Art and Illusion* (Londres, Phaidon Press, 1960).

GONCOURT, Edmond et Jules, *L'Art du dix-huitième siècle*, 2 vol. (Paris, Charpentier, 1882).

GREEN, Frederick C., *Minuet* (Londres, Dent, 1935).

GRIMM, Friedrich-M. Baron de, *Correspondance littéraire, philosophique et critique, par Grimm, Diderot, Raynal, Meister, etc.* édit. par Maurice Tourneux, 16 vol. (Paris, Garnier, 1877-82).

GRIMSLEY, Ronald, " Psychological Aspects of *Le Neveu de Rameau* " *MLQ*, 1955, 3.

GUYOT, Charly, *Diderot par lui-même* (Paris, Editions du Seuil, 1953).

HAUSER, Arnold, *The Philosophy of Art History* (Londres, Routledge and Kegan Paul, 1959).

HAUTECOEUR, Louis, *Littérature et peinture en France du dix-septième au vingtième siècle* (Paris, A. Colin, 2ᵐᵉ édit., 1963).

— *Greuze* (Paris, Alcan, 1913).

HAZARD, Paul, « Les origines philosophiques de l'homme de sentiment », *RR*, 1937, décembre.

HEIER, Edmund, *L. H. Nicolay (1737-1820) and his contemporaries* (La Haye, Nijhoff, 1965).

HERMAND, Pierre, *Les Idées morales de Diderot* (Paris, P.U.F., 1923).

HUNT, Herbert J., " Logic and Linguistics ; Diderot as grammairien-philosophe ", *MLR*, 1938, no. 33, pp. 215-33.

HUYGHE, René, *Dialogue avec le visible* (Paris, Flammarion, 1955).

— *L'Art et l'âme* (Paris, Flammarion, 1960).

HUYGHE, René, « Classicisme et baroque dans la peinture française au dix-septième siècle » *17me Siècle*, 1953-54, t. 3, n⁰ 20.

JEAN, R., « Le sadisme de Diderot » *Critique*, janvier, 1963.

JULLIEN, Adolphe, *La Ville et la cour au 18me siècle* (Paris, Rouveyre, 1881).

KOSCIUSKO, J. « Diderot et Hagedorn » *RLC*, 1936, vol. XVI.

LA CHAMBRE, Marin CUREAU de, *L'Art de connaître les hommes et le caractère des passions* (Paris, 1659).

LA FONT DE ST. YENNE, *Réflexions sur quelques causes de l'état présent de la peinture en France* (Paris, 1746).

LA METTRIE, Julien O. de, *Traîté de l'âme* (1745).

LECERCLE, J. L., « Diderot et le réalisme bourgeois au dix-huitième siècle » *La Pensée*, 1951, n⁰ 38.

LEFEBVRE, Henri, *Diderot* (Paris, Les Editeurs Réunis, 1949).

LOCKE, John, *An Essay Concerning Human Understanding* (Londres, 1690, trad. fr. 1700).

LOUGH, John, *Paris Theatre Audiences in the Seventeenth and Eighteenth Centuries* (Oxford, University Press, 1957).

LUPPOL, I. K. van, *Diderot, ses idées philosophiques*, trad. du russe par Y. et V. Feldman (Paris, Editions sociales, 1937).

LEBRUN, Charles, *L'Expression générale et particulière des passions* (1678).

— *Méthode pour apprendre à dessiner les passions* (Amsterdam, 1702).

MAY, Georges, *Quatre Visages de Denis Diderot* (Paris, Boivin, 1951).

— *Diderot et « La Religieuse »* (Yale, and P.U.F., 1954).

MAY, Gita, *Diderot et Baudelaire, critiques d'art* (Genève, Droz, 1957).

— " Diderot and Burke : a Study in Aesthetic Affinity " *PMLA*, vol. LXXV (1960), pp. 527-539.

— « Diderot devant la magie de Rembrandt » *PMLA*, sept. 1959, pp. 387-397.

— « Chardin vu par Diderot et par Proust » *PMLA*, vol. LXXII (1957), pp. 403-418.

MAYOUX, Jean J., " Diderot and The Technique of Modern Literature " *MLR*, 1936, 31, pp. 518-531.

MESNARD, Pierre, *Le Cas Diderot, étude de caractérologie* (Paris, P.U.F., 1952).

MEYER, Ernst, « Diderot, moraliste » *RCC*, jan.-juill., 1925.

MICHAUD, Guy, *L'Œuvre et ses techniques* (Paris, Nizet, 1957).

MORNET, Daniel, *Diderot, l'homme et l'œuvre* (Paris, Boivin, 1958).

— *Les Origines intellectuelles de la Révolution française* (Paris, A. Colin, 1933).

— *La Pensée française au dix-huitième siècle* (Paris, A. Colin, 1926)

— *Le Romantisme en France au dix-huitième siècle* (Paris, Hachette, 1912).

MOLBJERG, Hans, *Aspects de l'esthétique de Diderot* (Copenhague, Schultz 1964).

MORTIER, Roland, *Diderot en Allemagne* (Paris, P.U.F., 1954).

MUSTOXIDI, T. M., *Histoire de l'esthétique française — 1700-1900*, (Paris, Champion, 1920).

NIVELLE, Armand, *Les Théories esthétiques en Allemagne de Baumgarten à Kant* (Paris, Les Belles Lettres, 1955).

OGDEN, Charles K. et RICHARDS, Ivor, A., *The Meaning of Meaning* (Londres, Routledge & Kegan Paul, 8me édit. 1946).

OLIVER, Alfred R., *The Encyclopedists as Critics of Music* (Columbia U.P. New York, 1947).

PILES, Roger de, *Dialogue sur le coloris* (Paris, 1672).

— *Abrégé de la vie des Peintres* (Paris, 1699).

— *Cours de peinture par principe* (Paris, 1708).

POMMIER, Jean, *Diderot avant Vincennes* (Paris, Boivin, 1939).

— « Autour de la *Lettre sur les sourds et muets* » *RHLF*, 1951, 3.

— « Les *Salons* de Diderot et leur influence au dix-neuvième siècle ; Baudelaire et le *Salon* de 1846 », *RCC*, 1936, 30 mai et 15 juin.

POULET, Georges, *Etudes sur le temps humain* (Paris, Plon, 1950).

PRAZ, Mario, *Studies in Seventeenth Century Imagery*, Studies of the Warburg Institute, vol. 3 (Londres, 1939).

PROUST, Jacques, « L'initiation artistique de Diderot » *Gazette des Beaux-Arts*, avril, 1960.

PROUST, Jacques, *Diderot et l'Encyclopédie* (Paris, A. Colin, 1962).

RÉAU, Louis, *L'Europe française au siècle des lumières* (Paris, A. Michel, 1938).

SAISSELIN, R. G. "*Ut Pictura Poesis:* Du Bos to Diderot" *JAAC* hiver, 1961.

SEZNEC, Jean, *Essais sur Diderot et l'antiquité* (Oxford University Press, 1957).

— « Le musée de Diderot » *Gazette des Beaux-Arts*, mai-juin, 1960.

SMILEY, Joseph R., *Diderot's Relations with Grimm* (Illinois Studies in Language and Literature, XXXIV, n° 4. Urbana, 1950).

SNYDERS, G., « Une révolution dans le goût musical au dix-huitième siècle : l'apport de Diderot et de J.-J. Rousseau ». *Annales*, n° 18, 1963.

SPITZER, Leo., ' The Style of Diderot ' in *Linguistics and Literary History* (Princeton University Press, 1948).

STEEL, Eric M., *Diderot's Imagery* (New York, Corporate Press, 1941).

SWITTEN, M., " Diderot's Theory of Language as the Medium of Literature " *RR*, oct. 1953, pp. 185-196.

— " *L'Histoire* and *La Poésie* in Diderot's writings on the novel " *RR*, 1956, XLVII, 4.

TAPIÉ, Victor-L., *Baroque et classicisme* (Paris, Plon, 1957).

THOMAS, Jean, *L'Humanisme de Diderot* (Paris, Les Belles Lettres, 1938).

TOURNEUX, Maurice, *Diderot et Catherine II* (Paris, Calmann Lévy, 1899).

TRAHARD, Pierre, *Les Maîtres de la sensibilité française au dix-huitième siècle*, 2 vol. (Paris, Boivin, 1932).

VAN TIEGHEM, Philippe, « Diderot à l'école des peintres » *Actes du Cinquième Congrès international de la langue et littérature françaises* (Florence, Valmartina, 1955).

VARTANIAN, Aram, *Diderot and Descartes; Scientific Naturalism in the Enlightenment* (Princeton University Press, 1953).

— *La Mettrie's « L'Homme Machine »* (Princeton University Press, 1960).

266

VENTURI, Franco, *La Jeunesse de Diderot (1713-1753)* (Paris, Skira, 1939).

VERNIÈRE, Paul, « Diderot et C. L. de Hagedorn : une étude d'influence » *RLC*, XXX (1956) pp. 239-254.

VEXLER, Félix, *Studies in Diderot's Aesthetic Naturalism* (New York, Columbia University Press, 1922).

VOLTAIRE, F.-M., Arouet de *Eléments de la philosophie de Newton* (Amsterdam, 1738).

WALKER, E. M., " Towards an Understanding of Diderot's Aesthetic Theory ", *RR*, 1944, n° 35, pp. 277-287.

WILLE, Georges, *Mémoires et Journal de J. G. Wille, graveur du roi, d'après les manuscrits autographes de la Bibliothèque impériale* édit. par G. Duplessis, 2 vol. (Paris, 1857).

WILSON, Arthur M., *Diderot: The Testing Years, 1713-1759,* (New York, Oxford university Press, 1957).

267

Achevé d'imprimer
sur les presses de
l'Imprimerie du « Journal de Genève »
en 1969
pour le compte des
ÉDITIONS DROZ S.A.